D1058646

LE-CHABER ES HA-OHEL

# לְחַבֵּר אֶת הָאֹהֶל

# *Le-Chaber Es Ha-Ohel:*

## Exploring Connections in *Tanach* and *Chazal*

Michael Kaiser

FOREWORD BY
Jacob J. Schacter

KTAV PUBLISHING HOUSE

LE-CHABER ES HA-OHEL

Exploring Connections in *Tanach* and *Chazal*



OU Press
an imprint of the Orthodox Union
11 Broadway
New York, NY 10004
www.oupress.org
KTAV PUBLISHING HOUSE
527 Empire Blvd
Brooklyn, NY 11225
www.ktav.com
orders@ktav.com
Ph: (718) 972-5449 / Fax: (718) 972-6307



Typeset in Arno Pro by Raphaël Freeman MISTD, Renana Typesetting

ISBN 978-1-60280-413-5

Printed and bound in the United States of America

רבי שמעון פתח: ״דודי לי ואני לו הרועה בשושנים״ (שיר השירים ב:טז). אר״ש, אוי להם לבריות שאינם משגיחים ואינם יודעים. בשעה שעלה במחשבה לפני הקדוש ב״ה לברא עולמו, כל העולמות עלו במחשבה אחת, ובמחשבה זו נבראו כולם, הדא הוא דכתיב, ״כלם בחכמה עשית״ (תהלים קד:כד). ובמחשבה זו שהיא החכמה נברא העולם הזה והעולם של מעלה, נטה ימינו וברא העולם של מעלה, נטה שמאלו וברא העולם הזה. הדא הוא דכתיב, ״אף ידי יסדה ארץ וימיני טפחה שמים״ (ישעיהו מח:יג)... ועשה העולם הזה כנגד העולם של מעלה, וכל מה שיש למעלה כדוגמתו למטה, וכל מה שיש למטה, כדוגמתו בים, והכל אחד. ברא בעליונים המלאכים, ברא בעוה״ז בני אדם, ברא בים לויתן, כמה דאת אמר, ״לחבר את האהל להיות אחד״ (שמות לו:יח). (זוהר, פרשת שמות)

# *Contents*

# Foreword

For years Michael Kaiser has been sending me his *"shtiklach"* to review and I have consistently been absolutely overwhelmed by their profundity, depth, wisdom, creativity, and originality. I have learned a great deal from each one of them and have been captivated by their dazzling brilliance, one by one. They were never an easy read; I had to work at trying to understand them. But they have always been worth the investment of my time and energy. Some two years ago, I impressed upon Reb Michael the importance – actually, the necessity – of bringing this wisdom to a larger audience and, although initially hesitant to do so due to his modesty, he reluctantly agreed. I put him in touch with the OU Press and the Jewish world will now be the beneficiaries of his teachings.

What is the status of the *brachah* recited prior to engaging in Torah study? The Rambam rules that there is a *mitzvas aseh* for Jewish men to study Torah. "כל איש מישראל חייב בתלמוד תורה" (*Hilchos Talmud Torah* 1:8). However, he does not consider the blessing recited prior to talmud Torah to be a *mitzvas aseh*. The Ramban takes issue with this position and, in his additions to the *Sefer ha-Mitzvos* of the Rambam (no. 15), he includes that *brachah* in his list of the 613 mitzvot. In the process of making this point, he states that "we are obligated to express gratitude to His exalted Name (שנצטוינו להודות לשמו יתברך) every moment we read Torah for the great good that He did for us (על הטובה הגדולה שעשה לנו) by giving us His Torah and informing us of those actions which are desirable to Him, through which we will inherit eternal life." For the Ramban, *birkas ha-Torah* is a *birkas hoda'ah,* a blessing expressing thanksgiving to God, and he goes on to parallel it to the *mitzvas aseh* of *birkas ha-mazon,* also a *birkas hoda'ah.*

But there is another ways to understand the nature of this blessing. The *Shulchan Aruch* (*Orach Chaim* 47:14) rules that women recite *birkas ha-Torah,* and the *Magen Avraham* (ad loc.) explains that the reason is because, after all, they are obligated to learn the laws that are relevant to them. However, the Gaon of Vilna (*Bi'ur ha-Gra,* ad loc.) takes issue with this reason because he points out that women, unlike men, are not obligated in the *mitzvah* of *talmud Torah.* How is it possible for a woman to recite a blessing that asserts that God "commanded us" to study Torah, he asks, if she is not commanded to do so? He answers that this is in keeping with the position of *Tosafos* who allow a woman to recite such a blessing even on time-bound *mitzvos* from which she is exempt (*Tosafos, Kiddushin* 31a, s.v. *de-lo mafkidna*; see too Rama, *Orach Chaim* 17:2). In other words, not being obligated in a *mitzvah* does not preclude a woman for stating that God "commanded" her to perform that *mitzvah.*

From the question and answer of the Gra it is apparent that, for him, *birkas ha-Torah* is not a *birkas hoda'ah,* as the Ramban maintains, but is a *birkas ha-mitzvah,* similar to other such *brachos* that precede the performance of a *mitzvah.* Hence he wonders how women can recite a *birkas ha-mitvah* before an act that, for them, is not a *mitzvah.* For the Ramban, then, *birkas ha-Torah* is a *birkas hoda'ah*; for the Gra it is a *birkas ha-mitzvah.*

Both of these interpretations are relevant in the context of this extraordinary *sefer* by Michael Kaiser. Working through these incredible essays is, first, undoubtedly a *kiyyum* in *talmud Torah.* And, in addition, we express profound feelings of *hoda'ah* to the *Ribbono shel Olam* for granting Reb Michael the wisdom to create and to transmit these incredible ideas to all of us who will benefit greatly from them. Read them all thoughtfully and carefully, and then read them again. You will learn an enormous amount from them.

May *Hakadosh Baruch Hu* grant Reb Michael strength and good health to continue to prepare and publish more such exceptional *divrei Torah, le-hagdil Torah u-le-ha'adirah.*

Jacob J. Schacter

# Preface

In all honesty, it was never my intention to write a book. I will, however, confess to a passion for *parshanut* that was first ignited some forty years ago by Rabbi Isaac Bernstein *zt"l*, a renowned scholar and spellbinding orator. I enthusiastically assembled and listened to all his recorded *Chumash shiurim*, delivered in his inimitable charming Irish brogue. Rabbi Bernstein as well broadened my horizons by introducing me to many classic and contemporary *mefarshim* which he brought alive in his lectures. I was also fortunate to have encountered the works of several twentieth century Torah luminaries whose writings and shiurim deeply resonated within me. People like Rav Chaim Shmuelevitz *zt"l*, Rav Gedalya Schorr *zt"l*, Rav Moshe Shapiro *zt"l*, and Rav Chaim Yakov Goldvicht *zt"l* presented riveting *chiddushei Torah* that were exceptionally creative and stimulating.

Over time, I began to explore certain connections I noticed in Torah. I was also intrigued with mining the depths of *ma'amarei Chazal* which may on the surface appear simplistic, but in truth offer treasure troves of wisdom. I began writing essays on these subjects and passed them on to family and friends, several of whom insisted that I share my work with the general public. This eventually led to OU Press and the publication of this book.

I want to express my deep *hakaras ha-tov* to Rabbi Menachem Genack and Rabbi Simon Posner and the editorial board of OU Press for having the courage to publish the *divrei Torah* of an unknown entity, especially a simple "*baal ha-bos*" with no rabbinical credentials or titles.

After the OU agreed to publish my work, I very naively assumed that this process would be a relatively simple affair as I would merely submit my existing essays and a book would shortly appear. Reality often gives you a good hard knock on the head. The process which unfolded was a valuable learning experience in what it takes to publish any book. To this end, I am indebted to my editors Shifra Schapiro and Rabbi Eliyahu Krakowski, associate editor of OU Press, for their painstaking efforts in slogging through all the material which included myriad footnotes. Their comments and suggestions were insightful and invaluable.

Twenty-two years ago, my wife and I were part of a Jewish heritage tour group, led by Rabbi Dr. Jacob J. Schacter, that visited Spain and Italy. In the ensuing years, my family and I developed a close relationship with Rabbi Dr. Schacter. He has served as my rebbe, my mentor, my sounding board and my intimate friend. Despite a crushing workload, he has always found time for us whenever I reached out. I am eternally grateful for his unwavering confidence in me and for all that he has done for me and my family. This book would not have been possible without his guidance and encouragement.

I would be remiss if I did not acknowledge Rabbi Alexander Mandelbaum, a celebrated and prolific *mechaber seforim*, for giving so generously of his time to discuss and to review all my material. I am also very grateful to Reb Doniel Baron for his meticulous work in transcribing the shiurim of Rav Moshe Shapiro *zt"l* into English and ascribing the related *marei mekomos* to their proper sources. I must extend my thanks to the attendees of my weekly *Chumash shiur* who, through the process of my "giving over" *divrei Torah* to them, allowed me to crystallize and to refine my thoughts.

I would like to thank all my wonderful six children and their spouses for their patience in listening to my *Shabbos* Torah, which provided me with a captive audience and the opportunity to develop many ideas. Last but not least I must acknowledge my dear wife Judy whose passion for and commitment to Torah values knows no bounds. She has also taught me by way of example to set standards of excellence in every undertaking.

Michael Kaiser

# *Ha-Min Ha-Eitz*: Haman and *Hakaras Ha-Tov*

וַיַּבְדֵּל אֱלֹקִים בֵּין הָאוֹר וּבֵין הַחֹשֶׁךְ (בראשית א:ד)

To understand the holiday of Purim, which deals with our eternal struggle against Amalek, I would like to explore some of the defining characteristics of Amalek as seen through some Torah readings and *Megillas Esther.*

Let us begin with *Sefer Bamidbar.* The opening of *Sefer Bamidbar* finds the Jewish people in the beginning of the second year of their forty-year sojourn in the desert. The first few *parshiyos* of *Sefer Bamidbar* are replete with the preparations for the impending journey to the Promised Land, the culmination of the promise made to Avraham *Avinu* centuries earlier. After receiving the Torah and completing the construction of the *Mishkan,* the sole remaining order of business is entry into *Eretz Yisrael.* The excitement is palpable as the final touches – the formation of the *degalim,* the casting of the *chatzotzros,* and the bringing of the *korban Pesach* (the only one brought in the *midbar*) – are put into place. We hear Moshe's impassioned plea to Yisro to remain with them for this imminent epic moment:

וַיֹּאמֶר מֹשֶׁה לְחֹבָב בֶּן רְעוּאֵל הַמִּדְיָנִי חֹתֵן מֹשֶׁה נֹסְעִים אֲנַחְנוּ אֶל הַמָּקוֹם אֲשֶׁר אָמַר ה' אֹתוֹ אֶתֵּן לָכֶם לְכָה אִתָּנוּ וְהֵטַבְנוּ לָךְ (במדבר י:כט).

As we plod through the rest of *Sefer Bamidbar,* however, a radical change unfolds. Gone is the tingling anticipation and sense of unity and shared purpose. The Jewish nation is buffeted by one calamity after another: *misonenim, meraglim,* Korach and Zimri, to list a few. We are bombarded weekly with ghastly scenes of death, destruction and dissension. What seminal event transpired to transform the waves of optimism, so pervasive in the beginning of *Sefer Bamidbar,* into the tragic despair which envelops the remainder of the *sefer*?

The *Netziv,* in his *Ha'amek Davar,* introduces *Sefer Bamidbar* by explaining why the *sefer* is called "*Chumash ha-Pekudim.*" He explains that the *pekudim* allude to the two countings of the nation that occur in *Sefer Bamidbar*: the first at the opening of the *sefer* and the second toward the end of the *sefer* in chapter 26. They represent the two distinct relationships between God and *Bnei Yisrael.* The first counting was of the generation which left Egypt, whose daily life was defined by a never-ending stream of miracles – their food, water, shelter and clothing were all through *nissim.* The second counting was of the generation which was to enter the Land of Israel, whose life was more closely governed by *teva,* the natural order. To contrast these two lifestyles, the *Netziv* quotes the *midrash* (*Bereishis Rabbah* 3) which comments on the *pasuk* "וַיַּבְדֵּל אֱלֹקִים בֵּין הָאוֹר וּבֵין הַחֹשֶׁךְ" (*Bereishis* 1:4): כנגד ספר במדבר שהוא מבדיל בין יוצאי מצרים לבאי הארץ. The *Netziv* believes that the exact point of transition between the light and the darkness in *Sefer Bamidbar* is "וַיְהִי הָעָם כְּמִתְאֹנְנִים" (*Bamidbar* 11:1).

The *Netziv* remains silent on why the *misonenim* is the turning point and what cardinal sin was committed here. A cursory reading of the passage of the *misonenim* yields a story which focuses on complaints relating to the blandness and monotony of the daily manna ration, the ubiquitous grievance about institutional food – hardly a cause for a heated reaction. Is there something deeper going on? On closer observation we notice that the passage of the *misonenim* is preceded by two inverted נ's (*nunin hafuchos*) which bracket the passage of "וַיְהִי בִּנְסֹעַ..." (*Bamidbar* 10:35–36). What is the significance of the inverted "נ" and why are there two of them? In addition, why is the word "כְּמִתְאֹנְנִים" used with the *kaf ha-dimyon* ("like" מִתְאֹנְנִים), and not simply the word מִתְאֹנְנִים?

Let us turn to the Gemara in *Chullin* 139b, which discusses the

Biblical references for all the major characters in *Megillas Esther.* The reference for המן (Haman) is הֲמִן הָעֵץ (*Bereishis* 3:11), when God rhetorically asks Adam whether he had eaten from the Tree of Knowledge). We must assume that there is a deeper association between המן and הֲמִן הָעֵץ than the obvious commonality of the letters ה-מ-ן.

To understand this deeper association, let us scrutinize Haman at the pinnacle of his career. Returning from an audience with the king and queen to his home, he is greeted by his wife and his loyal entourage. He regales them with a vivid description of his unparalleled success: "וַיְסַפֵּר לָהֶם הָמָן אֶת כְּבוֹד עָשְׁרוֹ וְרֹב בָּנָיו וְאֵת כָּל אֲשֶׁר גִּדְּלוֹ הַמֶּלֶךְ" (*Esther* 5:11). He enumerates his great wealth, family dynasty and powerful political connections. Certainly, by any measure Haman is at the pinnacle of success. One should note the "excess" that is used for emphasis in the *pasuk* – it is not merely "עָשְׁרוֹ" but "כְּבוֹד עָשְׁרוֹ", not merely "בָּנָיו" but "וְרֹב בָּנָיו", not merely "אֲשֶׁר גִּדְּלוֹ הַמֶּלֶךְ" but "כָּל אֲשֶׁר גִּדְּלוֹ הַמֶּלֶךְ" – each item is modified by an adjective that magnifies it. The world is literally at his feet – "וְכָל עַבְדֵי הַמֶּלֶךְ...כֹּרְעִים וּמִשְׁתַּחֲוִים לְהָמָן" (*Esther* 3:2). Despite Haman's enviable success and achievements, he then utters an incredible statement which boggles the mind, "וְכָל זֶה אֵינֶנּוּ שֹׁוֶה לִי" (*Esther* 5:12). Special emphasis must be placed on the word "וְכָל" – *everything* is worthless in Haman's mind. What is the source of his intolerable misery? One solitary, adamant Jew refuses to bow down to him. Where do we find an identical scenario in which a person is the recipient of such abundance but yet is obsessed with the tiny fraction beyond his grasp?

> וַיַּצְמַח ד׳ אֱלֹקִים מִן הָאֲדָמָה כָּל עֵץ נֶחְמָד לְמַרְאֶה וְטוֹב לְמַאֲכָל... וַיְצַו ד׳ אֱלֹקִים עַל הָאָדָם לֵאמֹר מִכֹּל עֵץ הַגָּן אָכֹל תֹּאכֵל. וּמֵעֵץ הַדַּעַת טוֹב וָרָע לֹא תֹאכַל מִמֶּנּוּ (בראשית ב:טז-יז).

God creates a resplendent, tantalizing Garden of myriad delectable delights. Let us digest God's directive to Adam, וַיְצַו ד׳ אֱלֹקִים עַל הָאָדָם לֵאמֹר מִכֹּל עֵץ הַגָּן אָכֹל תֹּאכֵל, by "chewing" on each "morsel" of the *pasuk*. "וַיְצַו": this is the first occurrence in the Torah of *tzivui,* command. "מִכֹּל": the commandment starts with "from everything," reflecting

God's magnanimity and benevolence. "אָכֹל תֹּאכֵל": you *must* eat; it does not say merely "תֹּאכֵל", but repeats the directive for emphasis. God's first directive to man (his very first *mitzvas aseh*) is that he is obligated to partake in the delicacies of the world that God created and granted to man. God then concludes with "וּמֵעֵץ הַדַּעַת טוֹב וָרָע לֹא תֹאכַל מִמֶּנּוּ" (man's very first *mitzvas lo sa'aseh*). Only one tree from the multitude is prohibited. God commences with the permissible multitude, "מִכֹּל", "from everything," and concludes with the solitary tree, identified by name (עֵץ הַדַּעַת טוֹב וָרָע), that is prohibited. As well, the negative formulation of "לֹא תֹאכַל" is reserved for the very end.

וְהַנָּחָשׁ הָיָה עָרוּם מִכֹּל חַיַּת הַשָּׂדֶה...וַיֹּאמֶר אֶל הָאִשָּׁה אַף כִּי אָמַר אֱלֹקִים לֹא תֹאכְלוּ מִכֹּל עֵץ הַגָּן (בראשית ג:א).

The *nachash* – הוא שטן, הוא יצר הרע, הוא עמלק. The *nachash* is not merely *arum*, cunning, but is a diabolical genius. *Chazal* compare the *nachash* to a *zevuv*, a tiny fly, who scours the battleground in search of the slightest breach in his opponent's defenses. He needs only the tiniest of apertures to gain entry and then wreaks havoc. "וַיֹּאמֶר אֶל הָאִשָּׁה" – the *nachash* strategically chooses as his prey the *ishah* who only heard the words of God secondhand, because he could not trifle with Adam, to whom God spoke directly and who would immediately recognize and reject the falsehoods and misrepresentations. The *nachash*'s game plan is to obfuscate and to distort the words of God. Convincing lies are always grounded in smidgens of truth. His narrative oddly begins with "אַף", "but" – a strange way to initiate a conversation. In a parallel case, the Ramban states that the downfall of the *meraglim* hinged on one word. While their report of *Eretz Cana'an* was truthful and accurate, they inserted the disparaging word "אפס", which destroyed, in one swoop, all the superlatives that preceded it. So too the *nachash*'s opening gambit is "אַף", to nullify and to belittle the idyllic world that God has just gifted to Adam. Whereas God concludes with "לֹא תֹאכַל", the *nachash* commences with "לֹא תֹאכְלוּ", to shroud God in a negative and prohibitive light in contrast to His actual magnanimity and inclusivity. "לֹא תֹאכְלוּ מִכֹּל עֵץ הַגָּן" – with these words the *nachash* goes for broke in a direct inversion of God's actual words – "מִכֹּל עֵץ הַגָּן אָכֹל תֹּאכֵל". The *ishah* responds to the *nachash*'s assertion that God has prohibited "כל", "all":

> וַתֹּאמֶר הָאִשָּׁה אֶל הַנָּחָשׁ מִפְּרִי עֵץ הַגָּן נֹאכֵל... וּמִפְּרִי הָעֵץ אֲשֶׁר בְּתוֹךְ הַגָּן אָמַר אֱלֹקִים לֹא תֹאכְלוּ מִמֶּנּוּ וְלֹא תִגְּעוּ בּוֹ פֶּן תְּמֻתוּן (בראשית ג:ב–ג).

The *nachash* has breached the perimeter defenses and is in the *ishah*'s head. Final victory is inevitable. מִפְּרִי עֵץ הַגָּן נֹאכֵל... וּמִפְּרִי הָעֵץ אֲשֶׁר בְּתוֹךְ הַגָּן... לֹא תֹאכְלוּ. The *ishah* has diluted God's directive from the expansive מִכֹּל to a pareve מחצה על מחצה, "there are some we can eat and then there are some we cannot eat." Sensing she has lost ground, the *ishah* attempts to compensate with "וְלֹא תִגְּעוּ", ascribing inappropriate *chumros* to validate God's position. "וַיֹּאמֶר הַנָּחָשׁ אֶל הָאִשָּׁה לֹא מוֹת תְּמֻתוּן" (*Bereishis* 3:4). The *nachash* is pontificating and is firmly in control. "כִּי יֹדֵעַ אֱלֹקִים כִּי בְּיוֹם אֲכָלְכֶם מִמֶּנּוּ וְנִפְקְחוּ עֵינֵיכֶם וִהְיִיתֶם כֵּאלֹקִים" (*Bereishis* 3:5). In his parting words, the *nachash* foments outright rebellion against God, which is his mission. "וַתֵּרֶא הָאִשָּׁה כִּי טוֹב הָעֵץ לְמַאֲכָל וְכִי תַאֲוָה הוּא לָעֵינַיִם וְנֶחְמָד הָעֵץ לְהַשְׂכִּיל" (*Bereishis* 3:6). The *nachash* no longer needs to prod and to engage in dialogue because וַתֵּרֶא הָאִשָּׁה, the *ishah* now "sees"; she "gets it." Her focus of attention has shifted from מחצה על מחצה to being totally consumed with the prohibited. כִּי טוֹב הָעֵץ לְמַאֲכָל וְכִי תַאֲוָה הוּא לָעֵינַיִם וְנֶחְמָד הָעֵץ לְהַשְׂכִּיל. While previously, the permitted trees of the Garden are described as כָּל עֵץ נֶחְמָד לְמַרְאֶה וְטוֹב לְמַאֲכָל, the *ishah* now plucks the outstanding qualities of the permitted and affixes them onto the prohibited, for which she lusts ("תַאֲוָה"). The battle is over. The *nachash* has triumphed magnificently. All that remains is total capitulation – "וַתִּקַּח מִפִּרְיוֹ וַתֹּאכַל וַתִּתֵּן גַּם לְאִישָׁהּ עִמָּהּ וַיֹּאכַל" (*Bereishis* 3:6). The *ishah* succumbs and delivers her husband as well.

Man's inability to be *makir tov*, to appreciate כל, "all," that he has and instead be obsessed with what his beyond his grasp heralds his demise and inevitable banishment from *Gan Eden*. "טוב" is the yardstick by which God evaluates Creation. The final words of Creation are – "וַיַּרְא אֱלֹקִים אֶת כָּל אֲשֶׁר עָשָׂה וְהִנֵּה טוֹב מְאֹד" (*Bereishis* 1:31). The *midrash* says that מאד rearranged is אדם. Creation closes and is complete only with the juxtaposition of טוב and אדם. When man is truly *makir tov,* when he recognizes the inherent "good" in Creation, we can then proceed to have a *yom she-kulo Shabbos,* the final Redemption.[1]

וְכָל זֶה אֵינֶנּוּ שֹׁוֶה לִי. Haman's inability to appreciate the munificent "כל" that he possesses guarantees his downfall. It is interesting to note that the *Megillah* repeatedly records the height of Haman's gallows, 50 *amos,* which would appear to be irrelevant and trivial. But as we know, no holy words are trivial and unnecessary. The *gematria* of **כל** is 50. What destroys Haman and upends his life is his total disregard for the incredible abundant **כל** that permeated his life. His utter lack of *hakaras ha-tov* seals his fate.

Let us return to the complainers in the desert. The climax of their complaints is captured in the following words: "וְעַתָּה נַפְשֵׁנוּ יְבֵשָׁה אֵין כֹּל בִּלְתִּי אֶל **הַמָּן** עֵינֵינוּ" (*Bamidbar* 11:6). The first thing which jumps out at us in this *pasuk* is הַמָּן. Is this not the identical ה־מ־ן that appears in הָמָן and הֲמִן? What is the thrust of their claim? אֵין **כֹּל**! Is this not an identical repetition of **וְכָל** זֶה אֵינֶנּוּ שֹׁוֶה לִי and לֹא תֹאכְלוּ **מִכֹּל** עֵץ הַגָּן? It is the same inability to appreciate the "כל". They wail to Moshe אֵין **כֹּל**, we have nothing except this "boring" *mon. Chazal* say the *mon* could possess any flavor one fantasized, except a few. But the *misonenim* are obsessed with what they cannot have; they fail to see anything else. As we learnt from Haman and Adam, the inevitable outcomes from the lack of *hakaras ha-tov* are death and destruction.[2] The *misonenim* is the transitional point which uproots the intense optimism which

---

1. Another Midrash states that מאד is רע. How so? Everything, when it reaches the level of מאד, excess, becomes רע, harmful. Avoiding excess is integral to *hakaras ha-tov*.

2. The connection between the *misonenim*'s lack of *hakaras ha-tov* over the *mon* and the *ishah*'s interaction with the *nachash ha-kadmoni* is highlighted in *Parashas Chukas*:

וַיְדַבֵּר הָעָם בֵּאלֹקִים וּבְמֹשֶׁה לָמָה הֶעֱלִיתֻנוּ מִמִּצְרַיִם לָמוּת בַּמִּדְבָּר כִּי אֵין לֶחֶם וְאֵין מַיִם וְנַפְשֵׁנוּ קָצָה בַּלֶּחֶם הַקְּלֹקֵל:

וַיְשַׁלַּח ה׳ בָּעָם אֵת הַנְּחָשִׁים הַשְּׂרָפִים וַיְנַשְּׁכוּ אֶת הָעָם וַיָּמָת עַם רָב מִיִּשְׂרָאֵל (במדבר כא:ה–ו).

Rashi clearly ties all the ingredients (*mon, nachash, hakaras/kafui tov*) together:

opens *Sefer Bamidbar*, a transition which the *Netziv* labels "וַיַּבְדֵּל אֱלֹקִים בֵּין הָאוֹר וּבֵין הַחֹשֶׁךְ".

We can now understand why "כְּמִתְאֹנְנִים" was used. It is because they were pseudo-complainers. There was no real substance to their claims. The *misonenim* rejected being satisfied with the כל they received and focused on the unattainable, which guaranteed their demise. Parenthetically, many of the calamities which follow the *misonenim*, such as the *meraglim* and Korach's rebellion, contain a kernel of ingratitude, of being unsatisfied with what they have.

What about the *nun hafuchah*? The Gemara in *Berachos* 4b states there is no "*nun*" in the acrostic of *Ashrei* because the "*nun*" alludes to *nefilah*. What better way to accentuate a fall from grace than to invert the "*nun*"? The first inverted "*nun*" represents the *nefilah* resulting from the sin of the *egel hazahav*, an external transgression. You cannot worship an idol forever, and ultimately you regain your common sense and recover. And so too *Bnei Yisrael* recover and atone for their sin through the construction of the *Mishkan*. Thus, they could still have a וַיְהִי בִּנְסֹעַ הָאָרֹן after their first *nefilah*. But the second inverted "*nun*" introduces the *nefilah* which metastasizes from the lack of *hakaras ha-tov*, which is an internal flaw. This *nefilah* is far more corrosive and sometimes undetectable and irreparable. It should also be noted that the *gematria* of "*nun*" is 50, the same as כל. When we invert the כל and focus on what we do not have, we will suffer dire consequences. Note as well that the word מִתְאֹנְנִים contains two נ's, paralleling the fall represented by the two inverted נ's.

Let us conclude by taking a look at the final confrontation between Yaakov, the embodiment of *Knesses Yisrael*, and Esav, the embodiment of Amalek, which occurs upon Yaakov's return from Aram Naharayim. The takeaway from this meeting is in the description of these two characters. Esav declares "יש לי רב" (*Bereishis* 33:9), while יעקב's mantra

---

יבא נחש שכל המינין נטעמים לו טעם אחד [טעם עפר] ויפרע מכפויי טובה שדבר אחד [מן] משתנה להם לכמה מטעמים (רש"י במדבר כא:ו).

The association with *ta'am* and *kefuyei tovah* would also grant insight into why the punishment of the *nachash* is "וְעָפָר תֹּאכַל" (*Bereishis* 3:14).

is "יש לי כל" (*Bereishis* 33:11). What does Esav mean when he says "יש לי רב", "I have a great deal"? How does one measure "רב"? It can only be measured relative to someone else. If my friend has two cars and I have three cars, then I have רב. But as soon as my friend acquires a third vehicle, I have lost my "רב" status. To preserve my esteemed "רב" status, I must take it to the next level and have four cars. Thus, Esav's identity is consumed in a never-ending spiral of acquisitions to preserve his status of רב, excess.[3] Yaakov, on the other hand, is כל. How is it possible to have "everything"? Only when you realize that all that you have is a gift from God, and you aspire to nothing more. Then you have כל.

May we all be *zocheh* to a life of כל.

---

3. The identification of Amalek with רב, "excess," would explain the *Megillah*'s use of the excess in describing Haman's accomplishments.

# *Yesh*: *Omer* and Existence

## A. Introduction

The primary Biblical source for the Jewish festivals is *Sefer Vayikra* 23:1–44. The Torah commences with *Pesach,* and proceeds to chronologically enumerate the remainder of the Biblical holidays. Following *Pesach,* the Torah continues with the day of the *korban ha-omer* and the holiday of *Shavuos.*[1]

The following passage contains the topics of *korban ha-omer* and *Shavuos*:

ספר ויקרא פרק כג

(ט) וַיְדַבֵּר ה' אֶל מֹשֶׁה לֵּאמֹר.

(י) דַּבֵּר אֶל בְּנֵי יִשְׂרָאֵל וְאָמַרְתָּ אֲלֵהֶם כִּי תָבֹאוּ אֶל הָאָרֶץ אֲשֶׁר אֲנִי נֹתֵן לָכֶם וּקְצַרְתֶּם אֶת קְצִירָהּ וַהֲבֵאתֶם אֶת עֹמֶר רֵאשִׁית קְצִירְכֶם אֶל הַכֹּהֵן.

(יא) וְהֵנִיף אֶת הָעֹמֶר לִפְנֵי ה' לִרְצֹנְכֶם מִמָּחֳרַת הַשַּׁבָּת יְנִיפֶנּוּ הַכֹּהֵן.

(יב) וַעֲשִׂיתֶם בְּיוֹם הֲנִיפְכֶם אֶת הָעֹמֶר כֶּבֶשׂ תָּמִים בֶּן שְׁנָתוֹ לְעֹלָה לַה'.

(יג) וּמִנְחָתוֹ שְׁנֵי עֶשְׂרֹנִים סֹלֶת בְּלוּלָה בַשֶּׁמֶן אִשֶּׁה לַה' רֵיחַ נִיחֹחַ וְנִסְכֹּה יַיִן רְבִיעִת הַהִין.

(יד) וְלֶחֶם וְקָלִי וְכַרְמֶל לֹא תֹאכְלוּ עַד עֶצֶם הַיּוֹם הַזֶּה עַד הֲבִיאֲכֶם אֶת קָרְבַּן אֱלֹקֵיכֶם חֻקַּת עוֹלָם לְדֹרֹתֵיכֶם בְּכֹל מֹשְׁבֹתֵיכֶם.

---

1. It should be noted that the Torah begins this portion as a *parashah pesuchah,* which signifies a new topic. The festivals of the day that the *korban ha-omer* is brought and *Shavuos* are linked, as the *Shavuos* portion begins as a *parashah setumah* which denotes a connection to the previous *parashah.* The only other festivals that are linked in this way are *Rosh Hashanah* and *Yom Kippur.*

(טו) וּסְפַרְתֶּם לָכֶם מִמָּחֳרַת הַשַּׁבָּת מִיּוֹם הֲבִיאֲכֶם אֶת עֹמֶר הַתְּנוּפָה שֶׁבַע שַׁבָּתוֹת תְּמִימֹת תִּהְיֶינָה.
(טז) עַד מִמָּחֳרַת הַשַּׁבָּת הַשְּׁבִיעִת תִּסְפְּרוּ חֲמִשִּׁים יוֹם וְהִקְרַבְתֶּם מִנְחָה חֲדָשָׁה לַה׳.
(יז) מִמּוֹשְׁבֹתֵיכֶם תָּבִיאוּ לֶחֶם תְּנוּפָה שְׁתַּיִם שְׁנֵי עֶשְׂרֹנִים סֹלֶת תִּהְיֶינָה חָמֵץ תֵּאָפֶינָה בִּכּוּרִים לַה׳.
(יח) וְהִקְרַבְתֶּם עַל הַלֶּחֶם שִׁבְעַת כְּבָשִׂים תְּמִימִם בְּנֵי שָׁנָה וּפַר בֶּן בָּקָר אֶחָד וְאֵילִם שְׁנָיִם יִהְיוּ עֹלָה לַה׳ וּמִנְחָתָם וְנִסְכֵּיהֶם אִשֵּׁה רֵיחַ נִיחֹחַ לַה׳.
(יט) וַעֲשִׂיתֶם שְׂעִיר עִזִּים אֶחָד לְחַטָּאת וּשְׁנֵי כְבָשִׂים בְּנֵי שָׁנָה לְזֶבַח שְׁלָמִים.
(כ) וְהֵנִיף הַכֹּהֵן אֹתָם עַל לֶחֶם הַבִּכֻּרִים תְּנוּפָה לִפְנֵי ה׳ עַל שְׁנֵי כְּבָשִׂים קֹדֶשׁ יִהְיוּ לַה׳ לַכֹּהֵן.
(כא) וּקְרָאתֶם בְּעֶצֶם הַיּוֹם הַזֶּה מִקְרָא קֹדֶשׁ יִהְיֶה לָכֶם כָּל מְלֶאכֶת עֲבֹדָה לֹא תַעֲשׂוּ חֻקַּת עוֹלָם בְּכָל מוֹשְׁבֹתֵיכֶם לְדֹרֹתֵיכֶם.
(כב) וּבְקֻצְרְכֶם אֶת קְצִיר אַרְצְכֶם לֹא תְכַלֶּה פְּאַת שָׂדְךָ בְּקֻצְרֶךָ וְלֶקֶט קְצִירְךָ לֹא תְלַקֵּט לֶעָנִי וְלַגֵּר תַּעֲזֹב אֹתָם אֲנִי ה׳ אֱלֹקֵיכֶם.

## B. Questions/Issues Related to the above Torah Portion

1. Why does the Torah avoid specifying the date (month and day of month) of the *korban ha-omer*? While the other festivals have a date (month and day of month),[2] the day of *korban ha-omer* is identified only by the enigmatic phrase "*mi-macharas ha-Shabbos*" (*Vayikra* 23:11), which is accepted to be the sixteenth day of *Nisan*.[3]

2. The "*mi-macharas ha-Shabbos*" expression raises some vexing problems. Why does the Torah refer to the the first day of *Pesach* as "*Shabbos*"?[4] The question is compounded by the fact that the term "*Shabboson*," used to describe other festivals, is absent from

2. With the exception of *Shavuos*, which is directly related to the *korban ha-omer* through the counting of the forty-nine days.

3. See Rashi, who quotes the *Toras Kohanim* (10:3) and *Menachos* 65b.

4. As R. Samson Raphael Hirsch phrases the question:

עם זאת יש לציין: לא מצינו במקום אחר, ש״שבת״ מורה על יום-טוב? (רש״ר הירש, ויקרא כג:א)

the description of *Pesach*. This point was already noted by the Abarbanel:[5]

> השאלה הששית: למה לא נאמר בפסח "שבתון", כמו שנאמר ביום תרועה (כג:כד), ובחג הסוכות (כג:לט). כי עם היות שאמר בהם: "כל מלאכת עבודה לא תעשו" (כג:כה, לה), אמר הכתוב בהם "שבתון" (אברבנאל, ויקרא כג:א, כב).[6]

3. The Torah introduces *korban ha-omer* as a new topic (via a *parashah pesuchah*). It would seem that the *korban ha-omer* is unrelated to *Pesach*. If so, we would have expected that the the *korban ha-omer* would be offered after the seven days of *Pesach*, followed by *sefiras ha-omer* and *Shavuos*.[7] What binds the *korban ha-omer* to the second day of *Pesach*?

---

5. It is important to note that in sharp contrast to all other festivals, there is no *issur melachah* on the day of the *korban ha-omer*.

6. The Abarbanel's reply to the above question is that the word *Shabboson* refers to a restful state of mind, without worry, achievable during the *Tishrei* holidays, when the harvest has been completed. On *Pesach*, on the other hand, the farmer is concerned about his crops that remain in the field, and even the commemoration of *yetzi'as Mitzrayim* is insufficient to mitigate that worry:

ואמנם למה לא אמר בחג המצות "שבתון", ולא "בעצם היום הזה", הוא: ש"שבתון" נאמר בעצם וראשונה על מנוחת הנפש ושמחתה, וזה יצדק במועדים שיש מנוחה בהם ולא טרדת הלב בעניני העולם הזה, כיום תרועה ויום הכפורים, מפני הענין הנרצה בהם. וכן בחג הסכות, להיותו זמן שמחה ובלתי טרדת הנפש, בעבור אסיפת התבואות. אמנם בחג הפסח, שלב האדם טרוד ומחשבותיו רבות על תבואתו אשר הוא בשדה וחייו תלוים לו מנגד, ובעבור שאין בו כי אם זכרון ליציאת מצרים, ואין במועד הפסח מפני זמנו מנוחה ושביתה, לכן לא אמר בו: "שבתון". כי עם היותו אסור במלאכה, הנה נפש האדם טרודה בעבור תבואתו אשר בשדה, ואין לו אם כן שבתון נפשיי. עד שמפני זה צוה יתעלה בסדר "ראה אנכי" (דברים טז:טו), שבחג הסכות ישב אדם בירושלם כל שבעת הימים, להיות נפשו כבר במנוחה. ובחג הפסח שתבואותיו עדין בשדה לא צוה כן, ואמר:

"ופנית בבקר והלכת לאהליך" (דברים טז:ז).

An important observation that can be made from the Abarbanel's discussion is the connection between crops, sustenance or *parnasah*, and the holiday of *Pesach*, which will be discussed below.

7. As Rav Hirsch remarks, it is unclear which day of *Pesach* the *mi-macharas ha-Shabbos* refers to:

4. The *"macharas ha-Shabbos"* was a major battleground for the *Baitusim* (Boethusians), who interpreted *"mi-macharas ha-Shabbos"* literally as the Sunday following the first day of *Pesach*. They went to great lengths to ensure that the first day of *Pesach* would fall on the *Shabbos* day (through hiring witnesses to testify falsely about the sighting of the new moon) in order to facilitate their interpretation of *macharas ha-Shabbos*. This in turn created major headaches for the *Chachamim* and forced them to implement cautionary mechanisms.[8] The obvious question, then, is why does the Torah employ the phrase *macharas ha-Shabbos*, which ultimately led to such a contentious controversy? In the words of the *Bnei Yissaschar*:

> בפסוק וספרתם לכם ממחרת השבת וכו׳ (ויקרא כג:טו) ובאת לנו הקבלה בתורה שבע״פ ממחרת יומא טבא, וכמו שהוכיחו רז״ל בדרשותיהם כל אחד כפי לימודו, כמבואר במסכת מנחות (סה:) ובתורת כהנים [אמור פי״ב] ובמדרשים, עיין בדבריהם. והנה ידוע דנתפקרו בזה הצדוקים ואומרים הכוונה הוא שבת ממש (מנחות סה.), והנה מהראוי לכל משכיל להתבונן מה זאת עשה הש״י לנו שכתב בתורתו תיבת שבת לשיצטרך בזה לימודים שונים בתורה שבע״פ שהכוונה בזה על יום טוב, ובא עי״ז טעות למינים שאינם מאמינים בתורה שבע״פ, הוה ליה למיכתב בפירוש ממחרת יום הראשון ולא נצטרך לשום דבר, ובפרט שלא יהיה בזה אריכות לשון (בני יששכר, מאמרי חדש ניסן, מאמר יב).

5. There are essentially nine types of *korbanos minchah*, flour offerings,[9] one of which is the *korban ha-omer*. The *"omer"* is a measurement

---

זאת ועוד: לא נתבאר בכתוב, שכוונתו ליום טוב ראשון, ולא ליום טוב אחרון אף על פי שדין שבתון נוהג גם בו (רש״ר הירש, ויקרא כג:א).

8. Ultimately, the *Chachamim* had to limit the type of person from whom they would accept testimony about the new moon:

בראשונה היו מקבלין עדות החדש מכל אדם. משקלקלו הבייתוסים התקינו שלא יהו מקבלין אלא מן המכירין (ראש השנה כב.).

9. See R. Pinchas Kehati's introduction to *Maseches Menachos* in his *Mishnayos* commentary.

equal to one-tenth of an *eifah* (see *Shemos* 16:36). Why does the Torah use the term "*omer*" and not the conventional *asiris ha-eifah* typically used in the context of *korbanos*? As the *Be'er Yosef* asks:

> יש להתבונן בזה, למה שינתה התורה כאן במנחה זו לקרוא אותה בשם עומר, הלא העומר הוא רק מדה מדברית והיא עשירית האיפה, כמו שכתב רש"י כאן, וכן כתוב בפרשת בשלח: העומר עשירית האיפה הוא, ואם כן למה נאמר כאן מדת העומר, ולא אמר עשירית האיפה, כמו בכל הקרבנות והמנחות שלא הזכיר עומר רק עשירית האיפה, ולמה יצאה מנחה זו מן הכלל לקרוא אותה בשם עומר? (באר יוסף, אמור, עמוד מח).

6. The *korban ha-omer* consists of a measure of *se'orim,* barley[10] (considered to be an inferior grain and commonly used as animal fodder),[11] while the staple ingredient of the majority of *menachos* is *soles,* fine flour. The only other *korban* that contains *se'orim* is the *minchas sotah* (or *minchas kena'os*). Why is the *korban ha-omer* brought from barley? What is the *korban ha-omer*'s connection to *minchas sotah,* the only other barley-based *korban*? The *Shem Mi-Shmuel* asks this question in his *Haggadah* commentary:

> יש להתבונן בענין מצות העומר שבא מן השעורים והוא נקרא בש"ס מנחות דבר שאינו ראוי לעבודה שלא מצינו זה בכל המנחות אלא במנחת קנאות לבד (שם משמואל, הגדה של פסח, עמוד קלא).

7. The Torah uses the term *omer ha-tenufah* for the *korban ha-omer* (*Vayikra* 23:15). The act of *tenufah* involved is described in *Menachos*

---

10. The *Gemara* in *Menachos* explains the halachic source for the choice of *se'orim*:

"ואם תקריב מנחת ביכורים" - במנחת העומר הכתוב מדבר, מהיכן באה? מן השעורין; אתה אומר: מן השעורין, או אינו אלא מן החיטין? רבי אליעזר אומר: נאמר אביב במצרים ונאמר אביב לדורות, מה אביב האמור במצרים - שעורין, אף אביב האמור לדורות - שעורין (מנחות סח:).

11. A *pasuk* in *Sefer Melachim* explicitly lists barley as animal food:

וְהַשְּׂעֹרִים וְהַתֶּבֶן לַסּוּסִים וְלָרָכֶשׁ יָבִאוּ אֶל הַמָּקוֹם אֲשֶׁר יִהְיֶה שָּׁם אִישׁ כְּמִשְׁפָּטוֹ (מלכים א ה:ח).

62a as: מוליך ומביא למי שהרוחות שלו מעלה ומוריד למי שהשמים והארץ.

What is the significance of the *ma'aseh tenufah*[12] to the extent that it is prominently featured in the name of the *korban* – "*omer ha-tenufah*"? As the *Shem Mi-Shmuel* points out, despite the fact that other *korbanos* and related items require *tenufah,* they are not described with the name *tenufah* in the Torah:

> יש להתבונן בענין מצות העומר... ונקרא עומר התנופה, אף שכמה דברים טעונין תנופה, ולוג שמן של מצורע נמי טעון תנופה ולא מצינו שיקרא לוג התנופה (שם משמואל, הגדה של פסח, עמוד קלא).

8. *Vayikra* 23:15–16 states:

> וּסְפַרְתֶּם לָכֶם מִמָּחֳרַת הַשַּׁבָּת מִיּוֹם הֲבִיאֲכֶם אֶת עֹמֶר הַתְּנוּפָה שֶׁבַע שַׁבָּתוֹת תְּמִימֹת תִּהְיֶינָה. עַד מִמָּחֳרַת הַשַּׁבָּת הַשְּׁבִיעִת תִּסְפְּרוּ חֲמִשִּׁים יוֹם וְהִקְרַבְתֶּם מִנְחָה חֲדָשָׁה לַה'.

The *korban ha-omer* ushers in the beginning of *sefiras ha-omer,* which concludes with *chag ha-Shavuos, zeman matan Torasenu,* and the bringing of the *shtei ha-lechem*. What is the relationship between all of these? In the midst of *yemei sefiras ha-omer,* we find two notable dates – 14 *Iyyar* and 18 *Iyyar,* which are respectively *Pesach sheni* (Biblical) and *Lag Ba'omer* (rabbinic). How do these two dates (and associated events) relate to the *korban ha-omer* which occurs at the beginning of *sefiras ha-omer*?

9. According to one statement in the *midrash,* the *korban ha-omer* is responsible for Avraham *Avinu*'s inheritance of the land of Israel. According to another statement, the *korban ha-omer* is what protected the Jews in the time of Haman:

> לעולם אל תהי מצות העומר קלה בעיניך שע"י מצות העומר זכה אברהם לירש את ארץ כנען הה"ד (בראשית יז:ח) ונתתי לך ולזרעך

---

12. Four *korbanos tzibbur* require *tenufah*: the *shtei ha-lechem,* the *kivsei Atzeres, minchas ha-omer,* and the *minchas kena'os*. See *Menachos* 5:6.

אחריך ע״מ ואתה את בריתי תשמור ואיזה זה מצות העומר ... ר׳ לוי אמר היא שעמדה להם בימי המן, דאמר ר׳ לוי כיון שראה מרדכי את המן בא כנגדו והסוס בידו אמר דומה אני שאין רשע זה בא אלא להרגני, והוון תלמידיו יתבין תניין קמוי. אמר להם, עמדו וברחו שמא תכוו בגחלתי. אמרו ליה, בין לקטול בין לחיי אנן עמך ולא נשבקך. מה עשה, נתעטף בטליתו ועמד בתפלה לפני הקדוש ברוך הוא, ותלמידוי יתבין תניין. אמר להם במה אתם עוסקים? אמרו לו במצות העומר שהיו ישראל מקריבין במקדש ביום הזה. אמר להון, הדין עומרא במאי הוה דדהב או דכסף? אמרו לו דשעורין. אמר להון, וכמה הות טימי דידיה בעשרה קנטרין? אמרין ליה סגין בי׳ מנין. אמר להון קומו דנצחו עשרת מנכון לעשרת אלפים קנטריא דכספא (ויקרא רבה, כח:ו).

The *Midrash Rabbah* underscores the awesome power of the *korban ha-omer,* which in turn requires further scrutiny. What is unique about the *korban ha-omer* that enabled Avraham to inherit the land? How does it relate to *bris milah,* which is the *bris* alluded to in "וְאַתָּה אֶת־בְּרִיתִי תִשְׁמֹר" (*Bereishis* 17:9)?[13] In addition, what powerful quality inherent in *korban ha-omer* was able to triumph over Haman? And why does the *midrash* add the extraneous detail that Mordechai "wrapped himself in his *tallis*" when he was praying for salvation?

10. *Vayikra* 23:17 states:

מִמּוֹשְׁבֹתֵיכֶם תָּבִיאוּ לֶחֶם תְּנוּפָה שְׁתַּיִם שְׁנֵי עֶשְׂרֹנִים סֹלֶת תִּהְיֶינָה חָמֵץ תֵּאָפֶינָה בִּכּוּרִים לַה׳.

Why the need to bring two *kikaros,* loaves, for the special *korban* that was brought on *Shavuos*? What is the significance of the two loaves?

---

13. The *Pri Tzaddik* asks this question, quotes the Vilna Gaon's suggestion, and notes the Vilna Gaon's own difficulty with his suggestion:

ותמהו על זה מה שייכות עומר לברית, והגר״א ז״ל פירש מגזירה שוה דתמים ובעומר כתיב תמימות, ותמה על זה דהא תמימות בספירת העומר כתיב והניח בצריך עיון (פרי צדיק, חג הפסח, אות כא).

11. *Vayikra* 2:11–12 prohibits the offering of *chametz* and honey as *korbanos,* with the exception of the *"korban reishis"*:

    כָּל הַמִּנְחָה אֲשֶׁר תַּקְרִיבוּ לַה׳ לֹא תֵעָשֶׂה חָמֵץ כִּי כָל שְׂאֹר וְכָל דְּבַשׁ לֹא תַקְטִירוּ מִמֶּנּוּ אִשֶּׁה לַה׳.קָרְבַּן רֵאשִׁית תַּקְרִיבוּ אֹתָם לַה׳ וְאֶל הַמִּזְבֵּחַ לֹא יַעֲלוּ לְרֵיחַ נִיחֹחַ.

    Rashi to *pasuk* 12 explains that *"korban reishis,"* in which *chametz* is mandated, refers to the *korban shtei ha-lechem* on *Shavuos*:

    קרבן ראשית תקריבו - מה יש לך להביא מן השאור ומן הדבש קרבן ראשית שתי הלחם של עצרת הבאים מן השאור שנאמר (ויקרא כג:יז) "חמץ תאפינה" ובכורים מן הדבש כמו בכורי תאנים ותמרים.

    Why was the *shtei ha-lechem* on *Shavuos* exempt from the *issur* of לֹא תֵעָשֶׂה חָמֵץ, which is applicable to all other *menachos*? This difficulty is further compounded when one considers the time frame from *Pesach* to *Shavuos,* which is regarded as one extended period. Whereas *Pesach* calls for a total ban on (*"bal yera'eh u-val yimatzei"*) and negation of *chametz* (*"tashbisu"*), its counterpart, *Shavuos,* stands on the opposite end of the spectrum and embraces *chametz* through the bringing of the *shtei ha-lechem.*

12. In the *parashah* we find numerical references to the numbers seven, forty-nine, and fifty,[14] which parallel the characteristics of *shemittah* and *yovel,* as the Ramban points out:

    והנה מספר הימים מיום התנופה עד יום מקרא קדש כמספר השנים משנות השמיטה עד היובל (רמב"ן, ויקרא כג:טו).

    What is the connection between the *korban ha-omer, Shavuos* and the *shtei ha-lechem,* on one hand, and *shemittah* and *yovel,* on the other?[15]

13. *Vayikra* 23:22 introduces a *mitzvah* that appears out of context with the holiday *korbanos*:

---

14. See *Vayikra* 23:15–16, with references to "חמשים", "שבע שבתות", "שבע".

15. We can borrow the words of Rashi's famous question (*Vayikra* 25:1): "מה ענין שמיטה [ויובל] אצל הר סיני?"

וּבְקֻצְרְכֶם אֶת קְצִיר אַרְצְכֶם לֹא תְכַלֶּה פְּאַת שָׂדְךָ בְּקֻצְרֶךָ וְלֶקֶט קְצִירְךָ לֹא תְלַקֵּט לֶעָנִי וְלַגֵּר תַּעֲזֹב אֹתָם אֲנִי ה׳ אֱלֹקֵיכֶם.

Why does the Torah conclude *parashas omer* and *shtei ha-lechem* with an unrelated reference to the *mitzvos* of *leket* and *pe'ah,* whose principal source is found in *Parashas Kedoshim*? As the *Sefer Toldos Yitzchak* writes:

למה כפל זה שהרי אמר זה בעצמו בסדר קדושים תהיו, שאמר שם (ויקרא יט:ט-י) ״ובקצרכם את קציר ארצכם לא תכלה פאת שדך לקצור ולקט קצירך לא תלקט, וכרמך לא תעולל ופרט כרמך לא תלקט לעני ולגר תעזוב אותם״? (תולדות יצחק, ויקרא כג:כב).

And in the words of the Malbim:

רק שעדיין יבוקש טעם למה כתב זה באמצע תורת המועדות (מלבי״ם, ויקרא כג:כב).

14. Last, is there a connection between *Megillas Rus,* which is read on *Shavuos,*[16] and *korban ha-omer,* which begins the countdown to *Shavuos*?

## C. The *Torah She-Bichsav/Torah She-Be'Al Peh* Paradigm

The *Or Gedalyahu* elucidates the difference between *Torah she-bichsav* and *Torah she-be'al peh* through the comparison of *luchos rishonos* and *luchos sheniyos*:

ובלוחות הראשונות היה גוף הלוחות גם כן מעשה אלקים... כי נתינת הלוחות היתה כפי דרגת בני ישראל בעת מתן תורה... שהיו באותו שעה כמו מלאכי השרת... בהלוחות השניות כתיב פסל לך, שגוף הלוחות יעשה משה רבינו... החילוק בין לוחות הראשונות להשניות... שבלוחות שניות היה הגוף מן הארץ.

[בלוחות הראשונות] מחמת רוב הבהירות היו משיגים שורש הדיבור, וממילא מהשורש ידעו את כל הענפים... משא״כ בלוחות שניות ניתן להם דרך חדשה, שיעמדו בחוץ ומשם יהיה להם הכח ע״י היגיעה להשיג את כל הפרטים... כי סדר של לוחות השניות היה שע״י היגיעה

16. See the *Shulchan Aruch, Orach Chaim* 490: ״נוהגין לומר רות בשבועות״.

> בתושבע"פ יכולים לבוא לידי השגה בתושב"כ, ההשגה של לוחות הראשונות... כי דרגה זו של לוחות הראשונות לא ניטלה מבנ"י לגמרי, אלא שנעשתה הדרך יותר ארוכה ויותר קשה, והאופן להגיע להבחינה שבה עמדו ישראל בעת לוחות הראשונות הוא ע"י היגיעה בתושבע"פ (אור גדליהו, כי תשא, עמוד עג-עה).

*Torah she-bichsav*, represented by the *luchos rishonos*, is אתערותא דלעילא, a Divine gift that is bestowed from Above to below. It radiates from *bifnim* to *ba-chutz*, from the core to the outside. *Torah she-be'al peh*, represented by the *luchos sheniyos*, is the effort exerted by man from below to reach the Above. It is the attempt to gain entry from *mi-bachutz* to *bifnim*.

Another manifestation of the *Torah she-bichsav/Torah she-be'al peh* divide is the dichotomy between *chochmah* and *binah*. *Chochmah* is bestowed from above while *binah* is acquired through human effort, as R. Yitzchak Isaac Chaver explains:

> וחכמה נקרא מה שנתן מאתו יתברך לאדם הכנה להשיג התורה, ובינה הוא מה שמטריח בעצמו בשכלו להבין דבר מתוך דבר (אור תורה, אות מג).

The *Asufas Ma'arachos* elaborates that in order to "acquire" lofty concepts as one's own, one has to expend maximum effort:

> ונמצאת למד, שהחכמה, הגם שהיא נקלטת בכלי הקיבול השכליים של התלמיד, אינה מתקשרת במלואה לעצמותו של המקבל. שהלא מתנת חינם היא. ואין תבונה מושגת על בוריה, אלא למי שמוסר כל כחו להשיגה. חכמה המושגת בחטף, אינה אלא שטחית. בעל הכשרון, יכול אמנם לקלוף את הגליד... אבל לא יבוא אל תכליתה... אלא בהשתקעות מלאה (אסופת מערכות, במדבר, עמוד קנד).

*Chochmah* represents the knowledge transmitted from others (essentially received as a gift), which by its very nature is ephemeral. *Binah* is the knowledge acquired through one's own diligence and remains a permanent, personal possession. *Chochmah* is the inspiration, while *binah* is the perspiration.

## D. The Metamorphosis of *Yotzei Mitzrayim* to *Ba'ei Ha-Aretz*

The *Midrash Rabbah* offers a metaphor for the contrast between the generation which left Egypt and their progeny who entered the land of Israel. For the generation that left Egypt and traveled through the desert for forty years, God attended to all of their physical needs – food, drink and shelter. God even directed their travels and determined when and where they should camp. God was like the mother bird who fully provides for her young chicks. When the chicks grow up, however, the mother bird nudges them out of their nest into the unsheltered world where they must fend for themselves. So too, the generation that entered the land of Israel could no longer rely solely on God's benevolence, but had to provide for themselves by working the land:

> "מי שת בטוחות חכמה" (איוב לח:לו) - מהו "בטוחות", בטויא (־אפרוחי התרנגולים). "או מי נתן לשכוי בינה" (איוב שם) - הדא תרנגולתא (־תרנגולת בוגרת) כו'. הדא תרנגולתא כד אפרוחיה דקיקין היא מכנשא להון ויהבת להון תחות אגפיא, ומשחנה להון ומעדרנה קדמיהון. וכד אינון רבייה, חד מנהון בעי למקרב לוותיה, והיא נקרה ליה בגו רישיה וא"ל: 'זיל עדור בקוקלתך'.
>
> (תרגום - התרנגולת הזו, כשאפרוחיה צעירים, היא מאספת אותם תחת כנפיה ומחממתן, עודרת לפניהם באשפה ומאכילתן. וכאשר הם גדלים, כאשר קרב אחד מהם אליה, כהרגלו, היא מנקרת לו בראשו, ומנחה אותו: לך עדור לך אתה עצמך, במקורך שלך.)
>
> כך כשהיו ישראל במדבר מ' שנה היה המן יורד, והבאר עולה להן, והשליו מצוי להן, וענני כבוד מקיפות אותן, ועמוד ענן מסיע לפניהם. כיון שנכנסו ישראל לארץ, אמר להם משה: כל אחד ואחד מכם יטעון מכושיה. ויפוק וינצוב ליה נציבין (ייצא לשדה, ויטע עצים) הה"ד כי תבאו אל הארץ ונטעתם (ויקרא רבה, כה:ה).

The *Asufas Ma'arachos* expands upon the metaphor and points out that *Bnei Yisrael*'s era of being completely cared for and nurtured in the desert was not, and should not have been, their ultimate fate; it was merely preparation for their independent "adulthood" in the land of Israel:

פירשו כאן חכמים לשונו של מקרא, שלא כפשוטו. שמשמעו של הכתוב - "וכי תבואו אל הארץ ונטעתם כל עץ מאכל... שלוש שנים יהיו לכם ערלים" וגו' (ויקרא יט:כג) היא: לכשתבואו אל הארץ ותטעו בה עצי מאכל, המצוה מוטלת עליכם, שתהיו נוהגים בעצים הללו כל תורת ערלה ונטע רבעי. הרישא של המקרא הזה, אינה איפוא אלא חיווי של התנאה. אבל חכמים דרשו את הכתוב כולו מצוה. ופירשו אף את האמור בו: "ונטעתם כל עץ מאכל" - מצוה. מכאן בוקע פשר ההקבלה הניגודית שמתחו חכמים, בין דור המדבר לבאי הארץ. בתקופת המדבר, חי עם ישראל עטוף במערכת שמימית מגינה. ענני הכבוד חפפו עליהם, סופק להם לחם שמים לפרנסתם, וחיו על מוצא פי ה'. כאותו אפרוח דקיק, שאמו חופנתו ומעטפתו בכנפיה, עודרת לפניו, ומאכילתו מפיה לתוך פיו. משבגר האפרוח ועמד על רגליו, מוטל עליו מעתה, להתמודד לפרנסתו בכוחותיו שלו. כך ישראל, משעמדו על דעתם, בגרו ונכנסו לארץ, הוטלה עליהם מעתה המשימה: "ונטעתם כל עץ" - זיל עדור בקוקלותך! העמידה במדבר, לא היתה איפוא היעד. היה זה אך שלב של ינקות, שנועד ללמדם פרק, עד שיעמדו על רגלי עצמם. ותכליתה, לאמנם למעשה ה'נטיעה' המיועד להם בארץ חמדה.

וטרם כילינו למצות עומק דברי חכמים. שעדיין לא נתברר לנו, מה באו חכמים כאן ללמדנו, ומה לקחו של משל נאה זה? ועוד, שעדיין אין אנו יודעים פשר גופו של דבר: מה מצוה יש בנטיעה?

ואף לשון חכמים בענין, לא נתפרש כל צרכו: שכל צורב מבין, שהפתיחה של מדרש זה, המפרשת מקרא ד"מי שת בטוחות חכמה וגו'" לא בכדי באה. תרנוגלתא דא ואפרוחיה בהם משלו חכמים, קיימות ועומדות מששת ימי בראשית, כפי הטבעים שנטע בהן הבורא ית' בשעת יצירה. ומה הוצרכו חכמים להסמיכן ללשון הכתוב?

ברור איפוא, שחכמים באו לתת כאן סימנים בדור המדבר ובדור באי הארץ. וכיתרו על סמך מקרא זה, את האפרוח - הוא דור המדבר - בנזר ה'חכמה', ואת התרנגולת הבוגרת - הוא דור באי הארץ - בכתר ה'בינה'. והמשל השנוי כאן, בא להמחיש, את המתח הקיים בין שתי מידות אלו של דעת. ובו־זמנית, להגדיר את עניינה של 'מצות נטיעה' (אסופת מערכות, במדבר, עמוד קנב-קנג).

The *midrash* uses the metaphor of a mother bird providing sustenance to her fledglings to explain the change of status between the generation of *yotzei Mitzrayim* and *ba'ei ha-aretz*. The fledglings, the *yotzei*

*Mitzrayim,* are associated with *chochmah,* as per the first half of *Iyyov* 38:36, and the grown chicks, the *ba'ei ha-aretz,* are associated with *binah,* as per the second half of *Iyyov* 38:36.

## E. The Antecedent of the *Omer*

The *korban ha-omer* is not the first context in which the word "*omer*" appears in the Torah. In the *parashah* of the *mon,* in *Shemos* chapter 16, the *omer* is the measure of *mon* that each person received. Both midrashic and kabbalistic sources connect the *mon* with the *korban ha-omer*:

> אמר הקדוש ברוך הוא למשה, לך אמור להם לישראל כשהייתי נותן לכם את המן הייתי נותן עומר לכל אחד ואחד מכם, הה"ד (שמות טז:טז) עומר לגלגולת, ועכשיו שאתם נותנים לי את העומר אין לי אלא עומר אחד מכלכם, ולא עוד אלא שאינו של חטים אלא של שעורים, לפיכך משה מזהיר את ישראל ואומר להם והבאתם את עומר (ויקרא רבה כח:ג).[17]
>
> אמר קודשא בריך הוא, אנא יהיבית לכו מן במדברא, מההוא אתר דאקרי שמים, דכתיב (שמות טז:ד) הנני ממטיר לכם לחם מן השמים, ואתון מקרבין קמאי שעורים (זוהר, חלק ג, דף צו ע"א).

The *Midrash Rabbah* and the *Zohar* establish that the origins of *korban ha-omer* are firmly rooted in the *mon,* the unique, celestial dietary staple which *Hashem* delivered to the Jewish nation daily for the forty years they inhabited the *midbar.*

What were the miraculous characteristics of the *mon*?

1. Composition: The *mon* was *lechem min ha-shamayim,* "heavenly bread" (*Shemos* 16:4). *Mon* is also referred to as "*lechem*

---

17. The *Pri Tzaddik* asks how the *mon,* which lasted only one generation, could be a source for the *korban ha-omer,* which was established *le-doros,* and further points out that throughout the time the *mon* was falling in the *midbar, Bnei Yisrael* did not bring the *korban ha-omer*:

ויש להבין איך אמר טעם למצות העומר שנוהג בכל דור מהמן שהיה רק במדבר ובמדבר לא הקריבו העומר עד שבאו לארץ ישראל (ספר פרי צדיק, חג הפסח, אות כא).

*abbirim*" – bread of the mighty (*Tehillim* 78:25), which the Gemara interprets to mean לחם שמלאכי השרת אוכלין (*Yoma* 75b). The *mon* was intrinsically pure, מאכל זך ונקי מכל פסולת (*Kli Yakar, Shemos* 16:4). On the *pasuk* which states לֶחֶם אַבִּירִים אָכַל אִישׁ, the *Metzudas David* comments:

אכל איש - כאומר, הלא דבר תימה הוא שאיש נברא מהאדמה אכל לחם שמים! (מצודת דוד, תהלים עח:כה)

The *Sefas Emes* elaborates on the unique spiritual characterisitics of the *mon*:

אכן המן הי׳ בחי׳ לחם מן השמים ונראה שהוא סועד המוח, והוא היפך מזון הגשמיי שבא דרך כבד ולב אל המוח. והמן, אדרבא, סועד המוח ונמשך ממוח ללב ולכבד, מלמעלה למטה, שהוא לחם מן השמים.[18] ורמז לדבר דכתי׳ עומר לגלגולת.[19] וכמו דאיתא ביום התענית וכן חולה שא״י לאכול, המוח מחי׳ כל הגוף, ורק שהמוח א״י להיות ג״כ בלי מזון. רק דור המדבר הוריד להם הקב״ה מזון אל המוח (שפת אמת, פרשת עקב, שנת תרנ״ב).

The *Sefas Emes* establishes that the *mon* was first and foremost a "spiritual" food targeting the *mo'ach/neshamah,* which subsequently trickled down to provide nourishment for the physical body (*guf*). In addition, the *mon* was proprietary to the *dor ha-midbar*:

שהמן היה מאכל רוחני שמלאכי השרת אוכלין אותו, והקב״ה צמצם אותו שיתלבש בגשמיות, והוא יש מאין (שפת אמת, הגדה של פסח).

The *Sefas Emes* crowns the *mon* as a paradigm of *yesh me-ayin,* which places it in the exclusive domain of the Creator. While the source of the *mon* was *shamayim* (*ayin*), it managed to have a presence, *yesh,* in the physical world.

---

18. Note that the order of nourishment followed by the *mon* – מוח, לב, כבד – spells the word מלך. If the *mo'ach* leads and directs the other parts of the body, one achieves *malchus,* noblility of spirit.
19. I.e., "brain food."

2. Apportionment: *Shemos* 16:16 describes the apportioning of the *mon* as "עומר לגלגלת", an *omer* per person. The *mon* was, amazingly, one size fits all. As the Torah describes (*Shemos* 16:16–18):

> (טז) זֶה הַדָּבָר אֲשֶׁר צִוָּה ה׳ לִקְטוּ מִמֶּנּוּ אִישׁ לְפִי אָכְלוֹ עֹמֶר לַגֻּלְגֹּלֶת מִסְפַּר נַפְשֹׁתֵיכֶם אִישׁ לַאֲשֶׁר בְּאָהֳלוֹ תִּקָּחוּ. (יז) וַיַּעֲשׂוּ כֵן בְּנֵי יִשְׂרָאֵל וַיִּלְקְטוּ הַמַּרְבֶּה וְהַמַּמְעִיט. (יח) וַיָּמֹדּוּ בָעֹמֶר וְלֹא הֶעְדִּיף הַמַּרְבֶּה וְהַמַּמְעִיט לֹא הֶחְסִיר אִישׁ לְפִי אָכְלוֹ לָקָטוּ.

The *Kesav Sofer* explains that each person did not automatically collect an *omer.* Rather, each collected what he or she desired. The *nes* became apparent only when *Bnei Yisrael* returned to their tents, where the *mon* adjusted to the exact amount necessary, an *omer* per person:

> לקטו ממנו איש לפי אכלו עומר לגלגולת וכו׳ לאשר באהלו תקחו. צ״ב מאי צריך לפרש אשר באהלו, פשיטא שנפשות ביתו לאשר באהלו. ונ״ל, הנה היה הנס שהמרבה לא העדיף והממעיט לא החסיר, ואם מיד היו לוקטים כל אחד עומר לגלגולת לא היה ניכר הנס, לכן היתה המצוה שילקוט כל אחד כרצונו כפי מה שמשער שרוצה לאכול, וכשבא לביתו הכירו הנס שהיה לכל אחד מצומצם עומר אחד, ואחז״ל )עירובין פג:( האוכל יותר מזה רעבתן פחות מזה חולי במעיו, כזה מבורך. ואומר, כי לקטו ממנו איש לפי אכלו, היינו [כפי] שחפצו לאכול, הרעבתן יותר והחולה פחות, כרצונם. ואמר עומר לגולגולת מספר נפשותיכם לאשר באהלו תקחו, היינו גם כשתביאו הרבה מ״מ מאשר לאיש באהלו שהביא מן השדה לא יותר ולא ימעט מן עומר למספר נפשות ויכיר הנס. ואמר אח״כ וימודו בעומר ולא העדיף וכו׳, ומסיים איש לפי אכלו לקטו, היינו שלא היו לוקטים כן רק כל אחד לקט לפי אכלו כפי שרצונו לאכול, מ״מ היה עומר מצומצם וק״ל (כתב סופר, שמות טז:טז).

3. Frequency: *Shemos* 16:4 states: וְיָצָא הָעָם וְלָקְטוּ דְּבַר יוֹם בְּיוֹמוֹ. As Rashi explains, this means that they only collected for their daily needs and never beyond: צורך אכילת יום ילקטו ביומו, ולא ילקטו היום לצורך מחר. The exception was *erev Shabbos,* when they received a double *omer*: וַיְהִי בַּיּוֹם הַשִּׁשִּׁי לָקְטוּ לֶחֶם מִשְׁנֶה שְׁנֵי הָעֹמֶר לָאֶחָד (*Shemos* 16:22).

The *mon* was the only entity in the life of the *dor ha-midbar* which contained such a range of miraculous features. The closest item was the *luchos rishonos,* which were כתובים באצבע אלקים (*Shemos* 31:18), but which were shattered by Moshe.

The pedigree of the *mon* allowed it to be placed in front of the *Aron* in the *Kodesh ha-Kodashim,* which meant it shared an almost equal footing with the *luchos* (though not quite equal – the *mon* was placed in front of the *Aron* and *luchos* were placed within it). *Shemos* 16:33 describes how Moshe commanded Aharon to place an *omer* of *mon* in a container *"lifnei Hashem,"* which Rashi clarifies to mean *"lifnei ha-Aron"*:

> וַיֹּאמֶר מֹשֶׁה אֶל אַהֲרֹן קַח צִנְצֶנֶת אַחַת וְתֶן שָׁמָּה מְלֹא הָעֹמֶר מָן וְהַנַּח אֹתוֹ לִפְנֵי ה׳ לְמִשְׁמֶרֶת לְדֹרֹתֵיכֶם.
> והנח אותו לפני ה׳ - לפני הארון (רש״י).

All the miraculous features of the *mon* had one sacred objective – to show that it is not physical nourishment alone that gives life to man, but rather it is the word of *Hashem* that sustains man (*Devarim* 8:3):

> וַיְעַנְּךָ וַיַּרְעִבֶךָ וַיַּאֲכִלְךָ אֶת הַמָּן אֲשֶׁר לֹא יָדַעְתָּ וְלֹא יָדְעוּן אֲבֹתֶיךָ לְמַעַן הוֹדִיעֲךָ כִּי לֹא עַל הַלֶּחֶם לְבַדּוֹ יִחְיֶה הָאָדָם כִּי עַל כָּל מוֹצָא פִי ה׳ יִחְיֶה הָאָדָם.

As the *Be'er Yosef* explains, *Hashem* provided *Bnei Yisrael* with total sustenance without any effort at all on their part. The objective was to instill into the hearts of *Bnei Yisrael* that *Hashem* is the ultimate provider and overseer of all of man's needs, and thereby anchor their faith in *Hashem*:

> וכל זה בא לידם בלי שום עזר וסיוע מבן אדם אלא ישר מן השמים, והיו עוסקים בתורה ועבודת השי״ת במנוחה ושלוה בלי שום עמל וטורח לפרנסתם ולמחייתם, ובזה ראו כולם והכירו וידעו נאמנה כי הכל בא להם מיד השי״ת שהוא הזן מפרנס ומכלכל אותם בכבוד ונחת. וכן התמיד הדבר ארבעים שנה במדבר הגדול והשמם באין חריש וקציר ושום צומח, כדי להשריש בלבם האמונה הטהורה והבטחון החזק, כי השי״ת הוא המשגיח על כל בריותיו מקטנם ועד גדולם לזונם ולתת להם כל צרכיהם (באר יוסף, אמור, עמוד נ).

Why was the *mon* selected as the medium to convey this critical message?

Man's sustenance lies at the core of his ability to survive. The better part of his time is spent obtaining the food necessary for his existence. The capacity to be productive and creative is a direct outcome of a steady and stable diet. Tucked into the folds of the *lechem* story, the saga of man can be found. The pursuit of his daily bread demands an intense focus of man's faculties and a strenuous exertion of his skills. In his long and arduous quest, man is prone to forget his Maker who, in reality, is the genuine source of all sustenance. At the apex of his material success, man is exposed to the gravest danger (*Devarim* 8:12–17):

(יב) פֶּן תֹּאכַל וְשָׂבָעְתָּ וּבָתִּים טֹבִים תִּבְנֶה וְיָשָׁבְתָּ.
(יג) וּבְקָרְךָ וְצֹאנְךָ יִרְבְּיֻן וְכֶסֶף וְזָהָב יִרְבֶּה לָּךְ וְכֹל אֲשֶׁר לְךָ יִרְבֶּה.
(יד) וְרָם לְבָבֶךָ וְשָׁכַחְתָּ אֶת ה׳ אֱלֹקֶיךָ הַמּוֹצִיאֲךָ מֵאֶרֶץ מִצְרַיִם מִבֵּית עֲבָדִים.
(טו) הַמּוֹלִיכֲךָ בַּמִּדְבָּר הַגָּדֹל וְהַנּוֹרָא נָחָשׁ שָׂרָף וְעַקְרָב וְצִמָּאוֹן אֲשֶׁר אֵין מָיִם הַמּוֹצִיא לְךָ מַיִם מִצּוּר הַחַלָּמִישׁ.
(טז) הַמַּאֲכִלְךָ מָן בַּמִּדְבָּר אֲשֶׁר לֹא יָדְעוּן אֲבֹתֶיךָ לְמַעַן עַנֹּתְךָ וּלְמַעַן נַסֹּתֶךָ לְהֵיטִבְךָ בְּאַחֲרִיתֶךָ.
(יז) וְאָמַרְתָּ בִּלְבָבֶךָ כֹּחִי וְעֹצֶם יָדִי עָשָׂה לִי אֶת הַחַיִל הַזֶּה.

The juxtaposition of *mon* and the danger of "*kochi ve-otzem yadi*" is critical. The antidote to man's unwarranted arrogance lies in recalling the ultimate source of the miraculous features of the *mon* (*Devarim* 8:18):

וְזָכַרְתָּ אֶת ה׳ אֱלֹקֶיךָ כִּי הוּא הַנֹּתֵן לְךָ כֹּחַ לַעֲשׂוֹת חָיִל לְמַעַן הָקִים אֶת בְּרִיתוֹ אֲשֶׁר נִשְׁבַּע לַאֲבֹתֶיךָ.

The *Gemara* notes that God supplied *Bnei Yisrael*'s provisions in the *midbar* in the *zechus* of their three great leaders: Moshe, in whose merit *Bnei Yisrael* received the *mon*; Aharon, because of whom they merited the clouds of glory; and Miriam, because of whom they merited the *be'er*:

שלשה פרנסים טובים עמדו לישראל, אלו הן משה ואהרן ומרים, ושלש מתנות טובות ניתנו על ידם ואלו הן באר וענן ומן. באר בזכות מרים, עמוד ענן בזכות אהרן, מן בזכות משה (תענית ט.).

These three stated provisions – *mon, be'er,* and *anan* – parallel the basic necessities of life – food, water, and shelter – which God provided to the *dor ha-midbar.*[20]

## F. *Arvos Moav*: The Fading of the *Mon*

Moshe is the conduit to deliver two Divine gifts – the *luchos* (*Torah she-bichsav*) and the *mon.*[21] At the time of the *petirah* of Moshe, these

---

20. "A traditional list of immediate 'basic needs' is food (including water), shelter and clothing" – Wikipedia, sourced from John A. Denton, *Society and the Official World: A Reintroduction to Sociology* (Dix Hills, N.Y: General Hall, 1990), p. 17. Note that there was no need to provide clothing to the *dor ha-midbar,* as God miraculously ensured that their clothes never wore out. See *Devarim* 8:4: שִׂמְלָתְךָ לֹא בָלְתָה מֵעָלֶיךָ וְרַגְלְךָ לֹא בָצֵקָה זֶה אַרְבָּעִים שָׁנָה. Rashi attributes this miracle to the *ananei ha-kavod* as well: ענני כבוד היו שפים בכסותם ומגהצים אותם כמין כלים מגוהצים, ואף קטניהם כמו שהיו גדלים היה גדל לבושן עמהם, כלבוש הזה של חומט שגדל עמו. See also Ibn Ezra (who suggests that the clothing did not wear out due to the unique properties of the *mon*) and *Aderes Eliyahu* (who connects the clothing's durability to the *be'er*).

21. Although both the *luchos* and the *mon* came to *Bnei Yisrael* via Moshe, they differ symbolically. The *luchos* symbolize *Torah she-bichsav,* whereas the *mon,* "*lechem,*" symbolizes the "*milchamta shel Torah.*" The *Midrash Rabbah* sees the etymological relationship between *lechem* and *milchamah* as the basis for a conceptual contrast:

לחם לא אכל (משה) אבל מלחמה של תורה אכל, ומים לא שתה אבל מימיה של תורה שתה, והיה למד תורה ביום ופושט אותה בינו לבין עצמו בלילה ולמה היה עושה כך אלא ללמד את ישראל שיהו יגעים בתורה ביום ובלילה (שמות רבה מז:ה).

If the *mon* was in the *zechus* of Moshe, why was Aharon given the task of placing the *mon* in front of the *Aron* (*Shemos* 16:33)? In fact, Aharon is not mentioned throughout the entire *parashah* of the *mon* until this point. Perhaps this can be explained based on a commonality between *mon* and the *Menorah*: The word "*le-doroseichem*" appears both regarding the *mon* (*Shemos* 16:32) and regarding the *Menorah* (*Shemos* 30:8). With respect to the *Menorah,* the Ramban cites the *Midrash Tanchuma* (*Be-ha'aloscha* 5) which states that the

items undergo a radical change. Rashi explains that the *mon* ceased at *Arvos Moav*, prior to *Bnei Yisrael* entering the land of Israel:

> אל קצה ארץ כנען - בתחלת הגבול קודם שעברו את הירדן והוא ערבות מואב... אלא בערבות מואב כשמת משה בז׳ באדר פסק המן (רש״י, שמות טז:לה).

*Arvos Moav* is a critical juncture in the unfolding history of *Bnei Yisrael*. It is here that Moshe passes away, and in the wake of his *petirah* comes a radical change to the *chaim nissiyim* linked to Moshe and his *dor ha-midbar* – specifically in regard to Torah and *parnasah*. The intuitive ease with which Torah had been absorbed[22] is about to be replaced with the *yegi'ah* and *ameilus* dictated by the rigorous complexity of *Torah she-be'al peh*. Paralleling the transition in Torah is the change in the food supply. Gone is the effortless procurement of the daily *mon* portion (delivered right to the door), instead to be replaced with the vigorous labor required to produce their food – "וּנְטַעְתֶּם כָּל־עֵץ" (*Vayikra* 19:23) and "זיל עדור בקוקלתך" (*Vayikra Rabbah* 25:5).

The *tzintzenes ha-mon* lies at the intersection of Torah and *parnasah*, as the Netziv explains:

---

role of Aharon and his children is everlasting, as the "*Menorah*" is kindled even in the absence of the *Beis Ha-Mikdash* (i.e., *neros Chanukah*):

> אמר לו הקב״ה למשה, לך אמור לאהרן אל תתירא, לגדולה מזאת אתה מוכן, הקרבנות כל זמן שבית המקדש קיים הן נוהגין, אבל הנרות לעולם אל מול פני המנורה יאירו, וכל הברכות שנתתי לך לברך את בני אינן בטלין לעולם. והנה דבר ידוע שכשאין בית המקדש קיים והקרבנות בטלין מפני חורבנו אף הנרות בטלות, אבל לא רמזו אלא לנרות חנכת חשמונאי שהיא נוהגת אף לאחר חורבן בגלותנו וכן ברכת כהנים הסמוכה לחנכת הנשיאים נוהגת לעולם. (רמב״ן, במדבר ח:ב)

It emerges from the *Tanchuma* that the notion of permanence, the ideal which is to preserve *Bnei Yisrael* throughout the *galus*, "*le-doroseichem*," i.e., *Torah she-be'al peh*, is associated with Aharon. Similarly, the teaching of the *tzintzenes ha-mon*, namely, to cling to the study of Torah even as one pursues a *parnasah*, is also a permanent, *Torah she-be'al peh*-associated ideal, and is thus pertinent to Aharon.

22. As typified by *Bamidbar* 9:8: "עִמְדוּ וְאֶשְׁמְעָה מַה יְצַוֶּה ה׳ לָכֶם".

ומשו"ה בשביל משה ירד המן, שמשה נתן נפשו שיהיו ישראל שוקדים בתורה... והוכיח לישראל מזה שצוה ה' להניח למשמרת מלא העומר להראות לדורות כי הקב"ה מסייע למי שנותן נפשו לשקידת התורה, ואע"ג שאינו באופן נעלה כזה, מ"מ השגחתו הפרטית ישנו בכל דור שלא יהיו מפריעים לשקידה ומסירים ממנו עול ד"א, הוא עסק פרנסה (העמק דבר, שמות טז:לב).

What is the nature of the transition of the *mon* at *Arvos Moav*? Rashi explains:

בערבות מואב כשמת משה בז' באדר פסק המן מלירד, ונסתפקו ממן שלקטו בו ביום עד שהקריבו העומר בששה עשר בניסן שנא' (יהושע ה:יא) ויאכלו מעבור הארץ ממחרת הפסח (רש"י, שמות טז:לה).

The *mon* ceased with *petirah* of Moshe on the seventh of *Adar*. The forty days[23] from the seventh of *Adar* to the sixteenth of *Nisan* were the transitional period when the *mon* no longer rained down miraculously from the heavens, but nevertheless the existing *mon*, which had been gathered previously, miraculously proliferated. It lasted until the sixteenth of *Nisan*, when the *korban ha-omer* was brought, which was *matir* the *chadash* ("*avur ha-aretz*"; *Yehoshua* 5:11).

The subtleties of this transitional period should not be overlooked. The *mon* that was *lechem min ha-shamayim*, in the realm of *yesh me-ayin*, was no longer available after Moshe's death in *Arvos Moav*. While *the mon* shed the miraculous feature of *yesh me-ayin*, it still managed to retain a lower level degree of *nes* – it proliferated on its own, which places it in the realm of *yesh mi-yesh*.

In truth, the presence of the miracle of *yesh mi-yesh* is not a novel feature of the *mon* exclusive to *Arvos Moav*, but was present in the *mon* from its inception. *Shemos* 16:22 describes the collecting of the *mon*

---

23. Just as there was a forty-day preparation period for *Bnei Yisrael* to receive the *Torah she-bichsav*, so too was there a forty-day period to prepare them for life in the land of Israel, under the tutelage of *Torah she-be'al peh*, as the Netziv cites from the *midrash*:

וכבר אי' בשה"ש רבה דאר"י דסגולת תורה שבע"פ היא שיהא ניתן בארבעים יום (העמק דבר, שמות לד:כח).

on *erev Shabbos*: וַיְהִי בַּיּוֹם הַשִּׁשִּׁי לָקְטוּ לֶחֶם מִשְׁנֶה. Rashi explains that when *Bnei Yisrael* returned to their tents, they found a double portion, a double *omer,* of the *mon*:

> לקטו לחם משנה - כשמדדו את לקיטתם באהליהם מצאו כפלים, שני העומר לאחד (רש"י, שמות טז:כב).[24]

The Ramban, in discussing the miracle of the *lechem ha-panim* of the *Shulchan,* explains that after the creation of the world, the miracles of *yesh me-ayin* ceased, but the miracles of *yesh mi-yesh* continued, and manifested itself in the miracles of Eliyahu and Elisha in *Sefer Melachim,* as well as in the *Mishkan* with the *lechem ha-panim*:

> כי ברכת השם מעת היות העולם לא נברא יש מאין,[25] אבל עולם כמנהגו נוהג, דכתיב (בראשית א:לא) וירא אלקים את כל אשר עשה והנה טוב מאד, אבל כאשר יהיה שם שרש דבר תחול עליו הברכה ותוסיף בו, כאשר אמר אלישע הגידי לי מה יש לך בבית (מ"ב ד:ב), וחלה הברכה על אסוך שמן ומלאה כל הכלים, ובאליהו כד הקמח לא כלתה וצפחת השמן לא חסר (מ"א יז:טז), וכן השולחן בלחם הפנים, בו תחול הברכה, וממנו יבא השובע לכל ישראל, ולכך אמרו כל כהן שמגיעו כפול אוכל ושבע (רמב"ן, שמות כה:כד).

Regarding the *mon,* however, the crossing of the Yarden results in the cessation of all miraculous features in the *mon,* even in the realm of *yesh mi-yesh* (the word *ever,* as in *ever ha-Yarden,* denotes this sense of transition). The crossing ushers in a whole new era in the life of the Jewish nation.

---

24. The word ששי in the *pasuk* about the *mon* on *erev Shabbos* can also be written שישי, or שי־שי, an allusion to the concept of יש מיש.

25. A seeming difficulty with the Ramban, that the *mon* itself was *yesh me-ayin* and it came into being after the time of creation, can be answered with a *mishnah* in *Pirkei Avos*:

> עֲשָׂרָה דְבָרִים נִבְרְאוּ בְעֶרֶב שַׁבָּת בֵּין הַשְּׁמָשׁוֹת, וְאֵלּוּ הֵן,... וְהַמָּן" (אבות ה:ו).

## G. *Omer Ha-Tenufah*: Preserving the Legacy of the *Mon*

*Vayikra* 23:10 states that the *mitzvah* of *korban ha-omer* takes place during harvest time:

> כִּי תָבֹאוּ אֶל הָאָרֶץ אֲשֶׁר אֲנִי נֹתֵן לָכֶם וּקְצַרְתֶּם אֶת קְצִירָהּ וַהֲבֵאתֶם אֶת עֹמֶר רֵאשִׁית קְצִירְכֶם אֶל הַכֹּהֵן.

The *Gemara* in *Maseches Rosh Ha-Shanah* explains the connection between harvest time and the *korban ha-omer*:

> מפני מה אמרה תורה הביאו עומר בפסח, מפני שהפסח זמן תבואה הוא. אמר הקדוש ברוך הוא הביאו לפני עומר בפסח כדי שתתברך לכם תבואה שבשדות (ראש השנה טז.).

Upon their arrival in *Eretz Yisrael*, the question of how to deal with the *teva* now confronting them presents a formidable challenge to the Jewish nation. But in truth, is the planting of a seed which yields a bountiful harvest any less awe-inspiring than bread (*mon*) that falls from the heavens? The *Yalkut Shimoni* points out that the *korban ha-omer* is brought to show appreciation for that bounty which is acquired naturally, which is also the result of *Hashem*'s intervention:

> והבאתם את עומר, זה שאמר הכתוב מה יתרון לאדם וגו'. אמר ר' ינאי, בנוהג שבעולם אדם לוקח לו ליטרא אחד של בשר מן השוק, כמה הוא יגע, כמה צער הוא מצטער עליה עד שלא יבשלנה, והבריות ישנין על מטותיהן, והקדוש ברוך הוא משיב רוחות ומעלה עננים ומוריד גשמים ומפריח טללים ומגדל צמחים ומדשן פירות, ואין אתה נותן לו את העומר (ילקוט שמעוני, ויקרא פרק כג, רמז תרמג).

The *korban ha-omer,* one of the first *korbanos* to be brought upon arriving on the soil of *Eretz Yisrael,* picks up where the *mon* drops off. As the *Be'er Yosef* remarks, the *tzintzenes ha-mon,* the tangible proof of all the miraculous features of the *mon,* was placed in the *Kodesh Ha-Kodashim,* which was not visible to *Bnei Yisrael.* In its place, the *korban ha-omer* was brought with great public fanfare to convey the paramount message of the *mon,* that all sustenance derives from God. Thus, in recognition of the *mon,* the *korban* is called *omer,* after the *omer* of *mon* that each member of *Bnei Yisrael* was allotted daily in the *midbar*. The day the *korban ha-omer* is brought, the sixteenth of *Nisan*, is also significant because it is the day that the sustenance of the *mon* ended, showing that the *mon*'s "legacy" continues through the *korban ha-omer*. Finally, the *korban ha-omer* is waved in all directions to demonstrate the notion that all sustenance originates from *Hashem*, who rules the entire world. The *Be'er Yosef* emphatically equates the divinely granted *mon* with the *korban ha-omer* – although harvested by human hands, the produce too is a gift from God:

> אולם כיון שצנצנת המן היתה עומדת לפני ולפנים בקודש הקדשים, ולא יראה לעיני כל, גם אין בזה שום פעולה מעשית מצד העם שיעשה עליהם הרושם המקווה בפנותם למלאכתם בשדה וכרם - לזאת באה ג"כ המצוה הזאת של העומר וצונו בזה השי"ת כי תבואו אל הארץ אשר אני נותן לכם וקצרתם את קצירה והבאתם את עומר ראשית קצירכם אל הכהן והניף את העומר לפני ה' לרצונכם ממחרת השבת יניפנו הכהן, ולכוונה קראה התורה את הקרבן הזה בשם עומר, שיהיה לזכרון המן שהיה במדבר מדת העומר לגולגולת, וזמן הבאתו הוא ממחרת השבת שהוא ששה עשר בניסן, שאז פסק המן... ואמרו בגמ' (סוכה לז:, מנחות סב.) מוליך ומביא למי שהארבע רוחות שלו, מעלה ומוריד למי שהשמים והארץ שלו... לאמר, דזה העומר של שעורים שהוצאנו מן הארץ ע"י עבודה ועמל ורוב טורח ויגיעה - אנו מודים ואומרים שהוא כולו להשי"ת בורא שמים וארץ וארבע רוחות, רק לה' הארץ ומלואה, וכמו עומר המן שהיה יורד מהשמים, היה כולו מיד השי"ת, כן גם העומר הזה שאנו מקריבים, אנו מיחסים ומכירים שהוא כולו מיד ה' המוציא לחם מן הארץ להחיות בהם נפש כל חי.
>
> ולזה הטעם באה מצוה ביום ט"ז בניסן שבו נפסק המן, כדי להסמיך עומר זה לעומר המן, לומר שאלו שני העומרים שניהם שוים כאחד, שהם כולם רק מיד ה', וכן שוים הם גם לענין הזה - דכשם שבמדת המן שהוא עומר לגולגולת, אמרו בזה בגמ' (עירובין פג:), שהאוכל במדה זו הוא בריא ומבורך, יתר על כן רעבתן, כמו כן צריך להתנהג גם באכלנו מלחם הארץ, שתהא האכילה במדה וכדי שביעה ולא כרעבתן, אלא רק במדה הנכונה להיות בריא ומבורך (באר יוסף, אמור, עמוד מט).

The *Sefas Emes* learns a similar lesson from the fact that the *korban ha-omer* is brought on *Pesach*:

ואמרו חז"ל הביאו לי עומר בפסח שיתברך לכם תבואות שבשדות. אין הפירוש שיהיה הכוונה כדי לקבל ברכה בלבד, אבל הפירוש הוא שבנ"י מביאין הטבע להשי"ת ומבררין שמאתו הכל וכל הטבע אין לה רק מה שמשפיע הקב"ה מלמעלה מהטבע וע"י שמבטלין הכל אליו יתברך ממילא הברכה שנמשך מגיע להם בראשונה וז"ש כדי שיתברכו לכם, שעי"ז נוטלין הם הראשית וכמ"ש במד' ואל מצינים יקחהו לא בזיין כו' רק ע"י ביטול כל הכחות אליו יתברך ממילא חוזר הכל להם (שפת אמת, הגדה של פסח, עמוד שטו).

The *Sefas Emes* further suggests that by consuming the *mon, Bnei Yisrael* were restoring the *yesh* to the *ayin,* that is, connecting the physical to the spiritual realm. The *gematria* of *omer* is identical to the *gematria* of the word *yesh* (310), and it similarly restores the *yesh* to the *ayin*:

כי הנה הקב"ה ברא יש מאין והצדיקים יש להם לברר זאת ולהחזיר היש לאין וזה רמז העומר לבטל היש לאין וזה הרמז במדרש שהקב"ה נתן לכל א' עמר מן ובנ"י מעלין עמר א', והוא שהמן היה מאכל רוחני שמלאכי השרת אוכלין אותו והקב"ה צמצם אותו שיתלבש בגשמיות והוא יש מאין, ובנ"י מעלין העמ"ר גימטריא י"ש אל האין (שפת אמת, הגדה של פסח, עמוד שכא).

The act of *tenufah* represents an upheaval of the status quo of *teva.* It is a rejection of the nominal notion that *olam ke-minhago noheg.* It is a humble acknowledgement that all that we possess and produce truly belongs to the Master of all directions, למי שארבע רוחות שלו, and is granted to us as a gift from Above.

### H. *Omer* and *Macharas Ha-Shabbos*

The *Gemara* (*Pesachim* 117b) identifies different sources for the *kedushah* of *Shabbos,* which is established and set from the time of creation, and the *kedushah* of *Yom Tov,* to which man contributes by sanctifying the new moon and arranging the monthly calendar correctly:

שבת, דקביעא וקיימא, בין בצלותא ובין בקידושא מקדש השבת. יומא טבא, דישראל הוא דקבעי ליה, דקמעברי ירחי וקבעי לשני, מקדש ישראל והזמנים (פסחים קיז:).

The *Sefas Emes* associates *Shabbos* with the *Torah she-bichsav,* and *Rosh Chodesh* and *Yom Tov* with *Torah she-be'al peh*:

> שבת הוא בחי׳ השמים כסאי תורה שבכתב, לכן בשבת ניתנה תורה, וקריאת ג״ן סדרים דאורייתא המתגלין בשבת. וחודש הוא בחי׳ תושבע״פ, ישראל דקדשינהו לזמנים, ובכח אלה הבנינים יבאו להש־תחות לפני ה׳ (שפת אמת, נח, שנת תרנ״ב).

Just as *Torah she-be'al peh* is rooted in *Torah she-bichsav,* so too is *kedushas Yom Tov* firmly entrenched in *kedushas Shabbos.* As the *Or Gedalyahu* notes, *Shabbos* is the introduction to the *parashas ha-mo'adim* (in *Vayikra* 23). The description of the *Yamim Tovim* as *Shabboson* (mini-*Shabbos,* as *Or Gedalyahu* explains it) reflects the dependence of *kedushas Yom Tov* on *kedushas Shabbos*:

> פרשת שבת (פ׳ אמר כג:א-ג) נקבע כהקדמה לפרשת המועדים, כי קדושת שבת היא קדושה הקביעא וקיימא בהבריאה, וכל הימים טובים נקראים שבתון, שפירושו ״א קליינר שבת״, שקדושת הימים טובים היא המשכה מקדושת השבת הקביעא וקיימא מששת ימי בראשית, ורק ע״י מה שיש קדושת השבת בהבריאה יש מציאות אח״כ לקדושת הרגלים, ולכן נקבע פרשת שבת כהקדמה לפ׳ המועדים, כי רק על ידי הקדושה של שבת, יש ביכולת לבנ״י לקדש הזמנים האלו (אור גדליהו, מועדים, עמוד 126).

When the *Chachamim* declared that *macharas ha-Shabbos* was not to be taken literally and that *Rosh Chodesh* (and therefore every *Yom Tov*) was to be determined by *beis din*'s declaration, they were acknowledging the power of *Torah she-be'al peh.* The Torah refers to the fifteenth of *Nisan* as *Shabbos* to underscore the notion that *kedushas Yom Tov* emanates from and is rooted in *kedushas Shabbos,* a manifestation of the concept that *Torah she-be'al peh* is tethered to *Torah she-bichsav.* The *Tzedukim* denied the connection between *Shabbos* and *Yom Tov* because they denied the fundamental connection between *Torah she-bichsav* and *Torah she-be'al peh.*[26]

The fifteenth of *Nisan* is called *Shabbos* because of its connection

---

26. See also R. Avraham Yitzchak Ha-Kohen Kook, *Mishpat Kohen,* no. 124:

to *Torah she-bichsav,* while the *omer* on the sixteenth reflects *Torah she-be'al peh.* The word *tenufah* itself can be split into two smaller words, *tenu* and *peh.* The *Or Ha-Meir* thus sees *tenufah* as a hint to *Torah she-be'al peh*:

> תנופה - וזהו תנו פה, מלכות פה ותורה שבע"פ וכו' (אור המאיר, דרוש ספירת העומר).[27]

---

והנה קדושת שבת וקדושת יו"ט היא ג"כ מכוונת לעומת קדושת תורה שבכתב וקדושת תורה שבע"פ. כי שבת, דקביעה וקיימא, קדושתה בידי שמים, כביצה י"ז א', ויו"ט דישראל קדשינהו לזמנים, כברכות מ"ט א', הוא תוכן תושבע"פ, ומשו"ה היו"ט מאחד את הכלל, וכל ישראל חברים הם ברגל כחגיגה כ"ו א'. וע"פ האמת אחדות הכלל נובעת משורש הקדושה העליונה, שהיא קדושת תורה שבכתב, שמשפעת על קדושת תושבע"פ, וע"פ אמתת ענין זה מוכרח קיבוץ הכלל בצורת האומה להיות קדוש בקדושת התורה, וקדושת יו"ט יונקת מקדושת שבת, ומזה בא הנוסח כי הוא יום תחלה למקראי קודש, כרש"י כתובות ז' ע"ב ד"ה מידי. וע"כ קראה תורה יום טוב ראשון של פסח, שהוא רגל ראשון ותחלה לרגלים, כר"ה ד' ע"א, בשם שבת, להורות שקדושת יו"ט, המאחדת את הכלל, מקדושת שבת מיסוד התורה היא יונקת, ולא משום הקיבוץ של הפרטים יחד, אלא משום שיש קדושה עצמית בהכלל. וזהו עוקר את כל הענין של פרצת הצדוקים, שרצו להיות ככל הגוים, בתור קבוץ לאומי לבד, וע"כ לחמו לעקור קדושה זו, שיו"ט לא יקרא בשם שבת.

27. The idea that תנו־פה signifies *Torah she-be-al peh* should be viewed in light of *yetzi'as Mitzrayim.* The *Zohar* (vol. II, p. 25b) writes that the power of speech itself was in *galus* in *Mitzrayim,* as hinted at in Moshe's words in *Shemos* 4:10, "כי כבד פה וכבד לשון אנכי" (see *Sefer Toldos Yitzchak, Mo'adim U-Zemanim*). *Pesach* is the *ge'ulah* of *Bnei Yisrael*'s power of speech. The word פסח can be divided into פה־סח, representing the *ge'ulah* of speech. The *korban Pesach* represents this *ge'ulah* as well (see *Or Gedalyahu, Mo'adim,* p. 68). In order to prevent *Bnei Yisrael* from falling to the fiftieth level of impurity, God passed over the natural order, *pasach,* via an אתערותא דלעילא, a Divine spiritual effort (see *Sefer Toldos Yitzchak, Mo'adim U-Zemanim*). The Divine spiritual effort present on *Shabbos* was therefore present on *Pesach,* which would justify *Pesach* being called *Shabbos.* The word "*Shabboson*" (mini- *Shabbos*) is not present in the *parsha* of *Pesach,* because *Pesach* is *Shabbos* itself. The day of *mi-macharas ha-Shabbos,* the sixteenth of *Nisan,* the day of bringing *omer ha-tenufah,* which represents an אתערותא דלתתא, a human spiritual effort, and reflects human endeavor in the realm of *teva,* is in the realm of *Torah she-be'al peh.*

The goal of the *omer* is to elevate the *yesh mi-yesh* of *teva* to the exalted state of *yesh me-ayin* that is found in both the *mon* and *Shabbos*.[28]

Because of the close identification of *omer* with *Torah she-be'al peh*, the Torah intentionally avoids stating the month and day of this *chag* (as was done with other festivals) to force us to implement the very tools (*derashah*) common to *Torah she-be'al peh* to determine the time of the *korban ha-omer*. To further accentuate this difference, the Torah introduces the *korban ha-omer* as a *parashah pesuchah*, a new topic, which highlights the difference of this festival from the others.

## I. The *Omer* and the Second Day of *Pesach*

With the help of the *Midrash Rabbah*, we can uncover the connection between *omer* and *Pesach*. The *ge'ulah* of *Pesach* is a *nes*, obviously and directly from *Hashem*. Yet the *Midrash Rabbah* compares the seemingly natural process of obtaining *parnasah* to the supernatural *ge'ulah* of *keri'as Yam Suf*:

> קשים מזונותיו של אדם לפני הקב"ה כקריעת ים סוף, שנאמר (תהלים קלו:יג), "לגוזר ים סוף לגזרים כי לעולם חסדו", וכתיב תמן (תהלים קלו:כה), "נותן לחם לכל בשר כי לעולם חסדו" (בראשית רבה צז:ג).

The *Asufas Ma'arachos* explains that *keri'as Yam Suf* and obtaining *parnasah* are comparable, as they both involve the benevolence of *Hashem*, which He demonsrates by overriding the natural order to assist man. The sole difference is that *parnasah* is disguised as *teva*, but it nevertheless remains very much a Divine gift:

> אותה מידה של חסד אמורה בשתיהן! ועל כן, שתיהן מזקיקות מטבע של הודאה בשוה: "הודו לה' כי טוב כי לעולם חסדו" - על המזון

---

28. The fifteenth of *Nisan*, the day of *yetzi'as Mitzrayim*, is itself a day of *yesh me-ayin*, since it was the day of *am Yisrael*'s birth. The *Ba'al Ha-Turim* sees a hint to creation *yesh me-ayin* in the parallel language in two *pesukim*, *Shemos* 15:16, "עַם זוּ קָנִיתָ", and *Yeshayahu* 43:21, "עַם זוּ יָצַרְתִּי לִי":

עם זו – ב' [פעמים] עם זו קנית. עם זו יצרתי לי (ישעיה מג:כא). שעם זו קניתי כשגאלתי אותם וכאילו יצרתים אז בריה חדשה [יש מאין] (בעל הטורים, שמות טו:טז).

ועל הגאולה כי הדדי. כי כשם שקריעת ים־סוף קשה, כביכול, לפני הקב"ה, לפי שהוצרך להפוך עבור ישראל סדרי עולם, כך גם פרנסתו של אדם. שגם בדידה נמי הקב"ה משדד דרכי הטבע. אלא שלהיפוך סדרים זה גופו, הוא מלביש צורה של טבע (אסופת מערכות, אמור, עמוד של-שלא).

In a sense, the *Midrash Rabbah* continues, *parnasah* is an even greater gift than *ge'ulah*, because *ge'ulah* can be outsourced to an emissary of *Hashem* but *Hashem* orchestrates *parnasah* Himself:

ורב נחמן בר יצחק אמר, וגדולה (פרנסה) מן הגאולה - שהגאולה על ידי מלאך, ופרנסה על ידו של הקב"ה. גאולה על ידי מלאך - "המלאך הגואל אותי". ופרנסה על ידי הקב"ה - "פותח את ידיך ומשביע לכל חי" (בראשית רבה צז:ג).

This is the final step in the connection between the *omer* and *Pesach*. As the *Asufas Ma'arachos* explains, the *omer* represents the concept of *parnasah*, the apparently natural process which is in actuality a *nes* from *Hashem*. Thus, the date of the *omer* is the second day of *Pesach*, which links the *nes* of *omer*/*parnasah* to the *nes* of *ge'ulah*.

שהפרנסה משתלשלת לאדם בדרך מסותרה. היא עצמה פלאים. ואף על פי כן היא מתגלגלת בתוך דרכים של טבע. נס בתוך נס. ודבר זה, אינו אלא ממידת הקב"ה עצמו, כביכול. ובכך מוטעמת מהות הנפת העומר. שמצינו שהסמיכה תורה את מצוות הנפת העומר לגאולת מצרים. שיום ט"ז בניסן - מיד למחרתה של הגאולה - היא השעה בה נצטוינו במצוה זו (אסופת מערכות, אמור, עמוד של-שלא).

## J. *Omer* and *Bris Milah*

In *Bereishis* 17:8–11, *Hashem* gives the commandment of *bris milah* to Avraham:

(ח) וְנָתַתִּי לְךָ וּלְזַרְעֲךָ אַחֲרֶיךָ אֵת אֶרֶץ מְגֻרֶיךָ אֵת כָּל אֶרֶץ כְּנַעַן לַאֲחֻזַּת עוֹלָם וְהָיִיתִי לָהֶם לֵאלֹקִים.

(ט) וַיֹּאמֶר אֱלֹקִים אֶל אַבְרָהָם וְאַתָּה אֶת בְּרִיתִי תִשְׁמֹר אַתָּה וְזַרְעֲךָ אַחֲרֶיךָ לְדֹרֹתָם.

(י) זֹאת בְּרִיתִי אֲשֶׁר תִּשְׁמְרוּ בֵּינִי וּבֵינֵיכֶם וּבֵין זַרְעֲךָ אַחֲרֶיךָ הִמּוֹל לָכֶם כָּל זָכָר.
(יא) וּנְמַלְתֶּם אֵת בְּשַׂר עָרְלַתְכֶם וְהָיָה לְאוֹת בְּרִית בֵּינִי וּבֵינֵיכֶם.

The promise of "אֶרֶץ כְּנַעַן לַאֲחֻזַּת עוֹלָם" is contingent on the "אֶת בְּרִיתִי תִשְׁמֹר" of *bris milah*. In the very first mitzvah in the Torah contingent upon *bi'as ha-aretz* (*Vayikra* 19:23), we are introduced to the concept of *"orlah,"* an expression common to both *bris milah* and *yevul ha-aretz*:

וְכִי תָבֹאוּ אֶל הָאָרֶץ וּנְטַעְתֶּם כָּל עֵץ מַאֲכָל וַעֲרַלְתֶּם עָרְלָתוֹ אֶת פִּרְיוֹ שָׁלֹשׁ שָׁנִים יִהְיֶה לָכֶם עֲרֵלִים לֹא יֵאָכֵל.

A few chapters later (*Vayikra* 23:10), the Torah commands that the *korban ha-omer* be brought upon arrival in *Eretz Yisrael* (using the same phrase, "כִּי תָבֹאוּ אֶל הָאָרֶץ", as in the context of *orlah*):

כִּי תָבֹאוּ אֶל הָאָרֶץ אֲשֶׁר אֲנִי נֹתֵן לָכֶם וּקְצַרְתֶּם אֶת קְצִירָהּ וַהֲבֵאתֶם אֶת עֹמֶר רֵאשִׁית קְצִירְכֶם אֶל הַכֹּהֵן.

To prepare the newborn's body for the development of his spiritual being (*ruchniyus*), the *bris milah,* which removes the *orlah,* is performed. The physical and spiritual elements are moving in opposite directions. The physical body moves toward its termination (death) while the spiritual component approaches an enhanced spiritual state (afterlife). In similar fashion, upon the arrival to *Eretz Yisrael,* the land, as a reflection of the immoral character of its then-Canaanite inhabitants, was at the height of coarse *gashmiyus*. To prepare the physical land for *hashra'as ha-Shechinah,* the *korban ha-omer* was brought.[29]

Yehoshua fulfills both commandments upon arrival to *Eretz Yisrael*. First, *bris milah* (*Yehoshua* 5:4):

וְזֶה הַדָּבָר אֲשֶׁר מָל יְהוֹשֻׁעַ כָּל הָעָם הַיֹּצֵא מִמִּצְרַיִם הַזְּכָרִים כֹּל אַנְשֵׁי הַמִּלְחָמָה מֵתוּ בַמִּדְבָּר בַּדֶּרֶךְ בְּצֵאתָם מִמִּצְרָיִם.

29. The Torah links the concept of *orlah* to the *korban ha-omer* by using the phrase כִּי תָבֹאוּ אֶל הָאָרֶץ in both contexts.

Then, the people offered the *korban ha-omer,* as Rashi explains on *Yehoshua* 5:11:

> וַיֹּאכְלוּ מֵעֲבוּר הָאָרֶץ מִמָּחֳרַת הַפֶּסַח מַצּוֹת וְקָלוּי בְּעֶצֶם הַיּוֹם הַזֶּה.
> רש"י: ממחרת הפסח - יום הנפת העומר, שהקריבו עומר תחלה.

The *Midrash Rabbah* notes the connection between the *bris milah* performed by Yehoshua and *Hashem*'s words to Avraham linking *bris milah* with *yerushas ha-aretz:*

> כתיב (יהושע ה:ד) "וזה הדבר אשר מל יהושע" - דבר אמר להם יהושע ומלן. אמר להם מה אתם סבורין, שאתם נכנסין לארץ ערלים? כך אמר הקב"ה לאברהם אבינו: "ונתתי לך ולזרעך אחריך" וגו', על מנת "ואתה את בריתי תשמור" (בראשית רבה מו:ט).

The *Shem Mi-Shmuel* explains that *yerushas ha-aretz* depends on the fulfillment of *bris milah* because *yerushas ha-aretz* requires a commitment to *kedushah* and renunciation of external desires. The *korban ha-omer,* which proclaims that *Bnei Yisrael* are *shomrei ha-bris,* is thus also related to *bris milah* and *yerushas ha-aretz.*

> ולפי האמור יתפרשו דברי המדרש הנצבים פתח דברינו, שבמקום ברית מילה נקט ברית העומר, דהנה במדרש (פ' לך) וזה הדבר אשר מל יהושע דבר אמר להן ומלן, מה אתם סבורין לירש את הארץ ערלים, לא כך נאמר לאברהם ונתתי לך ולזרעך אחריך וגו' ע"מ ואתה את בריתי תשמור. ויש להבין מ"ש מצוה זו, ואם דהיא מצ"ע דאית בה כרת, פסח נמי אית בי' כרת. אך הענין דהנה לזכות לא"י בגשמיות צריכין לבוא לא"י ברוחניות והוא להיות כנס"י קולטתו, והנה אמרו ז"ל (ב"ר פ"ה) למה נקרא שמה ארץ שרצתה לעשות רצון קונה וע"כ לזכות לא"י בלתי אפשר רק ע"י רצון ותשוקה לקדושה, והיינו ע"י שמשליך ממנו תשוקות חיצוניות, וזהו ענין מילה ושמירת הברית שנכללו בזה כל התשוקות החיצוניות, והבורח מתשוקה חיצונית זו בא לעומתה לתשוקה קדושה וזוכין לא"י, וע"כ בלתי מולים א"א לירש ארץ ישראל. וכ"כ העומר, דהנה ידוע בזוה"ק שהנימול מקרי מי שהוא שומר הברית, כי מי שאינו שומר הברית אינו נקלט בכנס"י ומארי דבבו הוא לקבלי', וע"כ עומר שהוא המברר שישראל שומרי ברית כנ"ל ונכלל בכנס"י להיות נרצה

מצד הכלל זהו המתבקש בירושת הארץ כמו מילה עצמה, ושניהם נכללים במ"ש ואתה בריתי תשמור (שם משמואל, אמור, ברית מילה).

The *Asufas Ma'arachos* explains further the necessity of the two components, *bris milah* and *omer*:

ומכאן פירשו, שאכן בשתיים נצטוה אברהם: **במעשה** הכניסה לברית, **ובשמירתה**. וכריתת הברית, אכן מתבצעת בפעולה חד־פעמית של הסרת עורלת הבשר, והיא מבטאת את הרצון ואת מעשה הקניין של הברית. אבל אותה עשיה של ברית, משקפת חיבור של התקשרות ייחודית מתמדת, בין קב"ה לבין זרעו של אברהם. וקשר זה של קריבות, בודאי הוא זקוק לשמירה. והעלו חכמים בגזירה שוה, שמצוות הנפת העומר הינה הביטוי הייחודי המתמיד, לקשר הגומלין שנתייסד בברית. ועל כן בודאי בדין הוא, שכשם שגוף מעשה הברית מעכב את ירושת הארץ, כן גם מצוות העומר. שכאמור, אין שמירת הברית מתיישמת אלא באמצעות העומר (אסופת מערכות, אמור, עמוד שכג-שכד).

The notion that the *omer* is the guardian (*shomer*) of *bris milah* is embedded in the word (*omer*) *tenufah*, as the *Sifsei Kohen* explains:

תנופה, תנו פה. מילה בגימטריא פ"ה, תנו פה בבשרכם. שהמילה היא פה הגוף (שפתי כהן, ויקרא יא:כט).

*Milah* and *omer* thus both relate to *peh*, the mouth. As previously noted, the principal objective of the *mon* was to affirm that man lives *al pi Hashem* (*Devarim* 8:3):

לְמַעַן הוֹדִיעֲךָ כִּי לֹא עַל הַלֶּחֶם לְבַדּוֹ יִחְיֶה הָאָדָם כִּי עַל כָּל מוֹצָא פִּי ה' יִחְיֶה הָאָדָם.

The *mon* teaches man that it is possible to integrate *ruchniyus* and *gashmiyus*, by recognizing the source of our sustenance – *pi Hashem*.[30]

30. Why would the the expression be פי ה' and not פה ה'? In addition to the grammatical explanation, on a homiletical level, it can relate to the *midrash* on the *pasuk* "כי בי־ה צור העולמים" (*Yeshayahu* 26:4), that the world was created with the letters *yud* and *heh*. *Yud* represents the spiritual; *heh* the physical. It is not appropriate to use the "physical" letter *heh* in relation to *HaKadosh*

The *milah* and *omer* (the תנו-פה, the *Torah she-be'al peh* of the *mon*) too perpetuate this lesson.

### K. *Omer* and Amalek

To understand how the *omer* neutralized the nefarious plans of Haman to annihilate the Jewish nation, we must focus on *Parashas Beshalach* and analyze the *pesukim* at the end of the *parashah*.

The last three sections of *Parashas Beshalach* are: the *mon*, the drawing of water through hitting the *tzur*, and the confrontation with Amalek.

As cited earlier, there were graduated levels of *nes* that pertained to the provisions of the *dor ha-midbar*. At the apex was the *mon* itself, *lechem min ha-shamayim*, the archetype of *yesh me-ayin*. What then followed, as recorded in the *pesukim*, was the *lechem mishneh* of the *mon* on *erev Shabbos*, which was an illustration of *yesh mi-yesh* (through miraculous means).

The next item in order of the *pesukim* is the water from the rock, which was also a miraculous instance of *yesh mi-yesh*. Following this is the battle with Amalek, which took place through natural means (*derech ha-teva*). Herein lies the supreme challenge before the Jewish nation – to elevate the *yesh mi-yesh* (*derech ha-teva*) to the supreme level of *yesh me-ayin*.

Amalek's raison d'etre is to sever the already tenuous link between the *teva* of *yesh mi-yesh* and the *yesh me-ayin* of the Creator. Based on the Mishnah (*Rosh Hashanah* 29a) which states that *Klal Yisrael* overcame Amalek when looking up toward heaven and subjugating themselves to God, the *Tiferes Shmuel* explains that looking up represents the recognition that everything that takes place in this world comes from God, and is not merely the product of natural "happenstance":

---

*Baruch Hu*, therefore the expression is פי ה׳, though with regard to humans the word is *peh*.

שכל זמן שהיו יודעין ומסתכלין בעינא פקיחא, בעין השכלי, שכל תנועתם וכחם וחמשה חושים שבאדם והחכמה והבינה והשכל הכל היא מה׳ ומכחו, ע״ד ״כי ממך הכל ומידך נתנו לך״, אז המה מתגברים על הכל, וזה ״כל זמן שמסתכלין כלפי מעלה״...עמלק ימ״ש רצה לבטל זאת מלבות ישראל, ולהכניס בלבם שהכל הוא עפ״י טבע ומקרה, ולא בהשגחת הבורא ב״ה, וזהו ״אשר קרך בדרך״... (תפארת שמואל, פרשת זכור).

The last *pasuk* prior to the confrontation with Amalek is (*Shemos* 17:7):

וַיִּקְרָא שֵׁם הַמָּקוֹם מַסָּה וּמְרִיבָה עַל רִיב בְּנֵי יִשְׂרָאֵל וְעַל נַסֹּתָם אֶת ה׳ לֵאמֹר הֲיֵשׁ ה׳ בְּקִרְבֵּנוּ אִם אָיִן.

The precursor to all strife and to the advent of Amalek is the severance of the *yesh* from the *ayin*.[31] *Parashas Zachor* (*Devarim* 25:18) describes Amalek's actions as:

אֲשֶׁר קָרְךָ בַּדֶּרֶךְ וַיְזַנֵּב בְּךָ כָּל הַנֶּחֱשָׁלִים אַחֲרֶיךָ וְאַתָּה עָיֵף וְיָגֵעַ וְלֹא יָרֵא אֱלֹקִים.

Rashi explains the cryptic word "*karcha*":

אשר קרך בדרך - לשון מקרה. ד״א לשון קרי וטומאה.

The mantra of Amalek is *keri*, a consuming mission to sculpt a world from *tum'ah* and happenstance – עולם כמנהגו נוהג דלית ביה דין ודיין. It seeks to replace the *yesh* (*me-ayin*) with *keri*. The numerical value of both *yesh* and *keri* is 310.[32]

The last *pasuk* of *Parashas Amalek* is *Shemos* 17:16:

---

31. Amalek's goal was to switch the letters of "אין" to "אני" – reflecting "כחי ועוצם ידי".

32. The *Sefer Pri Etz Chaim*, in his discussion of the bedtime *Shema*, connects *yesh* and *keri* as positive and negative forces, respectively:

אל יהרהר אדם ביום, ויבא לידי טומאה בלילה. הנה, לעולם המחשבה הוא בחכמה, הנקרא יש. כי החכמה יש מאין, שהוא כתר. וכנגד בחינה זו שבקדושה, יש בסט״א קרי, כמנין יש (ספר פרי עץ חיים, שער קריאת שמע על המיטה).

וַיֹּאמֶר כִּי יָד עַל כֵּס יָ־הּ מִלְחָמָה לַה׳ בַּעֲמָלֵק מִדֹּר דֹּר.

The *Gemara* in *Menachos* explains that the name י־ה represents the integration of *ruchniyus* and *gashmiyus* (*Torah she-bichsav* with *Torah she-be'al peh*), where the letter *yud* represents *olam ha-ba* and the letter *heh* stands for *olam ha-zeh*:

> מאי שנא דכתיב בי־ה ולא כתיב י־ה, כדדרש ר׳ יהודה בר ר׳ אילעאי אלו שני עולמות שברא הקב״ה, אחד בה״י ואחד ביו״ד, ואיני יודע אם העולם הבא ביו״ד והעולם הזה בה״י אם העולם הזה ביו״ד והעולם הבא בה״י, כשהוא אומר אלה תולדות השמים והארץ בהבראם, אל תקרי בהבראם אלא בה״י בראם, הוי אומר העולם הזה בה״י והעולם הבא ביו״ד (מנחות כט:).

The *Asufas Ma'arachos* elaborates that the combination of the *yud* and the *heh* conveys that *olam ha-zeh* and *olam ha-ba* are also connected. The physical is indeed infused with *kedushah* if it is employed to achieve closeness to God:

> רבי צדוק הכהן מלובלין מבאר בספריו, שהמספר של חמש עשרה פרקי שיר המעלות מכוונים נגד היו״ד וההה״א שעל פיהם נבראו ונתמזגו אהדדי עולם הזה ועולם הבא... הפרקים מבטאים את המיזוג בין הרוחניות והגשמיות, והעלאת והקטרת שפלות החומר לתקון עולם במלכות שד־י (אסופת מערכות, ימים נוראים, עמוד רפא־רפב).
>
> צירוף היו״ד עם הה״א, מרמז איפוא על סוד חיבור העולמות. הוא מבטא את הרז הטמיר של שילוב שמים בארץ, והפיכת הקרקע המגושמת שתחת רגלנו, לשמש מדור לשכינה (אסופת מערכות, במדבר, עמוד קסג).

The crux of the battle that Amalek wages is to obliterate the amalgamation of י־ה, the name of God which represents the harmonious integration of *ruchniyus* with *gashmiyus*.

The above perspective will allow us to better understand the events of *Megillas Esther*, which commence with Achashverosh's gala banquet. The *Gemara* explicitly says that *Hashem* enabled Haman's decree against *Bnei Yisrael* because they partook of the feast of Achashverosh:

מפני מה נתחייבו שונאיהן של ישראל שבאותו דור כליה?... מפני שנהנו מסעודתו של אותו רשע (מגילה יב.).

The story of *Purim* takes place shortly after *churban Bayis Rishon*, which marked the retirement of *nissim geluyim*. *Purim* is a time of *hastaras panim*, when *teva* reigns. By partaking of the indulgences and excesses of Achashverosh's feast, *Bnei Yisrael* demonstrated that they had forgotten the lessons of the *lechem min ha-shamayim* and the *mayim min ha-tzur*.

The dominant theme running throughout the entire *Megillah* is *hipuch*, reversal. One such reversal which is not explicit in the *Megillah* involves the *mon*. The sacred מן, the heavenly food, the bastion of *emunah* and *bitachon* and the stalwart against indulgence and excess, is inverted into המן הרשע, who threatens the core existence of *am Yisrael*. The *sanegor* (מן) has ominously been transformed into the *kategor* (המן)!

The era of *Torah she-bichsav* and the attendant *nissim geluyim* has faded. Salvation can only percolate from the "קימו וקבלו" of *Torah she-be'al peh* (see *Shabbos* 88a); from the firm resolve from deep within to forge a new path (to be *mechaddesh*).

The *omer ha-tenufah*, the subject that they were studying in the *beis midrash* of Mordechai (as noted above in section B, question 9), which corresponds to the *Torah she-be'al peh* aspect of the *mon*, dictates a *ma'aseh tenufah*, an upheaval and a rejection of the complacency of the current status quo of *teva*. The Maharal notes that the barley of the *omer*, which is a coarse (*chomri*) grain, reflects the idea that *Hashem* orchestrates even nature and the historical course of events, which are also *chomri*. The *omer* is thus relevant to *Purim*, when the salvation came about through seemingly natural means. Indeed, the Maharal notes that the salvation from Haman came about on the fifteenth of *Nisan*, and Haman was hanged on the sixteenth of *Nisan*, the day of the *korban ha-omer*:

וזה כמו שבארנו כי הדבר הזה והנס הזה היה בזמן שלא היו ניסים ונפלאות בעולם אלא עולם היה נהוג כמנהגו כי בזמן בית ראשון היו

> ניסים ונפלאות בעולם ולפיכך אמר ג"כ שמצות העומר עמדה להם בימי גדעון כי בזמנו ג"כ לא היה נסים נעשה להם... ולפיכך עמדה להם מצות העומר, כי העומר מביאין אל הקב"ה בשביל שהוא מנהיג הטבע ואין הטבע מעצמו אבל הוא יתברך מנהיג הטבע... הנה תראה כי מצות העומר בשביל שהוא יתברך מנהיג הטבע, משיב הרוח ומגדל צמחים, ולפיכך הבאת העומר הוא מן השעורין דווקא, כי הטבע הוא חמרי כאשר ידוע ולפיכך שייך בזה דוקא שעורין ולא ענין אחר. וכאשר רצה המן לעקור את ישראל לא היה יכול מפני שאנו מביאין העומר שאנו מקבלין הש"י לאלוק שהוא מנהיג את העולם הטבעי כי הוא אדון הטבע ולפיכך אנו מביאין אליו את העומר. מצד זה ראוי שיהיה הקב"ה מנהיג עולמו שלא ימסר ישראל להריגה ויהיה נשאר קיים מנהגו של עולם אף כי אין כאן נס נגלה כמו שהיה בקריעת ים סוף ושאר הניסים. ולפיכך במגילה הזאת לא תמצא שם קדוש שאינו נמחק כי לא נראה בהנהגה הזאת הטבעית שמו הגדול שמחדש ניסים רק ברמז בלבד נזכר... ומפני כך נס הגאולה הזאת היה הכל בטבע מצד שהוא יתברך מנהיג הטבע ועל ידי זה גאלם, וזה היה ביום ט"ו לניסן והתענית היה ביום י"ג וביום י"ד וביום ט"ו וביום ט"ז שהוא יום הבאת העומר נתלה המן (אור חדש, עמוד קפג).

The path to acquiring *Torah she-be'al peh* is by restraining one's wordly desires, as the *Midrash Tanchuma* prescribes:

> שלא תמצא תורה שבע"פ אצל מי שיבקש עונג העולם תאוה וכבוד וגדולה בעולם הזה אלא במי שממית עצמו עליה שנאמר זאת התורה אדם כי ימות באהל (במדבר יט:יד) וכך דרכה של תורה פת במלח תאכל ומים במשורה תשתה ועל הארץ תישן וחיי צער תחיה ובתורה אתה עמל (מדרש תנחומא, נח, פרק ג).

Therefore, the indulgences and excesses of Achashverosh's feast demand a response of restraint (*Esther* 4:16): לֵךְ כְּנוֹס אֶת כָּל הַיְּהוּדִים הַנִּמְצְאִים בְּשׁוּשָׁן וְצוּמוּ עָלַי וְאַל תֹּאכְלוּ וְאַל תִּשְׁתּוּ. The remedy advocated by Esther contains two directives – "*kenos,*" gather, and "*tzumu,*" fast. The fasting is to counteract the sin of enjoying the feast of Achashverosh, as the *Sefas Emes* explains:

> כנוס כו' כל היהודים הנמצאים בשושן כו'. כי הבינו שהגזירה הי' ע"י החטא שנהנו מאותה סעודה של אחשורוש... ובזה התענית תקנו

> זה החטא ושבו בתשובה שלימה. והוא פלא שבאותה המשתה עצמה נעשה ההצלה שנהרגה ושתי אז. וזהו כעין אמרם ז"ל בתשובה מאהבה, הזדונות נהפכו לזכיות. והקב"ה ראה שישובו בתשובה שלימה (שפת אמת, שמות, פורים, תרל"ז).

The directive of "*kenos*" addresses the people's disunity.[33] Haman himself depicts *Bnei Yisrael* as divided and scattered (*Esther* 3:8): יֶשְׁנוֹ עַם־אֶחָד מְפֻזָּר וּמְפֹרָד בֵּין הָעַמִּים.

The *omer* encompasses and addresses both the problem of indulgence and of disunity. The objective of the *omer,* as the *Torah she-be'al peh* heir to the *mon,* was to counteract the negative effects of *taavah* in the food we eat, as the *Pri Tzaddik* explains:

> שעיקר מצות העומר שיועיל אכילת המצה לבער השאור שבעיסה, שהוא קלקול הנחש שהכניס תאוה והנאת הגוף באכילה, ועל ידי מצות העומר יועיל לעולם כאמור, שזהו ואתה את בריתי תשמור (פרי צדיק, חג הפסח, אות כא).

In addition, inherent in the *omer* is the notion of gathering and collecting (unifying), as the *Shem Mi-Shmuel* explains:

> וזהו לשון עומר שהוא לשון קיבוץ וקישור כמו עומרי תבואה, וזה עצמו שדחה את שקלי המן (שם משמואל, פרשת ויקרא, שנת תרע"ו).

Virtually every critical event that occurs in the story of *Purim* relates to *mishteh* (eating and drinking). The opening scene is the gala feast of Achashverosh, which climaxes with the execution of Vashti, which in turn provides the opening for the eventual salvation; the downfall of Haman is orchestrated over several parties hosted by Esther; Esther's request of "*tzumu*" is the antithesis of *mishteh*; the victory over Haman is celebrated by לַעֲשׂוֹת אוֹתָם יְמֵי מִשְׁתֶּה וְשִׂמְחָה (*Esther* 9:22). The holiday of *Purim* boisterously celebrates the "*mishteh,*" which is a departure from the normative Jewish balancing of *gashmiyus* with

---

33. Disunity and contention are the clarion call that beckons Amalek, as evidenced by the *pasuk* (*Shemos* 17:7): "וַיִּקְרָא שֵׁם הַמָּקוֹם מַסָּה וּמְרִיבָה עַל רִיב בְּנֵי יִשְׂרָאֵל", which immediately precedes the arrival of Amalek to wage war.

*ruchniyus*. The establishment *le-doros* of *yemei mishteh ve-simchah* is the triumphant reversal of the opening *mishteh* of Achashverosh. This reversal is achieved through the power of *Torah she-be'al peh* (the *omer ha-tenufah*) which finds in the sin itself the source of redemption:

> ונראה שלכך תקנו זה היום למשתה. לאשר כי נהפך להם חטא המשתה על ידי התשובה כנ"ל. וי"ל זה פי' הפסוק ובכן אבוא אל המלך אשר לא כדת. פי' שהתקרבות אל הבורא ית' יהיה ע"י החטא עצמו. והוא שלא כדת ע"י תשובה כנ"ל (שפת אמת, שמות, פורים, תרל"ז).

In addition to *mishteh,* there is another prominent backdrop found throughout the *Megillah*. It is finery and its accoutrements, or the lack thereof ("*ve-hipucho*"). For example, *Esther* 1:6 describes in great detail the finery of Achashevosh's decorations: חוּר כַּרְפַּס וּתְכֵלֶת אָחוּז בְּחַבְלֵי בוּץ וְאַרְגָּמָן עַל גְּלִילֵי כֶסֶף וְעַמּוּדֵי שֵׁשׁ מִטּוֹת זָהָב וָכֶסֶף עַל רִצְפַת בַּהַט וָשֵׁשׁ וְדַר וְסֹחָרֶת.

In an example of the lack of finery, *Esther* 1:11 describes Achashverosh's instruction to bring Vashti before the court: לְהָבִיא אֶת וַשְׁתִּי הַמַּלְכָּה לִפְנֵי הַמֶּלֶךְ בְּכֶתֶר מַלְכוּת. The *Gemara* explains that the king demanded that Vashti appear before him and his court naked:

> אבל עובדי כוכבים שאוכלין ושותין אין מתחילין אלא בדברי תיפלות וכן בסעודתו של אותו רשע הללו אומרים מדיות נאות והללו אומרים פרסיות נאות, אמר להם אחשורוש כלי שאני משתמש בו אינו לא מדיי ולא פרסי אלא כשדיי, רצונכם לראותה? אמרו לו אין ובלבד שתהא ערומה, שבמדה שאדם מודד בה מודדין לו. מלמד שהיתה ושתי הרשעה מביאה בנות ישראל ומפשיטן ערומות ועושה בהן מלאכה בשבת (מגילה יב:).

Other examples of finery include the preparations of the women who would appear before Achashverosh (*Esther* 2:12): כִּי כֵּן יִמְלְאוּ יְמֵי מְרוּקֵיהֶן שִׁשָּׁה חֳדָשִׁים בְּשֶׁמֶן הַמֹּר וְשִׁשָּׁה חֳדָשִׁים בַּבְּשָׂמִים וּבְתַמְרוּקֵי הַנָּשִׁים. The king also has a golden scepter (*Esther* 4:11): מֵאֲשֶׁר יוֹשִׁיט לוֹ הַמֶּלֶךְ אֶת שַׁרְבִיט הַזָּהָב וְחָיָה.

In the realm of lack of finery, there is Mordechai's reaction to hearing Haman's decree (*Esther* 4:1): וּמָרְדֳּכַי יָדַע אֶת כָּל אֲשֶׁר נַעֲשָׂה וַיִּקְרַע מָרְדֳּכַי אֶת בְּגָדָיו וַיִּלְבַּשׁ שַׂק וָאֵפֶר. Esther, however, insists that Mordechai be properly dressed once again, and thus sends him clothing, which he declines (*Esther* 4:4): וַתִּשְׁלַח בְּגָדִים לְהַלְבִּישׁ אֶת מָרְדֳּכַי וּלְהָסִיר שַׂקּוֹ מֵעָלָיו וְלֹא קִבֵּל.

Esther herself, however, prepares to greet the king dressed in her proper finery, both physically (*Esther* 5:1) and, according to *Chazal*, spiritually as well:

> וַיְהִי בַּיּוֹם הַשְּׁלִישִׁי וַתִּלְבַּשׁ אֶסְתֵּר מַלְכוּת.
> רש"י: מלכות - בגדי מלכות, ורבותינו אמרו שלבשתה רוח הקדש.

Ultimately, Mordechai too wears fine clothes once again. This first occasion is when he is led by a forlorn Haman through the streets of Shushan outfitted in the royal garb and on the royal horse (*Esther* 6:8), and again, after Haman's decree is thwarted and Mordechai is elevated to be an advisor to the king (*Esther* 8:16):

> וּמָרְדֳּכַי יָצָא מִלִּפְנֵי הַמֶּלֶךְ בִּלְבוּשׁ מַלְכוּת תְּכֵלֶת וָחוּר וַעֲטֶרֶת זָהָב גְּדוֹלָה וְתַכְרִיךְ בּוּץ וְאַרְגָּמָן.

In a reversal from the sackcloth and ashes once worn by Mordechai during the existential crisis, we exit the *Megillah* with the image of Mordechai bedecked in virtually all the finery that was present in the opening scene of the *Megillah*: חוּר כַּרְפַּס וּתְכֵלֶת, אָחוּז בְּחַבְלֵי בוּץ וְאַרְגָּמָן (*Esther* 1:6). We have come full circle, but gained a new perspective. The message of the finery echoes the lesson gleaned from the *mishteh* and its antecedent, the *mon*. The *Asufas Ma'arachos* points out that the physical entity of clothing contains a hidden spiritual dimension as well. The inner dimension can be revealed through a proper understanding of the physical exterior:

> אלא שהתוכן הרוחני־נשמתי הזה, עטוי 'לבוש' חומרי, העוטה ומסתיר את המעלה הרוחנית. עד שניתן להעלות על הדעת, שהעטיפה הגשמית היא 'יש' ממשי בר־קיימא לעצמו. והדרך להשיל את המסכים, ולחשוף את הנקודה האלוקית, הוא על ידי זיכוך והעלאת אותה עטיפה חיצונית, וראיית המעלה הפנימית, מתוך ההשתקפות הגשמית גופה (אסופת מערכות, פורים, עמוד של).

This would explain why the *midrash* details that "מרדכי נתעטף בטלית". The clothing is not merely external, but discloses the internal as well.

### L. *Omer* and the Days of *Sefirah*

The *Sefer Siach Sarfei Kodesh* explains the essence of the *Pesach* miracle. The literal meaning of "*pasach*" is passed or skipped over. The name *Pesach* is based on God's "skipping over" the Jewish residences during the final plague, sparing the Jewish firstborn. But there is also a deeper meaning to the "skipping over." God disrupted the natural course of events. This is called אתערותא דלעילא, an intervention from Above, and usually requires a corresponding human spiritual effort, an אתערותא דלתתא. On the night of the Redemption, however, *Hashem* took stock of the lowly spiritual state of *Bnei Yisrael* (who were on the forty-ninth rung of the *tumah* levels) and deemed them incapable of mustering an אתערותא דלתתא. He therefore "skipped over" and dispensed with the requirement of an אתערותא דלתתא:

> וספרתם לכם ממחרת השבת (ויקרא כג:טו). הנה פסח לשון דילוג, דידוע בלא אתערותא דלתתא אי אפשר להיות אתערותא דלעילא, וגם כשמתעורר ההשפעה מלעילא מוכרח לירד בהדרגה מעט מעט, כדי שיוכל האדם לקבל. אבל ביציאת מצרים [לא] היה אפשר להיות באתערותא דלתתא כי הדעת היה אז בגלות, ר"ל שהיו סוברים שכל דבר צריך להיות על פי הטבע, וה' יתברך היה מתיירא שלא יפלו ח"ו לנ' שערי טומאה, ועל כן היה מוכרח לדלג על ידי אתערותא דלעילא מתחלה וגם כן בפעם אחת ובמהירות לעשות נס שלא כדרך הטבע. וזה שנאמר (הגדה של פסח) אני ולא מלאך, היינו שמכל מצוה שעושה האדם נברא מלאך, וכשההתעוררות בהתלהבות נברא שרף, אבל כאן לא היה להם שום מצוה והתעוררות, רק שהיה הכל באתערותא דלעילא לבד (שיח שרפי קודש, פרשת אמור).

On the day following *Pesach*, however, *Hashem* demanded the missing spiritual effort, אתערותא דלתתא, from *Bnei Yisrael*. To assist and guide their efforts, He commanded that the *korban ha-omer* be brought from barley, animal fodder, which reflected *Bnei Yisrael*'s current lowly spiritual level, in conjunction with the *mitzvah* of *sefiras ha-omer*. Through the daily counting of the *omer, Bnei Yisrael* would rectify their moral and character flaws in order to elevate their spiritual level, and thereby provide an אתערותא דלתתא. The *Siach Sarfei Kodesh* continues:

> עוד כתוב בזוהר (חלק ב, דף כה:) שבמצרים היה הדיבור גם כן בגלות, וזהו נרמז במ"ש (שמות ד:י) כי כבד פה וכבד לשון אנכי, ועל ידי זה נתן להם שני מצות פסח ומילה... אבל כל זה ביום א' דפסח, אבל אחרי זה נלקח מהם אתערותא דלעילא, כי חפץ ה' יתברך שיתעוררו שוב מעצמם. וזהו וספרתם לכם, רצה לומר מעצמכם דווקא. עומר, הנה ידוע שבא משעורים שהוא מאכל בהמה, לרמוז שהיו אז במדרגת בהמה.[34] גם בהמה אותיות ב"ה מ"ה, שגם בה יש ניצוץ הקדוש שיכולים להתעורר מעצמם. עמר הוא לשון התקשרות היינו שצריך לקשר המדות. ולהיפוך הוא אותיות מרע, שצריך לעשות מרע טוב. התנופה, אותיות תנו פה, היינו לתקן פה הדיבור. שבע שבתות רצה לומר שצריך לתקן שבע מדות. חסד הוא אהבה שצריך לאהוב לה' יתברך. גבורה הוא יראה שצריך לירא מה' יתברך. תפארת שצריך להתפאר במעשים. נצח שצריך לנצח היצר הרע. הוד לעשות מעשים נאים. יסוד לשון התקשרות. מלכות שצריך להתקשר במלכות של ה' יתברך. ובכל שבוע יש ז' ימים נגד ז' מדות, וכמו כן בכל מדה כלולים כל ז' מדות (שיח שרפי קודש, פרשת אמור).

34. The *Sefer Ha-Parshiyos* explains the symbolism of both the *omer* and the *minchah* of the *sotah*, which were brought from barley. The *sotah* brings a *korban* due to an intentional sin; the *korban ha-omer*, however, reflects *Bnei Yisrael's* poor spiritual state in *Mitzrayim*, which was due to enslavement and oppression:

> ואי אתה מוצא קרבן אחר שבא מן השעורים אלא מנחת סוטה בלבד; ואולם הפרש גדול יש בין מנחת סוטה שבאה על חטא שמרצון החוטא, לבין מנחת שעורים של העומר - שאעפ"י שגם העומר מזכיר עוונם ששקעו בו במצרים תחלה - לא היה עוונם מרצון אלא מחמת שעבוד קשה של מצרים ולא יושת עליהם אשם כי לא נתכוונו לרעה כי מאת ה' היתה זאת לצורפם בכור הברזל של מצרים וטומאתה. לכך אמרה תורה במנחת שעורים של האשה הסוטה: "לא יצוק עליו שמן ולא יתן עליו לבונה" (במדבר ה:טו) שכן שמן רומז על טהרת המחשבה, ולבונה - על טהרת המעשה והיא עכ"פ חטאה במחשבה ובהרהור עברה וגם חטאה במעשה של ייחוד אסור; ואולם במנחת שעורים של עומר היו נותנים גם שמן וגם לבונה להורות על טהרתם בתוך טומאת מצרים ששמרו עצמם מלהתערב בזרע חמורים וגם כוונתם בעומק לבם טהורה היתה תמיד (ספר הפרשיות, אמור, עמוד רלג).

The first day of *Pesach* is a manifestation of אתערותא דלעילא, when God was compelled to intervene to save the Jewish nation from impending obliteration (the fiftieth rung of *tumah*, from which there is no return). This would explain why the first day of Pesach is referred to as "*Shabbos*," as in the phrase "*macharas ha-Shabbos*," since *Shabbos* is an expression of אתערותא דלעילא as well. The inspiration of that moment carries over to the following day, when the *korban ha-omer* was brought, along with the commencement of the *yemei ha-sefirah*, the manifestation of our personal effort of self-improvement, אתערותא דלתתא. The *korban ha-omer* is appropriately named after a measurement (an *omer* is a tenth of an *eifah*) to convey the underlying notion that the ultimate objective is the refinement of *middos* (which means both measurements as well as character traits). As the *Sefer Ha-Toda'ah* notes, the numerical value of מדה is forty-nine, which represents the forty-nine days of *sefirah*. By counting every single day, a person voices his aspiration to rectify the *middah* linked to that day. This prepares us for *kabbalas ha-Torah*, which would be impossible without undergoing this process (דרך ארץ קדמה תורה).[35] As the *Bnei Yissaschar* explains, lasting change is achieved through a gradual process of spiritual refinement and growth, which is part and parcel of the daily counting of the *omer*:

> אך יובן הדבר על פי מה שכתבתי לך כמה פעמים שכל האורות נתהוו בלילה הראשונה בגבהי מרומים בדרך נס שלא על ידי מעשינו (וכן הוא בכל שנה), אך להיות הדבר שלא על ידי מעשינו אין קיום להאורות

---

35. The Maharal (*Derush al Ha-Torah*) connects the forty-nine days of *sefirah* to the forty-eight ways to acquire Torah, listed in *Pirkei Avos* (Ch. 6):

ובאולי ראוי לומר בגבול הספירה במספר הזה דוקא. מפני כי הדבר הראשון וקודם כל הצריך אל התורה בעצם וראשונה הוא החדש שהוא הפרנסה, ואחרי כן ידועים לנו מ"ח דברים שהתורה נקנית בהם ממאמרם ז"ל באבות, לכן הוגבלה הספירה במ"ט יום שיספרו ביום הראשון, הוא יום החדש בעצמו נגד היתר החדש והפרנסה שהוא דבר ראשון הכרחיי ועצמיי לתורה קודם כל, נוסף עליו יספרו אחריו מ"ח יום נגד מ"ח דברים להכין את עצמם בכל הדברים שהתורה נקנית בהם ואזי יקבלוה ביום מתן תורה. וכל זה הוראה שאם אין קמח וכו' וכן אם אין תורה אין קמח הא אם יש תורה יש קמח עד שאין לבעל תורה לדאג על פרנסה ולהתנצל בפריקת עסק תורה.

והמוחין ההם, על כן צונו הש״י מצות ספירת העמר לספור מחדש יום אחר יום ונכנסין המוחין לאט לאט על ידי מעשינו, ולזה יש קיום כיון שהוא על ידי מעשינו, וכיון שנגמרין כל המוחין על ידי מעשינו אז הוא יום קבלת התורה חג השבועות, וזה וספרתם לכם לטובתכם ולהנאתכם שיהיה קיום לקבלת המוחין אל התורה (בני יששכר, מאמרי חדש ניסן, מאמר יב).

The journey begins from the perspective that the person is akin to a *behemah,* with the goal of transforming himself through his own initiative (the *chiddush* of *Torah she-be'al peh*) into an *adam,* the highest form of living creatures. What distinguishes man from the *behemah* is the רוח ממללא, his capacity to speak (see Targum Onkelos, *Bereishis* 2:7). The theme of *peh/dibbur* is prominent throughout this time period of *Pesach* to *Shavuos,* as intimated by many of the names during this season: The name *Pesach* can be read as פה סח, Pharaoh's name as פה רע, *tenufah* (both of the *omer* and *shtei ha-lechem*) as תנו פה, and the *omer* itself is a fulfillment of *milah,* which equals פ״ה. Once again, the end of the journey is to attain the exalted state of כִּי עַל כָּל מוֹצָא פִי ה׳ יִחְיֶה הָאָדָם (*Devarim* 8:3), in which the mouth of a person reflects the *kedushah* of פי ה׳ and is the conduit for words of Torah and *tefillah.* The *Sefer Or La-Shamayim* explains that it is mankind's mission to "redeem" speech from its exile. When we add the letters י־ה to the word אלם, mute, then the "אלקים" is restored:

וגם תנופה הוא תרין מלות מורכבות - תנו פה (זח״ג קפח ע״ב), דהנה כתיב (שמות טו:יא) מי כמוכה באלים, ודרשו חז״ל (גיטין נו:) מי כמוכה באלמים, כי בגלות, הדיבור הוא ג״כ בגלות (פע״ח ש׳ הקדישים פ״ב), וז״ס מה דאיתא בסידור האר״י זצלה״ה (שירת הים) מ״י כמוכ״ה, ס״ת (סופי תיבות) י־ה, כי כתיב אלקים תקיף ומלך עולם, אבל בגלות נסתלק י־ה מבחינת אלקים ונשאר אלם, וצריכין אנו לפעול ע״י עבודתינו להמשיך בחי׳ י־ה לבחינת אלם שיהיה אלקים תקיף ולא ישלטו זרים בנו, ונהפוך הוא ע״י תקפו וגבורתו של שמו הגדול, וזה תנו פה - שלא יהיה הדיבור בגלות וכנ״ל (אור לשמים, פרשת אמור).

## M. *Omer* and *Pesach Sheni*

The *Asufas Ma'arachos* explains the connection between *omer* and *Pesach sheni*. He establishes that each of the forty-nine days is designated to elevate a specific *middah*, and that the seven weeks overall correspond to the "seven shepherds" – Avraham, Yitzchak, Yaakov, Moshe, Aharon, Yosef and David. The period of *sefirah* is divided into two, the *Torah she-bichsav*, represented by the *Avos* and Moshe, and the *Torah she-be'al peh*, whose time frame begins with Aharon and concludes with David. Thus, the first four weeks of *sefirah* reflect the era of receiving Torah from *Hashem* effortlessly, characteristic of *Torah she-bichsav*. The fifth week of *sefirah* marks the beginning of *Torah she-be'al peh*, whereby Torah can only be acquired through effort and struggle. *Pesach sheni*, by design, falls on the twenty-ninth day of *sefirah*, the beginning of the period of *Torah she-be'al peh*:

> שזאת למודעי, שימי הספירה גופם, נחלקים ביסודם, לשתי מחלקות. כי מ"ט הימים הללו, מתוכנים, כידוע כנגד שבעת המידות וזיווגיהן. שבכל אחד מן הימים, אנו כובשים - כדרך שעשו ישראל עם גאולתם - אחד משערי הקדושה. ושבעת השבועות מכוונים כנגד שבעת הרועים: שלושת האבות הקדושים, משה, אהרון, יוסף, ודוד.
>
> ומבדי הדברים, אנו למדים ממילא, על החלוקה האמורה. ששפיעת הארת תורה שבכתב, הותחלה אצל האבות, וגמרה ביד משה. וככבר בדורו של משה עצמו, נתחלקו דברי תורה, בין האחים. בעוד משה - "שושבינא דמלכא" - הוא הצינור הברור של נהירת תורה שבכתב, אחיו אהרון לעומתו - "שושבינא דמטרוניתא" - היה בחינת תורה שעל פה. כאמור בו בפירוש: "הוא יהיה לך **לפה**" (שמות ב:טז). שאותה תורה מגהת שהיה משה נוחל מפי הגבורה, היתה מתפרשת מיד, על ידם של אהרון ובניו ושבעים זקנים. ואהרון העומד על גבי כולם, מבטא איפוא את מלכות תורה שבעל פה שבדור. לפי שמשה היה "רוחני ביותר", וספג את ההארה מלעילא, ולא היה בידו לסול לה מסילות כבושות לרבים. אבל אהרון, הוא שכיהן ופעל עם עם ישראל, שיעכלו את דברי התורה בפועל.
>
> ומכאן עולה בידנו ממילא, שארבעת שבועות הספירה הראשונים, מקבילים לאורות תורה שבכתב. ועומק הדברים הוא, שהיגיעה של ישראל כל אותן הימים בצאתן ממצרים, טרם הספיקה להפוך את מקח

הגאולה שבידם, לעצם מעצמותם. ועדיין היו מהלכים לנוגה האורות דלעילא, שהורעפו עליהם בהפרזה, עם צאתם ממצרים. רק למן השבוע החמישי, החלו להתעכל בְּקִרְבָּן ההארות הללו, ולהנביט פרי מדילהון בפועל, בחינת תורה שבעל פה.

ודבר זה, יש לו ביטוי ברור בולט. שפסח שני חל ביום הכ״ט לספירה, הוא יום תחילת השראת מידת ההוד,[36] המביעה את הארת תורה שבעל פה. ופסח שני, אכן הנו ההתעוררות הראשונה של אנשים מבני ישראל 'מלתתא' (אסופת מערכות, אמור, עמוד שמ-שמא).

The individuals who were, as *Bamidbar* 9:6 describes, טְמֵאִים לְנֶפֶשׁ אָדָם וְלֹא־יָכְלוּ לַעֲשֹׂת־הַפֶּסַח בַּיּוֹם הַהוּא forged a new path, harnessing the power of *Torah she-be'al peh*. In the merit of their steadfast refusal to accept the status quo, they were *mechadesh* the law[37] of *Pesach sheni*.[38]

This is a clear manifestation of the תנו פה (עומר התנופה) – giving voice (פה) to a novel and radical position, which is intrinsic to *Torah she-be'al peh*. While the *omer ha-tenufah* was brought on the sixteenth of *Nisan*, the first day of the *omer*, the intensity of its message comes into focus on the day that the *Pesach sheni* was brought, the fourteenth of *Iyyar*, the twenty-ninth day of *sefirah*, and the beginning of the period of *hod*.

It should be noted that that the sixteenth of *Nisan*, the second day of *Pesach*, is literally *Pesach sheni*, and parallels the *korban Pesach sheni*. In addition, while the *korban Pesach sheni* was brought on the

---

36. *"Hod"* is the *middah* of Aharon and the *Torah she-be'al peh*.

37. These individuals claimed: לָמָּה נִגָּרַע לְבִלְתִּי הַקְרִב אֶת קָרְבַּן ה' בְּמֹעֲדוֹ (*Bamidbar* 9:7). We find similar wording in *Bamidbar* 27:4 ("לָמָּה יִגָּרַע"), in the context of the daughters of Tzelofechad, who are also related to Yosef (see below) and who forged a "new path" through their efforts (*Torah she-be'al peh*) in the laws of inheritance.

38. As Rashi comments on *Bamidbar* 9:7:

וראויה היתה פרשה זו להאמר ע״י משה כשאר כל התורה כולה, אלא שזכו אלו שתאמר על ידיהן שמגלגלין זכות ע״י זכאי.

fourteenth of *Iyyar*, it was consumed on the fifteenth of *Iyyar*, the day that the *mon* first fell.[39]

Those who were unable to bring the *korban Pesach* on time were *tamei* on account of transporting the bones of Yosef. Yosef has a great deal in common with *omer*: in his first dream he is compared to a sheaf of grain, וְהִנֵּה קָמָה אֲלֻמָּתִי (*Bereishis* 37:7);[40] he sustains the world (לְמִחְיָה שְׁלָחַנִי אֱלֹקִים; *Bereishis* 45:5);[41] he is associated with *bris milah*;[42] and he represents the union of *Torah she-be'al peh* and *Torah she-bichsav*,[43] the ultimate goal.

## N. *Hod*

At the end of his commentary to *Parashas Bo*, the Ramban emphasizes the importance of fulfilling *mitzvos*, for they are the means by which man recognizes (is *modeh* to) his Creator. Ramban states that through the acknowledgment of obvious miracles, one comes to appreciate

---

39. As Rashi asserts on *Shemos* 16:35: "שהרי בט"ו באייר ירד להם המן תחלה".

40. The *shoresh* of אלמתי is אלם. See the *Sefer Or La-Shamayim* (above, end of section L), where he writes that adding י־ה to אלם reveals the rulership of אלקים. Yosef possessed the י־ה in his name, as *Sotah* 10b notes:

א"ר יצחק יוסף הוסיפו לו אות אחת שנאמר עדות ביהוסף שמו בצאתו על ארץ מצרים.

41. Because Yosef fulfilled "פותח את ידך", he was worthy of the appellation "*tzaddik*," since the *pasuk* immediately following "פותח" is "צדיק ה' בכל דרכיו" (*Tehillim* 145:16–17).

42. See Rashi, *Bereishis* 41:5 (אשר יאמר לכם תעשו - לפי שהי' יוסף אומר להם שימולו), and Rashi, *Bereishis* 45:4 (והראה להם שהוא מהול).

43. The *Sefas Emes* writes that *lechem mishneh* of *Shabbos* represents the merging of *lechem min ha-shamayim* and *lechem min ha-aretz*, that is, the merging of *Torah she-bichsav* and *Torah she-be'al peh*. Because Yosef *ha-Tzaddik* possesses an aspect of *Shabbos* in his identity, he too participates in the merger of the two *Toros*:

איתא בזוה"ק בפסוק "מאשר שמנה לחמו" לחם משנה דשבת דאית לחם מן הארץ ולחם מן השמים ובש"ק מתחברין כו' ע"ש. והענין הוא כי ב' הלחם הם בחי' התורה שבכתב ושבע"פ... ואיתא כי יוסף הוא בחי' השבת צדיק יסוד עולם דאחיד בשמי' וארעא. ולכן יוסף גימ' ב' פעמים לחם (שפת אמת, ויחי, שנת תרנ"ב).

subtle miracles as well, which leads one to appreciate that all of *teva* is in actuality miraculous, a *nes*:

> ולפיכך אמרו (אבות ב:א) הוי זהיר במצוה קלה כבחמורה שכולן חמודות וחביבות מאד, שבכל שעה אדם מודה בהן לאלקיו, וכוונת כל המצות שנאמין באלקינו ונודה אליו שהוא בראנו, והיא כוונת היצירה, שאין לנו טעם אחר ביצירה הראשונה, ואין א־ל עליון חפץ בתחתונים מלבד שידע האדם ויודה לאלקיו שבראו, ומן הנסים הגדולים המפורסמים אדם מודה בנסים הנסתרים שהם יסוד התורה כלה, שאין לאדם חלק בתורת משה רבינו עד שנאמין בכל דברינו ומקרינו שכלם נסים אין בהם טבע ומנהגו של עולם, בין ברבים בין ביחיד... הכל בגזרת עליון כאשר הזכרתי (רמב"ן, שמות יג:טז).

*Hod* and *omer* share a common purpose – to acknowledge (*le-hodos*) that *teva* is an emanation of the *Borei olam*. The planting of a seed which yields a bountiful harvest is indeed no less miraculous than the bread which falls from the sky. As the *Shem Mi-Shmuel* writes, it is incumbent on *Klal Yisrael* in particular (based on their historical experiences) to have a keen understanding that beneath the surface there is no difference between "nature" and "miracles" at all:

> ונראה דהנה אמרו ז"ל (שבת לא.) אמונת זה סדר זרעים ובתוס' בשם ירושלמי שמאמין בחי העולמים וזורע, ואדומו"ר הרי"ם זצללה"ה פירש שאעפ"י שהוא בטבע מאמין שהכל הוא מן הש"י, עכת"ד. ויש לפרש דבריו אף שהכל יודעין ואפי' אומה"ע דכל הטבע הוא בריאה מהש"י, אלא בישראל הוא עוד נעלה, שכמו במדבר היתה כל הנהגתם בנס נגלה ואיש לפי אכלו לקטו וכל עבד נמצא עמרו בבית רבו, כן עדיין כל הנהגת ישראל איננה נמסרת בטבע... אלא שהטבע הוא כמו לבוש המסתיר שלא תתראה ההנהגה הנסית, והפקחים המסתכלים תחות כנפא דלבושא רואין גם עתה שלא העדיף המרבה והממעיט לא החסיר (שם משמואל, מועדים, ראש השנה, שנת תרע"ג).

The *yesh mi-yesh* of *teva* is, in reality, equivalent to the miracle of *yesh me-ayin*.[44] As discussed earlier, the harmonious integration of

44. The *Sefas Emes* connects *hoda'ah* with the concept of *yesh me-ayin*, as well as the *sefirah* period:

*ruchniyus* and *gashmiyus* is contained in the amalgamation of the letters י־ה. The numerical value of both י־ה and הוד is fifteen.

## o. *Lag Ba'omer*: *Hod she-ba-Hod*

According to the system that assigns each week and day of *sefiras ha-omer* a *middah, Lag Ba'omer* coincides with "*hod she-ba-hod,*" the most concentrated possible emanation of *hod*. As the *Asufas Ma'arachos* explains, *hod* is the *middah* of Aharon and is associated with *Torah she-be'al peh*. Therefore, *Lag Ba'omer* is identified as the prime day of *Torah she-be'al peh*. That R. Akiva's students ceased to perish on *Lag Ba'omer* is also a reflection of the day's *Torah she-be'al peh* character and serves as a *tikkun* of the students' inability to properly transmit R. Akiva's *Torah she-be'al peh*. *Lag Ba'omer* provided the beacon of hope that a fresh generation of students would arise to disseminate R. Akiva's Torah:

> והיום בו מגעת הארתו של אהרון לשיא התחזקות הגהתה, הוא היום הל"ג בעומר, המקביל למידת "הוד שבהוד". הוא זה היום, בו מגעת הארת תורה שבעל פה, לידי נביטה ממשית הניכרת לעין.
>
> ומכאן אנו מבינים, מה טעם פסקו אותו היום תלמידי ר' עקיבא מלמות. שנתבאר לפנינו, שטעם גזירת המיתה היה, מפני שהנהגתם זה עם זה, הטילה תשות כח בהנחלת תורה שבעל פה. ואותה תורה עמוקה, שהיה על ר' עקיבא להנחיל לדורות הבאים, לא יכלה להימסר במלוא תוקפה ובהירותה, באמצעות התלמידים הללו.
>
> והרינו משיגים מעתה, מעט ממסתרי ההשגחה. בל"ג בעומר, יום שהשראת תורה שבעל פה מגעת לידי שיא תוקפה, ממילא בא הפגם שפגמו התלמידים, לידי תיקונו. מכאן ואילך הגיעה איפוא השעה, של החלפת משמרות. תורה שהיתה צריכה להימסר על ידן של ראשונים, פקעה במיתתן. ומעתה קם דור חדש של תלמידים - רבותנו

---

ולמה הודאה תוספת פאר והידור, סוד הדבר כי מה שנולד מאין זה חידוש וזה הודאה והיא כי הודאה בא ממה שיודע שאינו כלום, ונמצא דבוק באין ועושה מאין יש והוא הוספה ממש ומחבר השמאל להיות טפל להימין והכלל כי הוד שמאל התורה וזה הכנה לנתינת התורה כי מפסח עד שבועות הכנה לתורה (שפת אמת, ליקוטים לעניני הספירה ול"ג בעומר).

שבדרום - שעתידין למלא את הפגימה, ולהנחיל תורה שלימה לישראל (אסופת מערכות, אמור, עמוד שמב).

Rabbi Akiva was the greatest expounder of *Torah she-be'al peh*. As the *Gemara* in *Menachos* (29b) describes him: אדם אחד יש...ועקיבא בן יוסף שמו שעתיד לדרוש על כל קוץ וקוץ תילין תילין של הלכות. No one could be *doresh* the *"es"* of the *pasuk* אֶת ה' אֱלֹקֶיךָ תִּירָא (*Devarim* 10:20), until Rabbi Akiva came and was *doresh* the *"es"* to include *talmidei chachamim* (*Bechoros* 6b). The twelve thousand *talmidim* of Rabbi Akiva died because they failed to show honor to one another (*Yevamos* 62b), which was a flagrant violation of the *derashah* of their esteemed *rebbe*. Undaunted, Rabbi Akiva forged a new path (*ma'aseh tenufah*) and began afresh, as the *Gemara* in *Yevamos* continues:

והיה העולם שמם עד שבא ר"ע אצל רבותינו שבדרום ושנאה להם ר"מ ור' יהודה ור' יוסי ורבי שמעון (בן יוחאי) ורבי אלעזר בן שמוע והם הם העמידו תורה אותה שעה (יבמות סב:).

The most renowned of this group of disciples was Rabbi Shimon bar Yochai, who continued the work of his *rebbe* in *Torah she-be'al peh*. Rabbi Shimon bar Yochai, the student of R. Akiva, and *Lag Ba'omer*, the *yom hilula* of Rabbi Shimon bar Yochai, are inextricably linked through *Torah she-be'al peh* (*hod she-ba-hod* of Aharon).

Let us analyze some of the *derashos* associated with Rabbi Shimon bar Yochai:

1. מכאן היה רבי שמעון בן יוחאי אומר לא נתנה תורה לדרוש אלא לאוכלי המן. הא כיצד, היה יושב ודורש, ולא היה יודע מהיכן אוכל ושותה ומהיכן היה לובש ומכסה; לא נתנה תורה לדרוש אלא לאוכלי המן (מכילתא, בשלח, מסכתא ויסע, פרשה ב).

According to R. Shimon, the only people worthy of learning, being *doresh*, the Torah are those who place complete faith in God to provide their sustenance, akin to the *dor ha-midbar* who consumed the *mon* which came directly from *Hashem*.

This *derashah* must be understood in the context of R. Shimon bar Yochai's life. The *Gemara* in *Shabbos* (33b) records a time when

R. Shimon was overheard maligning the Roman rulers of Judea. Sentenced to death by the Roman rulers, R. Shimon and his son were forced into hiding:

> אזל הוא ובריה טשו בי מדרשא. כל יומא הוה מייתי להו דביתהו ריפתא וכוזא דמיא וכרכי. כי תקיף גזירתא... אזלו טשו במערתא, איתרחיש ניסא איברי להו חרובא ועינא דמיא והוו משלחי מנייהו, והוו יתבי עד צואריהו בחלא. כולי יומא גרסי, בעידן צלויי לבשו מיכסו ומצלו והדר משלחי מנייהו כי היכי דלא ליבלו (שבת לג:).[45]

While hiding in a cave for fourteen years, R. Shimon and his son merited a *nes* – the "creation" of a carob tree and a fountain of water which sustained them. Since the necessities of life were provided for them in similar fashion to the *dor ha-midbar,* it was incumbent upon R. Shimon and his son to be totally immersed in *limmud ha-Torah,* as it was on the *dor ha-midbar.*[46] Thus, R. Shimon was qualified to state

---

45. Interestingly, this *Gemara* appears on *daf* ל״ג (creating an association with ל״ג בעומר).

46. This can help us understand R. Shimon bar Yochai's position in his *machlokes* with R. Yishmael (*Berachos* 35b), regarding whether one should dedicate oneself solely to studying Torah (R. Shimon bar Yochai) or combine Torah study with pursuing a livelihood (R. Yishmael):

> תנו רבנן, ואספת דגנך, מה תלמוד לומר, לפי שנאמר לא ימוש ספר התורה הזה מפיך, יכול דברים ככתבן, תלמוד לומר ואספת דגנך, הנהג בהן מנהג דרך ארץ, דברי רבי ישמעאל. רבי שמעון בן יוחאי אומר, אפשר אדם חורש בשעת חרישה וזורע בשעת זריעה וקוצר בשעת קצירה ודש בשעת דישה וזורה בשעת הרוח, תורה מה תהא עליה? אלא בזמן שישראל עושין רצונו של מקום מלאכתן נעשית על ידי אחרים, שנאמר ועמדו זרים ורעו צאנכם וגו׳, ובזמן שאין ישראל עושין רצונו של מקום מלאכתן נעשית על ידי עצמן שנאמר ואספת דגנך, ולא עוד אלא שמלאכת אחרים נעשית על ידן שנאמר ועבדת את אויביך וגו׳. אמר אביי, הרבה עשו כרבי ישמעאל ועלתה בידן, כרבי שמעון בן יוחאי ולא עלתה בידן.

Although Rabbi Shimon bar Yochai is the symbol of *Torah she-be'al peh,* which represents the synthesis of *derech eretz* and Torah, in his personal life he emulated the *ochlei ha-mon,* who were totally removed from any wordly activities. Ultimately, Rabbi Shimon bar Yochai determined that his *shitah* and conduct were intended solely for himself and his son, and unsuitable for the general population:

the *derashah* of לא נתנה תורה לדרוש אלא לאוכלי המן, as he personally experienced that form of existence. The *Or Gedalyahu* explains that it was specifically the *Torah she-be'al peh* and *sod* aspect of the Torah that R. Shimon bar Yochai was *doresh* during this exalted period of his existence:

> רשב"י היה בבחינת אוכל המן, שהיה במערה י"ד שנה ונזדמן לו מן השמים מים ועץ חרובין שממנה היה זן כל הימים שהיה במערה, כי רשב"י שעל ידו היה התגלות תושבע"פ, שהיה תלמיד של רע"ק, שרע"ק הוא היסוד של תושבע"פ... ורשב"י היה תלמידו, ועל ידו היה התגלות חלק הסוד בתורה. ולא היה אפשר התגלות הזאת רק באופן שיהיה בבחינת אוכלי המן, ולכן שייך הילולא דרשב"י דייקא לל"ג בעומר, שבאותו היום התחילה ירידת המן כמו שכבר הבאנו בשם החת"ס, ורשב"י שהיה בבחינת אוכל המן נסתלק בל"ג בעומר (אור גדליהו, מועדים, עמוד קנג).

It should be noted that there was a qualitative difference between the *nissim* that R. Shimon experienced and the *nissim* that *dor ha-midbar* experienced. The *mon* that the *dor ha-midbar* received was *lechem min ha-shamayim*, a classic example of *yesh me-ayin*. In the case of R. Shimon, the *nes* was the expeditious ripening of the fruit (atypical of the carob tree)[47] and was an example of *yesh mi-yesh derech nissi*.[48]

Another difference was that the clothes of the *dor ha-midbar* never wore out (see *Devarim* 8:4: "שִׂמְלָתְךָ לֹא בָלְתָה מֵעָלֶיךָ וְרַגְלְךָ לֹא בָצֵקָה זֶה אַרְבָּעִים שָׁנָה"), whereas R. Shimon went to great lengths to

---

כל היכא דהוה מחי (מכה) רבי אלעזר הוה מסי (מרפא) רבי שמעון. אמר לו בני די לעולם אני ואתה (שבת לג:).

47. This was a *nes* within a *nes*, since the carob usually does not bear fruit for seventy years, as the Maharsha explains:

אפשר דנקט חרובא דהיה נס בתוך נס דאינו טוען פירות עד שבעים שנה מנטיעתו וכאן טען פירות מיד (מהרש"א, שבת לג:).

48. R. Shimon bar Yochai, the symbol of *Torah she-be'al peh*, studied Torah for many years in a cave, a מערה. If one does a תנופה to the word מערה, it reads העמר, the *Torah she-be'al peh* of the *mon* – recalling Rabbi Shimon's *derashah* of "לא נתנה תורה לדרוש אלא לאוכלי המן".

preserve his clothes (he buried himself in sand rather than wear out his clothing – והוו יתבי עד צוארייהו בחלא).

2. שאלו תלמידיו את רבי שמעון בן יוחאי מפני מה נתחייבו שונאיהן של ישראל שבאותו הדור כליה? אמר להם, אמרו אתם. אמרו לו מפני שנהנו מסעודתו של אותו רשע (מגילה יב.)

Although the *Gemara* states that R. Shimon himself had a different reason for why the decree of Haman was allowed to fall upon the Jews, the accepted position that the Jewish people indulged in the feast of Achashverosh (also discussed above, section א) emanated from R. Shimon's *beis midrash* and is associated with him.

3. תניא רבי שמעון בן יוחאי אומר שלש מתנות טובות נתן הקדוש ברוך הוא לישראל, וכולן לא נתנן אלא על ידי יסורין. אלו הן, תורה וארץ ישראל והעולם הבא (ברכות ה:).

R. Shimon bar Yochai lists three precious gifts that can be acquired only through suffering: Torah, *Eretz Yisrael* and *olam ha-ba*. The *Asufas Ma'arachos* explains, based on the Ramchal in *Derech Hashem*, why these items require *yisurin*:

ומקובלים אנו מפי בעלי רוח הקודש (דרך ה׳, ח״א פ״ב) שלא ברא הקב״ה את עולמו, אלא כדי להיטיב לברואיו...דבר זה הרחיב בו הרמח״ל במקומות רבים. ותורף דבריו, שמעיקרא, עובר לרדתה לעולם וקביעת משכנה בתוככי הגוף השפל, מסתופפת הנשמה באוצר שתחת כסא הכבוד, ומתענגת מזיו השכינה. אבל בתוככי העונג האלוקי הכביר, נמסכת הרגשה מעכירה של אכילת ׳נהמא דכיסופא׳. וכדי לסלק את הטפלות הזו מן העונג הנשמתי העילאי, צריכה הנשמה לעבור את נתיב היסורין שבירידה לעולם הגשמי, להתענות בפיגולי עולם החומר הגס, להתמודד עם מהמורות מחשכי הגוף, למען אשר תשוב לצור מחצבתה ושמחת העמל על ראשה, ו׳בדין׳ תיטול שכרה.

ואם נערה את דבריו ללשוננו, נמצאנו אומרים, שהעולם הרוחני העילאי נטול הנסיונות, אינו מאפשר את עמל הקניין המפרך. ותכלית נטיעת הנשמה בעולם השפל הוא, להעניק לה אפשרות של תשלום, עבור קניניה הרוחניים.

ולאור מה שנתפרש לפנינו, הרינו זכין בדברים לקו של העמקה. המקח הרוחני עצמו, זה שהוכה בו הנשמה כשהיא שרויה ב'אוצר', חסר **מעשה קניין** בעל תקפות. שמתנת חינם, כאמור, מקחה פגום. ורק מהמורות העולם הגשמי, המספקות לה כר פורה לעמל היגיעה, מאפשרות לה לזכות במתנותיה בקניין חלוט. וייסורי הירידה לעולם השפל, הם הייסורין של אהבה בהם חונן הקב"ה את ברואיו. הן ייסורי העמלות, המשמשים קניין למעלות הרוח. (אסופת מערכות, לך לך, עמוד קפ-קפא).

There are several important insights that must be extracted from the *derashah* of Rabbi Shimon bar Yochai that Torah, *Eretz Yisrael* and *olam ha-ba* are only acquired through *yisurin*. In reality, all three of these treasures were originally gifted (*matenas chinam*) without any effort on the part of the recipient:

*Olam ha-ba*: Adam *ha-Rishon* was placed in *Gan Eden*.

Torah: *Bnei Yisrael* were given the *luchos rishonos*.

*Eretz Yisrael*: *Bnei Yisrael* were granted *Eretz Kena'an* upon leaving Egypt.

But, as the *Asufas Ma'arachos* writes in elaboration of the Ramchal, gifts, which are free by definition, are neither valued nor appreciated, which eventually leads to their neglect and inevitably their loss. This was the case with *Gan Eden*, the *luchos rishonos*, and *Eretz Yisrael*. We received them all as gifts, but we failed to look after them properly and subsequently lost them. Now that we know what we are missing, we long for their return, but their "Owner" will not return them as gifts again. Instead, He demands that we earn these valuable items on our own. The sole acceptable currency is *yisurin* – *yegi'ah* and *ameilus*. For the transaction to have *kiyyum*, permanence, it must be acquired at a high cost – personal sacrifice. This is the *derech* of *Torah she-be'al peh*.

The use of the expression **נהמא דכיסופא**, "unearned bread," is very appropriate. The *mon* is the antecedent of all bread, and with its panoply of miraculous features, it is the ultimate Divine gift. But like all Divine gifts, the *mon* was short-lived and gave rise to the *omer*, the

*Torah she-be'al peh* of the *mon*, with the *tenufah* representing the *yegi'ah* and *ameilus*, the *ma'aseh kinyan*.

> שלא תמצא תורה שבע"פ אצל מי שיבקש עונג העולם תאוה וכבוד וגדולה בעולם הזה אלא במי שממית עצמו עליה שנאמר זאת התורה אדם כי ימות באהל (במדבר יט:יד) וכך דרכה של תורה פת במלח תאכל ומים במשורה תשתה ועל הארץ תישן וחיי צער תחיה ובתורה אתה עמל (מדרש תנחומא, נח, פרק ג).

The "דרכה של תורה [שבעל פה] פת במלח תאכל" described in the *midrash* is conditional as part of the process of acquiring *Torah she-be'al peh*.

### P. *Hod* in *Chanukah* and *Galus Yavan*

The elements of *Lag Ba'omer* (*Torah she-be'al peh, hod* as the *middah* of Aharon, and *hod she-ba-hod*) are all themes common to the holiday of *Chanukah* as well.

Another commonality between *Lag Ba'omer* and *Chanukah* is the presence of fire and light:

> כבר נזכר למעלה, שיום הסתלקתו של התנא האלקי (רשב"י) מרובה אור היתה יותר משאר הימים, וככתוב באדרא זוטא. מכאן המנהג שמרבים בנרות ביום זה... וכן היו מקומות שהדליקו משואות תחת כיפת השמים לכבוד היום (ספר התודעה, כרך ב, עמוד רנז).

The *Or Gedalyahu* explicitly connects Aharon as the representative of *Torah she-be'al peh* with Aharon's duty to light the *Menorah* in the *Mishkan*, since the *Menorah* also represents *Torah she-be'al peh*. The heroes of *Chanukah*, the *Chashmona'im*, were *kohanim* who continued Aharon's legacy of *Torah she-be'al peh*, which was also the basis of Yavan's war against the Jewish people:

> וההשפעה הזאת של תושבע"פ יש לו שייכות דייקא לאהרן הכהן, כי כמו שמשה רבינו היה הסרסור של תושב"כ לכל ישראל, היה אהרן הכהן הסרסור של תושבע"פ, ולכן היה הדלקת המנורה דייקא על ידי אהרן, כי המנורה שהוא הארת תושבע"פ יש לו שייכות לאהרן... ולכן מצינו כי הנס של חנוכה נעשה ע"י החשמונאים בני הכהנים כי הם הממשיכים כוחו של אהרן הכהן, הכח של תושבע"פ, ומלחמת

יון שהיתה מלחמה נגד תושבע"פ היתה על ידם דוקא (אור גדליהו, מועדים, עמוד מח-מט)

The *Or Gedalyahu* also explains the connection of *hoda'ah* to *Chanukah*:

בחנוכה תקנו הלל והודאה, הלל הוא ההרגש של גבהות הלב, "בהלו נרו עלי ראשי" (איוב כט:ג), ההרגש של התעלות ביום טוב, אבל ביחד עם ההרגש הזה של התעלות צריכים לצרף הודאה, ההרגש שנטלתי יותר מחלקי, וכל המדריגות שלי כולם באים ע"י חנינה ממרום, וזה הלל והודאה, הכח של יהודה להכניע עצמו ולהודות להשי"ת על כל מה שיש לו (אור גדליהו, מועדים, עמוד 76).

It is important to understand the ideology of Yavan and to analyze the *gezeiros* which Yavan enacted (against *chodesh, milah,* and *Shabbos*). The *galus* of Yavan is represented by "*choshech,*" as the *midrash* states:

ר"ש בן לקיש פתר קריא בגליות, "והארץ היתה תהו", זה גלות בבל שנאמר (ירמיה ד:כג) "ראיתי את הארץ והנה תהו". "ובהו", זה גלות מדי (אסתר ו:יד) "ויבהילו להביא את המנך". "וחושך", זה גלות יון שהחשיכה עיניהם של ישראל בגזירותיהן, שהיתה אומרת להם כתבו על קרן השור שאין לכם חלק באלקי ישראל. "על פני תהום", זה גלות ממלכת הרשעה שאין להם חקר כמו התהום (בראשית רבה, ב:ד).

The *Or Gedalyahu* notes that the *galus* of Yavan was unique in that the Jews were not physically exiled, but remained in *Eretz Yisrael* with the *Beis Ha-Mikdash* intact. Yavan's objective was to extinguish only the spiritual radiance of Torah and of the *Beis Ha-Mikdash*:

ושעבוד מלכות יון היה מיוחד במינה, כי היה גלות בעת שהיו ישראל שרויים על אדמתם, וכשהיה להם הבית המקדש, והיה מאיר להם אורה של בית המקדש... ובאותו הזמן בא יון להחשיך זה האור, ולכן נקרא בשם חושך כי היה להם האור של בית המקדש, ואור חכמי התורה, והם רצו לבטלה, וזהו מה שאמרו חז"ל שהחשיכו עיניהם של ישראל (אור גדליהו, מועדים, עמוד נה).

Yavan was determined to extinguish the "lights" of Judaism by targeting and banning the *mitzvos* of *Shabbos, milah* and *chodesh,* all of which are called *"os"* in the Torah. These *osos* attest to *Bnei Yisrael's* inextricable bond with *Hashem,* and to a system and order that is *le-ma'alah min ha-teva,* as the *Or Gedalyahu* explains:

> אלו ג׳ דברים איתא בספרים שהם נקראים אות, שבת ומילה ידוע שהוא אות, וגם אצל חודש כתיב ״לאותות ולמועדים״ (בראשית א:יד), והפירוש באות הוא ג״כ שהוא מורה על התקרבות בנ״י להשי״ת, ובאלו הג׳ אותות נתברר ההבדל בין ישראל לעמים, ושיש להם דביקות לסדר למעלה הטבע (אור גדליהו, מועדים, עמוד ס).

Yavan's objective was not to destroy the *Beis Ha-Mikdash,* or even to eradicate the Torah. Their target was the unique inner qualities which set apart Judaism from other religions – the Divine *kedushah* and inner light of Torah. They wished to rebrand Judaism as merely another "culture" (among the many they swallowed) and allow it to retain many of its features which Yavan admired, such as *Torah she-bichsav.* Yavan wished to erase the "chosenness" of the Jewish nation:

> מלכות יון לא היה בדעתם להחריב את בית המקדש, וגם לא רצו לעקור את התורה מכל וכל, ואדרבא על ידם היה הפרסום של תושב״כ בשבעים לשון, ופרסמו את יופי של התורה, אבל הם רצו את האור הפנימי שהאיר בהבית המקדש, האורה זו תורה, האור שבתורה, את זה היה עיקר המלחמה, כי יון רצו בה״קולטור״ של עם ישראל, והסכימו שיהיה להם בית המקדש ומדינה לעצמם, אבל הכא בתורת ״קולטור״ וחכמה וכשיטת המתייוונים, ״נהי ככל הגוים בית ישראל״, ולא שיהיה לעם ישראל דרך אחרת וגבוה משאר האומות. הם רצו לקיים את האומה הישראלית, ולבטל קדושת עם ישראל (אור גדליהו, מועדים, עמוד נו).

Yavan represented the superior wisdom of *teva* and scientific advancement, explains the *Sefas Emes.* When man reaches this pinnacle of success, he often fails to acknowledge the presence of a Supreme Being. The pivotal role of the Jewish nation is to remind the world of God's presence and *hashgachah* over every sphere (*"galgal"*) of life including science and *teva.* It is *hallel* and *hodayah* which allow *Bnei Yisrael* to affirm *Hashem's* presence and to avoid becoming mired in the morass of *teva*:

כשעמדה מלכות יון הרשעה להשכיחם תורתך. כי הי׳ להם חכמה טבעיות וזו החכמה מביא שכחת השגחת הבורא ית״ש, ובנ״י נבראו להעיד על הבורא שהוא מנהיג כל הטבע. יון גמטריא גלגל,[49] שהיו בקיאין בחכמת גלגל המזלות. אבל באמת הנהגת כל הגלגל הכל עפ״י הנהגה עליונה. וכמ״ש בספרי קודש, אנכי ה׳ אלקיך, אלקיך גי׳ גלגל, וגי׳ היה הוה יהיה, שמאתו בא כל אלה הגלגלים שמתהפכין תמיד מראשן לסופן, הכל לכבודו ברא להודיע שהוא ראשון והוא אחרון. וז״ש (דברים ד:ו) ״כי היא חכמתכם ובינתכם״,[50] דרשו חז״ל זה חכמת חשבון המזלות, פי׳ שחכמי ישראל יודעין שורש כל החשבונות הללו, ולכן נקראו סוד העיבור שהוא שורש כל מהלך המזלות עפ״י הנהגה עליונה. וזו חכמה האמיתית כמ״ש הן יראת ה׳ היא חכמה. אבל חכמת הטבע אדרבה מביא לשכוח את הבורא. ולכן תיקנו להלל ולהודות, שע״י הודאה והלל לה׳ על כל הדברים זה מביא הזכרון שלא להיות נטבע תוך הטבע ולבוא לשכחה. וכמ״ש ז״ל ולא שכחתי מלברכך שהברכה מביא זכרון, וכמ״ש זכירה בפה (שפת אמת, בראשית, חנוכה, שנת תרס״א).

## Q. Yehoshua and the Conquest of the Land

Although the ideological battle with Yavan would not take place for another thousand years, the groundword for success was already laid by Yehoshua upon arriving in *Eretz Yisrael.* In his initial acts as leader

---

49. According to *Sefer Yetzirah,* the letter of the month of *Kislev,* the month of *Chanukah,* is "ס", the letter that looks most like a *galgal.* As the *Bnei Yissaschar* writes:

דהנה י״ב חדשי השנה נבראו על ידי י״ב אותיות פשוטות כמבואר בספר יצירה [פ״ה] הן המה הו״ז חט״י לנ״ס עצ״ק, אם כן אותיות לנ״ס בהם נבראו הג׳ חדשים, תשרי (ל) מרחשון (נ) כסלו (ס) (בני יששכר, מאמרי חדש תשרי, מאמר ה).

50. *Sefer Emunas Chaim* cites R. Moshe Shapiro who noted that the word *binah* itself represents the concept of *me'al ha-teva,* and exceeds the *gematria* of the word "*Yavan*" by one, showing the victory of the "*bnei binah*" over Yavan:

עוד הוסיף שבינה שהיא המידה השייכת להנהגה שמעל הטבע, סוד השמונה - ״בני בינה ימי שמונה״ - היא בגי׳ ס״ז, רמז לכך שממנה ההתגברות על יון שהיא בגי׳ ס״ו״ (אמונת חיים, עמוד קכג).

of the Jewish people, Yehoshua pursues a detailed agenda involving *bris milah, korban Pesach* and *korban ha-omer,* all of which relate to the cessation of the *mon.* Yehoshua also encounters an envoy of *Hashem,* who comes bearing a message:

יהושע פרק ה:

(ד) וְזֶה הַדָּבָר אֲשֶׁר מָל יְהוֹשֻׁעַ כָּל הָעָם הַיֹּצֵא מִמִּצְרַיִם הַזְּכָרִים כֹּל אַנְשֵׁי הַמִּלְחָמָה מֵתוּ בַמִּדְבָּר בַּדֶּרֶךְ בְּצֵאתָם מִמִּצְרָיִם...

(ט) וַיֹּאמֶר ה׳ אֶל יְהוֹשֻׁעַ הַיּוֹם גַּלּוֹתִי אֶת חֶרְפַּת מִצְרַיִם מֵעֲלֵיכֶם וַיִּקְרָא שֵׁם הַמָּקוֹם הַהוּא גִּלְגָּל עַד הַיּוֹם הַזֶּה.

(י) וַיַּחֲנוּ בְנֵי יִשְׂרָאֵל בַּגִּלְגָּל וַיַּעֲשׂוּ אֶת הַפֶּסַח בְּאַרְבָּעָה עָשָׂר יוֹם לַחֹדֶשׁ בָּעֶרֶב בְּעַרְבוֹת יְרִיחוֹ.

(יא) וַיֹּאכְלוּ מֵעֲבוּר הָאָרֶץ מִמָּחֳרַת הַפֶּסַח (רש״י - יום הנפת העומר, שהקריבו עומר תחילה) מַצּוֹת וְקָלוּי בְּעֶצֶם הַיּוֹם הַזֶּה.

(יב) וַיִּשְׁבֹּת הַמָּן מִמָּחֳרָת בְּאָכְלָם מֵעֲבוּר הָאָרֶץ וְלֹא הָיָה עוֹד לִבְנֵי יִשְׂרָאֵל מָן וַיֹּאכְלוּ מִתְּבוּאַת אֶרֶץ כְּנַעַן בַּשָּׁנָה הַהִיא.

(יג) וַיְהִי בִּהְיוֹת יְהוֹשֻׁעַ בִּירִיחוֹ וַיִּשָּׂא עֵינָיו וַיַּרְא וְהִנֵּה אִישׁ עֹמֵד לְנֶגְדּוֹ וְחַרְבּוֹ שְׁלוּפָה בְּיָדוֹ וַיֵּלֶךְ יְהוֹשֻׁעַ אֵלָיו וַיֹּאמֶר לוֹ הֲלָנוּ אַתָּה אִם לְצָרֵינוּ.

(יד) וַיֹּאמֶר לֹא כִּי אֲנִי שַׂר צְבָא ה׳ עַתָּה בָאתִי וַיִּפֹּל יְהוֹשֻׁעַ אֶל פָּנָיו אַרְצָה וַיִּשְׁתָּחוּ וַיֹּאמֶר לוֹ מָה אֲדֹנִי מְדַבֵּר אֶל עַבְדּוֹ.

(טו) וַיֹּאמֶר שַׂר צְבָא ה׳ אֶל יְהוֹשֻׁעַ שַׁל נַעַלְךָ מֵעַל רַגְלֶךָ כִּי הַמָּקוֹם אֲשֶׁר אַתָּה עֹמֵד עָלָיו קֹדֶשׁ הוּא וַיַּעַשׂ יְהוֹשֻׁעַ כֵּן.

To understand Yehoshua's agenda, it is imperative to grasp the essence of Yehoshua. Why did the mantle of leadership pass over the children of Moshe to be granted instead to Yehoshua? The *midrash* explains that Moshe's sons were unworthy because they did not dedicate themselves to Torah; Yehoshua, by contrast, honored Moshe by constantly serving him:

וידבר משה אל ה׳ לאמר יפקד ה׳ אלקי הרוחות...מה ראה לבקש הדבר הזה אחר סדר נחלות? אלא כיון שירשו בנות צלפחד אביהן אמר משה הרי השעה שאתבע בה צרכי. אם הבנות יורשות, בדין הוא שירשו בני את כבודי. אמר לו הקב״ה (משלי כז:יח) ״נוצר תאנה יאכל פריה״. בניך ישבו להם ולא עסקו בתורה, יהושע הרבה שרתך והרבה חלק לך כבוד והוא היה משכים ומעריב בבית הועד שלך הוא היה מסדר

את הספסלים והוא פורס את המחצלאות הואיל והוא שרתך בכל כחו כדאי הוא שישמש את ישראל שאינו מאבד שכרו. קח לך את יהושע בן נון, לקיים מה שנאמר נוצר תאנה יאכל פריה (במדבר רבה, כא:יד).

The above *midrash* omits any reference to the outstanding scholarship of Yehoshua and emphasizes only his diligent service of his master teacher, Moshe *Rabbeinu*. It is his exceptional *yegi'ah* and *ameilus*, the hallmarks of *Torah she-be'al peh*, and the willingness to perform even the most menial tasks, that prove Yehoshua worthy of the leadership position. The *Sefas Emes* explains further that Yehoshua is compared to the moon, which receives the reflected light of the sun. Yehoshua represents *Torah she-be'al peh*, which "receives" (as it is based only on *derashos*) from *Torah she-bichsav*, represented by Moshe *Rabbeinu*.

דהנה חז"ל אמרו פני משה כפני חמה פני יהושע כפני לבנה, זקנים שבאותו הדור אמרו אוי לבושה זו אוי לכלימה זו, כי בחי' מרע"ה הוא עלמא דדכורא והוא פני חמה, ויהושע בחי' לבנה שאין לה מגרמה כלום רק שמקבלת מאור החמה והיא בחי' תורה שבע"פ דלית לה מגרמה כלום רק ע"י דרשות מן התורה הוציאו חכמים כל התורה שבע"פ. וזהו כל האסמכתות שסמכו חכמים מן התורה והוא כענין וסמכת כו' ידך עליו. והוא בחי' נוקבא המקבלת מן דכורא[51] ולכן אמרו אוי לבושה זו, דמאן דאכל דלאו דילי' בהית לאסתכולי בי (שפת אמת, פרשת פינחס, שנת תרס"ג).

It is Yehoshua, the acolyte of *Torah she-be'al peh*, who leads the Jewish nation into *Eretz Yisrael* to commence a life according to the precepts dictated by *Torah she-be'al peh*.

Let us proceed to analyze Yehoshua's agenda:

(1) The first pressing item on the agenda was *bris milah*: וְזֶה הַדָּבָר אֲשֶׁר מָל יְהוֹשֻׁעַ כָּל הָעָם.

The original plan upon exiting Egypt was to travel to *Har Sinai*

51. The *Sefas Emes* explains that *Torah she-be'al peh* has a feminine aspect, in the sense that Yehoshua was *mekabbel* from Moshe. The fact that Yehoshua was the one who was able to bring *Bnei Yisrael* to the Land is connected to Yehoshua's aspect of being a *mekabbel*.

for *kabbalas ha-Torah* and then proceed immediately to *Eretz Yisrael*. The forty-year sojourn in the *midbar* was a delay in the original plan. The Jewish people entered *Eretz Yisrael* armed with Torah, but lacked the bona fide credentials, the "תעודת זהות" which identified them as Jews.

It was only after Avraham *Avinu* entered the covenant of *bris milah* that the Land was bequeathed to him for future generations. Occupancy in the Land was conditional on preserving the covenant of *bris milah*, as the *midrash* makes clear:

> כתיב (יהושע ה:ד) וזה הדבר אשר מל יהושע דבר אמר להם יהושע ומלן אמר להם מה אתם סבורין שאתם נכנסין לארץ ערלים כך אמר הקב"ה לאברהם אבינו ונתתי לך ולזרעך אחריך וגו' על מנת ואתה את בריתי תשמור (בראשית רבה מו:ט).

One cannot establish a national homeland without first defining what a "legitimate" citizen is. The "passport" that marked Jewish identity and defined citizenship was *bris milah*.

The *bris milah* was the *matir* for *yerushas ha-aretz*.

(2) The next item on the agenda was naming Gilgal.

> וַיֹּאמֶר ה' אֶל יְהוֹשֻׁעַ הַיּוֹם גַּלּוֹתִי אֶת חֶרְפַּת מִצְרַיִם מֵעֲלֵיכֶם וַיִּקְרָא שֵׁם הַמָּקוֹם הַהוּא גִּלְגָּל עַד הַיּוֹם הַזֶּה.

What was the significance in this act? The question is compounded by the fact that this is not our initial introduction to Gilgal. It is mentioned twice in the previous *perek* – וַיַּחֲנוּ בַּגִּלְגָּל (4:19), and הֵקִים יְהוֹשֻׁעַ בַּגִּלְגָּל (4:20). Why was the the naming of Gilgal postponed and inserted into this *perek*?

*Iyyov* 3:26 contains four phrases: לֹא שָׁלַוְתִּי, וְלֹא שָׁקַטְתִּי, וְלֹא נָחְתִּי, וַיָּבֹא רֹגֶז. Two *midrashim* interpret the *pasuk* in two different ways; one interprets the *pasuk* as referring to the tribulations of Yaakov, and the other *midrash* explains each phase as referring to one of the four *galuyos* that *Bnei Yisrael* will endure. As the *Or Gedalyahu* says beautifully, the *midrashim* are perfectly compatible. Each tribulation of Yaakov was a *ma'aseh Avos siman le-Banim* for the corresponding future *galus* of *Bnei Yisrael*. The third phrase in *Iyyov*, *"lo nachti,"* refers to *ma'aseh Dinah* and to *galus Yavan*:

> כתיב לא שלותי ולא שקטתי ולא נחתי ויבא רוגז (איוב ג:כו), ודרשו חז"ל (בראשית רבה פד:ב) לא שלותי מעשו, ולא שקטתי מלבן, ולא נחתי מדינה, ויבא רוגז, בא עלי רוגזו של יוסף. ומצינו במקו"א שדרשו (שמות רבה כו:א) ויבא עמלק הה"ד לא שלותי וגו', לא שלותי מבבל, ולא שקטתי ממדי, ולא נחתי מיון, ויבא רוגז באדום. ובי הדרשות האלו מתאימות, כי יעקב אבינו עבר על הד' צרות האלו בתור הכנה לדורות הבאים שיהא ביכולתם להחזיק מעמד בהיותם תחת הד' מלכיות, והכל הוא בבחינת מעשה אבות סימן לבנים, ולא כסימנא בעלמא, אלא שנתן הכח לדורות הבאים לכבוש את הדרך כשיהיו הם בצרה, וכלשון המדרש צא וכבוש להם את הדרך,ובעברו ד' צרות האלו נתן הכח שיחזיקו מעמד בהד' גליות, והאמת ד' צרות האלו הם דומים להד' גליות, וכל צרה מכוון נגד גלות אחד...
>
> וכמו דגלות יון היה מיוחדת במינה שהיתה בעת שהיו ישראל שרוים על אדמתם, ולא כשאר גליות שהיו בחוץ לארץ, כן צרת דינה היתה בעת שהיה יעק"א בא"י ולא כשאר הצרות שהיו להם קשר לחוץ לארץ (אור גדליהו, וישלח, עמוד קיד).

The *Or Gedalyahu* establishes that the *ma'aseh Avos* initiated by Yaakov *Avinu* "paved the way" for future generations to withstand the trials of the looming exiles. The tribulations of Yaakov did not merely intimate the future *galuyos*. Rather, Yaakov's overcoming each of the tribulations he faced provided *Bnei Yisrael* with the strength to endure the corresponding *galus*. *Ma'aseh Dinah* was the protective *hachanah* for *galus Yavan*.[52]

52. See also *Kedushas Levi, Parashas Vayigash*:

מעתה נראה לי, דכל מעשי שבטי י־ה הקדושים והטהורים סימן טוב לבנים, ויוסף רמז לגאולת מרדכי וישראל מהמן הרשע כו', כמו כן שמעון ולוי בהריגתם לשכם רמזו גאולת חנוכה מאומה הרשעה. דממש דומה לו, דכמו דגבי שכם היה קצת על ידי מלחמה של שמעון ולוי, וישועת ה' עזר להם, כמו כן בחנוכה היה על ידי מלחמה של חשמונאי ובניו, והשם יתברך עזר להם למסור גבורים ביד חלשים כו', מה שאין כן בפורים לא היה שום סיוע התחתונים. ולהכי בחנוכה דהיה על ידי מעשה דשמעון ולוי בשכם, שהם גרמו בשכם לפעול שיהיה לבניהם ישועה כדומה לשכם, לכן היה בחנוכה הנס על ידי חשמונאי ובניו,

While Yaakov originated the *ma'aseh avos siman le-banim,* it was Yehoshua who perpetuated the *shemirah* upon his entry to *Eretz Yisrael.* As the *Sefas Emes* notes, there is a commonality between Yavan and *galgal*/Gilgal:

> יון גי' גלגל, שהיו בקיאין בחכמת גלגל המזלות (שפת אמת, בראשית, לחנוכה, שנת תרס"א).

Officially naming Gilgal is the first *kiyyum* of the *shemirah* implemented by Yehoshua, which moderated the harmful effects of *galus Yavan* (*galgal*) that was foreseen by Yaakov *Avinu.*

There is an element of irony present that cannot be overlooked. It is Yosef who "paved the way" for the Jewish nation (his family members) to abandon *Eretz Yisrael* and to descend into *galus.* Yehoshua, a direct descendant of Yosef, brings the story full circle (*galgal*) by leading the Jewish nation back from *galus* into *Eretz Yisrael.* The *Shem Mi-Shmuel* explains that the *agalos* that Yosef sent to bring Yaakov to *Mitzrayim* symbolize an *iggul,* a circle or a wheel. When a wheel revolves, what was on top falls to the bottom, and what was on the bottom (*galus*) rises to the top. Yaakov was comforted by the sight of the *agalos* that Yosef sent, as they presaged the ultimate "rise to the top" of *Bnei Yisrael:*[53]

---

דהיו כהנים שבאו משבט לוי, דכן בשכם היה לוי הלוחם, וגם כן במלחמת חנוכה היה אחד מבני מתתיהו שמו שמעון, כנזכר בספר יוסיפון (פרק כו), שהיה כובש המלחמה על ידי שמעון כמו בשכם. ומעתה יאיר עינינו בתורתו, זהו שאמר יעקב (בראשית מט:ה-ז) "שמעון ולוי וכו' וברצונם עקרו שור", רמז שבאותו מעשה שכם עשו פעולה לעקור שור, כמאמרם ז"ל (ירושלמי חגיגה פ"ב ה"ב) שרצו היונים שיכתבו על קרן השור שאין להם חלק באלקי ישראל, הם עקרו לזה, שלא יצטרכו לכתוב על קרן שור, זהו "עקרו שור", מחמת שפעלו לבניהם שחשמונאי ובניו ינצחו היונים. ואמר "בקהלם אל תחד כבודי", על פי דכתב הרמב"ן ז"ל (בראשית מט:י) דחשמונאי ובניו מה שנקמו מה טוב עשו, אפס במה שנטלו המלוכה לעצמם לא נכון כן, כי המלוכה ליהודה ניתנה לבד, עיין שם. ו'כבוד' נקרא על ידי שם מלכות, שלמלך יאה כבוד ועוז. זהו 'ובקהלם אל תחד כבודי', שכבודי לא יתיחס עם כבודם, דהיינו המלכות שנטלו חשמונאי, דנקרא כבוד, על ידי רשימת שמעון ולוי בשכם כנ"ל, כי אינני חפץ בזה שיטול מלכות, רק יהודה. ועיין בפירוש רש"י (להלן מט, ו) שפירש פסוק "בסודם אל תבא" כו' במעשה שכם.

53. The *Ben Ish Chai* notes that there is a fundamental connection between

"וירא את העגלות אשר שלח יוסף לשאת אותו". ולכאורה יש לדקדק למה לא כתיב אשר שלח יוסף להוריד אותו, כמ"ש הולכים להוריד מצרימה... ונראה דבכל ענין העגלות רמז יש בדבר, כי אופני העגלה הסובבים [שעל שם זה נקרא עגלה ע"ש האופנים הסובבים] בעיגול מורים שזה שלמעלה בתכלית כרגע יורד למטה, וזה שבתכלית הירידה למטה משם מתחיל לעלות למעלה. והוא רמז לאדם שאפי' במצבו שבתכלית הירידה אל יתיאש, אדרבה יתן אל לבו אולי זוהי העת האחרונה של הירידה, ומעתה תתחיל העלי', וכן כשהוא בתכלית העלי' יתן אל לבו אולי הגיע לתכלית העלי' ומעתה יתחיל לרדת כי גלגל הוא שחוזר. וזהו הרמז ששלח יוסף ליעקב עגלות שבל יצטער הרבה על ירידתו למצרים, שזו הירידה עלי' תהי' לו, וזה לשאת אותו שהוא לשון עלי', ולא הזכיר לשון ירידה כלל. (שם משמואל, פרשת ויגש, שנת תרפ"א).

Yehoshua names his first encampment Gilgal to transmit the message of the *galgal* (which also symbolizes Yavan). The wheel, *galgal,* always turns. Despite Yavan's apparent dominance and invincibility, it will eventually retreat and collapse. It should also be noted that the word גלות (גל) is closely related to גלגל (גל־גל). The word *galus* connotes a sense of constant movement, like the perpetual turning of the wheel, where one never experiences a prolonged state of rest and settledness. By camping in Gilgal, Yehoshua was conveying the message that this entry into *Eretz Yisrael* would not be permanent and that *galus* (movement) would eventually follow.[54]

*Galus* will end when the wheel comes to *menuchah,* rest. *Tehillim* 132:13–14 exemplifies this concept of *menuchah*:

---

Yosef and Yehoshua:

ויהושע היה גלגול [גלגל!] יוסף (בניהו בן יהוידע, מגילה יד:).

54. As the *Sefas Emes* explains, in *galus,* the *galgal* turns and takes man through difficult experiences, which allow the *neshamah* to realize its full spiritual potential. The word for revelation, *hisgalus,* is related to the word *galus*:

ובאמת הגלות הוא להוציא כח הנשמות אל הפועל כי כל נשמה צריכה להוציא כוחה אל הפועל. וע"י הגלות משתנות כחות הנשמה באופנים שונים ולכן שורש שם גלות מענין התגלות, כמו גל וגלגל, שמתהפך האדם ע"י הנסיונות והגלות עד שמוציא מכח אל הפועל כל הארת הנפש ונשמה (שפת אמת, פרשת שמות, שנת תרנ"ז).

כִּי בָחַר ה׳ בְּצִיּוֹן אִוָּהּ לְמוֹשָׁב לוֹ.
זֹאת מְנוּחָתִי עֲדֵי עַד פֹּה אֵשֵׁב כִּי אִוִּתִיהָ.

The Radak explains: זאת מנוחתי עדי עד - שלא ילך עוד ממקום למקום כמו שעשה עד עתה.

The naming of Gilgal by Yehoshua underscores his affiliation to *Torah she-be'al peh*. All the latent allusions contained in Gilgal – *gal, galus, agalos, Yavan* – have a strong association with *Torah she-be'al peh*.[55]

There is another important element that is shared by Yehoshua and Yosef – each had a letter added to their names. The letter *heh* was added to the name of Yosef, as *Sotah* 10b explains:

> א"ר יצחק, יוסף הוסיפו לו אות אחת שנאמר (תהלים פא:ו) "עדות ביהוסף שמו בצאתו על ארץ מצרים".

The letter *yud* was added to Hoshea in *Bamidbar* 13:16: וַיִּקְרָא מֹשֶׁה לְהוֹשֵׁעַ בִּן נוּן יְהוֹשֻׁעַ.

Rashi explains: ויקרא משה להושע וגו׳ - התפלל עליו "י־ה יושיעך מעצת מרגלים".

In addition to the fact that the two added letters together form י־ה,[56] each individual on his own also possesses י־ה in his name. As mentioned several times, the name י־ה represents the harmonious

---

55. The association of each one with *Torah she-be'al peh* is as follows:

גל - ל"ג בעומר,הוד שבהוד, מידת אהרן שזה תושבע"פ.

גלות - "והנה אמרו רז"ל [ויק"ר ז:ג] אין הגליות מתכנסות אלא בזכות המשניות (סוד תושבע"פ אשר היא עמנו בגלות)" (בני יששכר, מאמרי חדשי תמוז ואב, מאמר ב).

עגלות - "הבאת העגלות למשכן, נועדה מעיקרה לנבוע ולהתחדש מכח יגיעת תורה שבעל פה, מתוך איתערותא דלתתא" (אסופת מערכות, נשא, עמוד צה).

יון - "שחכמי יון, ואריסטו בראשם, היו בימי שמעון הצדיק שהוא ראש חכמי המשנה והתחלת תורה שבעל פה" (ר׳ צדוק הכהן, אור זרוע לצדיק, עמ׳ יז).

56. It is interesting to note that the *gematria* of *yud-heh* is fifteen, which is the same as the *gematria* of *hod*. The *Bnei Yissaschar* elaborates further about the fifteenth letter of the *aleph-beis*:

> רמז כי אות הט"ו באל"ף בי"ת הוא אות ס׳ שהוא עגול סביב ואין בו ראש וסוף (עיין לעיל) שהאות של חדש כסלו זה ׳ס׳ (בני יששכר, מאמרי חדשי תמוז ואב, מאמר ד).

integration of the *ruchniyus* and *gashmiyus*, the *derech* of *Torah she-be'al peh* that is to be inculcated by Yehoshua.[57] The fact that the added letters to Yehoshua and Yosef's names combine to form י־ה implies that Yehoshua is completing the task begun by Yosef, one of the pioneers who paved the *derech* of *Torah she-be'al peh*.[58]

(3) The next item in Yehoshua's agenda is the bringing of the *korban Pesach*:

> וַיַּחֲנוּ בְנֵי יִשְׂרָאֵל בַּגִּלְגָּל וַיַּעֲשׂוּ אֶת הַפֶּסַח בְּאַרְבָּעָה עָשָׂר יוֹם לַחֹדֶשׁ בָּעֶרֶב.

The bringing of the *korban Pesach* followed *bris milah*, as *bris milah* is required for *korban Pesach* (*Shemos* 12:48).

In similar fashion to *bris milah*, the *korban Pesach* is a matter of

---

57. The י־ה in Yehoshua's name gives Yehoshua the ability to fight Amalek, whose conflict with *Bnei Yisrael* is based on the name י־ה, as *Shemos* 17:16 makes clear: "וַיֹּאמֶר כִּי יָד עַל כֵּס יָ־הּ מִלְחָמָה לַה׳ בַּעֲמָלֵק מִדֹּר דֹּר". This also explains why, in the Torah's account of the war with Amalek (*Shemos* 17:8–16), Yehoshua is called "Yehoshua" and not "Hoshea," even though the Torah does not record the addition of the of the *yud* to his name until later on.

58. See the comments of the *Sefas Emes* and *Pri Tzaddik*:

וירכב אותו במרכבת המשנה - דאיתא האבות הן הן המרכבה, וכמו שיש מרכבה בבחי׳ אבות כך יש מרכבה בבחי׳ השבטים ונק׳ מרכבת המשנה שהוא בבחי׳ תורה שבע״פ מארי משנה, והאבות בבחי׳ תורה שבכתב מארי מקרא, ויוסף הרוכב ושליט על מרכבת המשנה הנ״ל (שפת אמת, פ׳ מקץ, תרנ״ה).

ודוד ויוסף שניהם היו מלכים בישראל כי מזרעא דיוסף היה יהושע ב״נ המלך הראשון בישראל ושאר מלכי ישראל ומשיח בן יוסף. ששניהם מרכבה למדת מלכות פה דכח שניהם להכנים קדושתם בלבות בנ״י... ולכן כתיב ביוסף ויתן את קולו בבכי וישמעו מצרים וישמע בית פרעה... הענין הוא ויתן את קולו דייקא ר״ל הקול שלו היינו עם החיות שלו שהוא מדריגתו להיות קולו בהדיבור. ותיבת קול מרמז על החיות שבדבור כי באם ידבר דברים בלתי חיות אין בדברים שום כח להכניס בלב האדם דיבוריו. רק מצד חיות הקדושה שנותן בדיבור יש כח בהדיבור לכנוס בלב. וכמ״ש מרבינו הבעש״ט זצוק״ל שהראה לר׳ ר׳ בער זצוק״ל ענין בקבלה ואמר הרב ר׳ בער הפשט וכיון האמת. וא״ל הבעש״ט זצוק״ל אם כי הפשט הוא אמת אכן אין שום חיות בהדברים וכשאמר לו הפשט בחיות קדושה נתמלא החדר מלאכים, שמצד שהיה בחיות פי ה׳ נעשה מכל דבור מלאך. וכמו״כ נא׳ ביוסף ויתן את קולו בבכי היינו שנתן כח חיות בדברי בכייתו ולכן נכנסו דבריו בלב פרעה (פרי צדיק, פ׳ ויגש, אות י׳).

national priority in the sense that the *korban Pesach* allowed for *ge'ulas Mitzrayim* and the creation of the Jewish nation. Unlike any other *korban*, the *korban Pesach* conscripts every single adult member of *Klal Yisrael*. Failure to partake in the *korban Pesach* is a blatant rejection of national unity. Failure to perform *bris milah* is the blatant rejection of national identity. Neglect of either *Pesach* or *milah* carries the identical harsh penalty, which appropriately, *middah ke-neged middah*, is *kares*, severance from Jewish life.[59] *Bris milah* and *korban Pesach* are the only two *mitzvos aseh* which carry the penalty of *kares*.

By performing the *mitzvos* of *korban Pesach* and *bris milah* concurrently, Yehoshua was linking the establishment of the Jewish homeland with the crystallizing moment that the Jewish nation was created in Egypt.[60] As Rashi (*Shemos* 12:6) explains, the *mitzvos* of *korban Pesach* and *bris milah* were the *mitzvos* which "draped" *Bnei Yisrael* with the *zechuyos* necessary to leave *Mitzrayim*:

> הי׳ ר׳ מתיא בן חרש אומר (יחזקאל טז:ח) ״ואעבור עליך ואראך והנה עתך עת דודים״, הגיעה שבועה שנשבעתי לאברהם שאגאל את בניו ולא היו בידם מצות להתעסק בהם כדי שיגאלו שנא׳ (שם טז:ז) ״ואת ערום ועריה״, ונתן להם שתי מצות, דם פסח ודם מילה, שמלו באותו הלילה שנא׳ (שם טז:ו) ״מתבוססת בדמיך״, בשני דמים (רש״י, שמות יב:ו).[61]

The fact that these two *mitzvos* are intrinsically associated with "*dam*" conveys the message that these *mitzvos* are the "lifeblood" of the Jewish nation. *Korban Pesach* and *bris milah* relate to one another in another sphere as well, as the *Or Gedalyahu* notes:

---

59. Regarding *milah* it is literally *middah ke-neged middah*, as one who is not "*kores*" the *orlah* receives the punishment of *kares*.

60. See *Pri Tzaddik* (*Pesach* 21) for what was unique about Yehoshua's *korban Pesach*, as well as similarities to the *korban Pesach* of *Mitzrayim*.

61. It should be noted that this Rashi must be reconciled with the *Zohar* (vol. II, p. 25b) quoted in at the end of Section H, which implies that *Bnei Yisrael* had no merits to make them worthy of redemption.

שתי המצות האלו, הם התקשרות בני ישראל עם הקב"ה, פסח הוא התקשרות הנשמה, ומילה הוא התקשרות הגוף (אור גדליהו, מועדים, עמוד סח).

These two *mitzvos* together capture the essence of the Jewish mission in this world – to fuse the mundane (*gashmiyus*) with the sacred (*ruchniyus*) through the acknowledgement of a Supreme Being. This was the mantra of Yehoshua and pivotal to his agenda.

*Korban Pesach* is also relevant at this moment because of its importance as the only *korban* which has *tashlumin* – *Pesach sheni. Pesach sheni* came into existence through the application of *Torah she-be'al peh,* which is the driving force in the agenda of Yehoshua. The genius of *Torah she-be'al peh* is that it encourages personal creative expression under certain guidelines. It tempers the rigidity and intransigence of the "written word" (*Torah she-bichsav*) and offers flexible options. *Pesach sheni* promotes the notion that there is an opportunity for a "second chance" (*teshuvah*) which is an inherent component of *Torah she-be'al peh.*

According to one opinion in the Gemara (*Sukkah* 25b), the *temei'im le-nefesh* involved in the *Pesach sheni* were *temei'im* on account of transporting the *atzmos Yosef,* the bones of the ancestor of Yehoshua. Why were they "schlepping" *atzmos Yosef*? *Bnei Yisrael* were committed to bringing Yosef to burial in *Eretz Yisrael* because Yosef (unlike Moshe in *Shemos* 2:19) proudly proclaimed his origins. The *Shem Mi-Shmuel* cites the statement of the *midrash* that the *Pesach sheni* is brought in the merit of Yosef – it was because of those who were carrying the bones of Yosef that the *Pesach sheni* was instituted:

ובזה יש לפרש דברי המדרש (שמו"ר כ) שבזכות יוסף עושין פסח קטן, דהנה אמרו ז"ל (דב"ר ב:ה) יוסף שהודה בארצו נקבר בארצו, ובזכותו היו כל ישראל משועבדים להעלותו (שם משמואל, פרשת ויקרא והחודש, שנת תרע"ד).

(4) The fourth item on Yehoshua's agenda was the *korban ha-omer*:

וַיֹּאכְלוּ מֵעֲבוּר הָאָרֶץ מִמָּחֳרַת הַפֶּסַח (רש"י - יום הנפת העומר שהקריבו עומר תחילה).

*Omer ha-tenufah*, the paradigm of *Torah she-be'al peh*, responds to *galus Yavan* by addressing the *gezeros* that Yavan decreed:

*Milah* – the *omer* was the *shemirah* of the *bris* (see above, section J).

*Shabbos* – the *omer* was brought on *macharas ha-Shabbos* (see above, section H).

*Chodesh* – the *omer* was *matir* the *chadash*.[62]

(5) The fifth item, the cessation of the *mon*, appears to be somewhat out of place:

> וַיִּשְׁבֹּת הַמָּן מִמָּחֳרָת בְּאָכְלָם מֵעֲבוּר הָאָרֶץ וְלֹא הָיָה עוֹד לִבְנֵי יִשְׂרָאֵל
> מָן וַיֹּאכְלוּ מִתְּבוּאַת אֶרֶץ כְּנַעַן בַּשָּׁנָה הַהִיא.

First, the *mon* ceased descending on the seventh of *Adar* in *Arvos Moav*. It is now the sixteenth of *Nisan* and the present location is Gilgal. Second, *pasuk* 12 (about the cessation of the *mon*) should be before *pasuk* 11 (about eating the produce of the land, and which according to Rashi speaks about the bringing of the *omer*) as this would be the logical flow of events.

The apparent dislocation may be explained by our understanding that the *omer* usurped the *mon* to play the more significant role in Jewish life. Having the leading role, the *omer* is mentioned first. The insertion of the reference to the *mon* is to provide the background and origins of the *omer*. It is also to make us aware that there is a subtle transition from the *mon* of *yesh me-ayin* (before the seventh of *Adar*) to the *mon* of *yesh mi-yesh* (on which they subsisted afterwards) to the *omer* of *yesh mi-yesh* (*teva*) which constitutes the challenge of *Torah she-be'al peh*.

(6) The sixth item listed is Yehoshua's encounter with *sar tzeva Hashem*:

> וַיְהִי בִּהְיוֹת יְהוֹשֻׁעַ בִּירִיחוֹ וַיִּשָּׂא עֵינָיו וַיַּרְא וְהִנֵּה אִישׁ עֹמֵד לְנֶגְדּוֹ וְחַרְבּוֹ
> שְׁלוּפָה בְּיָדוֹ וַיֵּלֶךְ יְהוֹשֻׁעַ אֵלָיו וַיֹּאמֶר לוֹ הֲלָנוּ אַתָּה אִם לְצָרֵינוּ.

---

62. Also, as the *Gemara* in *Bava Basra* (75a, cited above) states, פני יהושע כפני לבנה. Yehoshua represents the moon, which also symbolizes *Torah she-be'al peh*.

The *Gemara* in *Megillah* (3a–b) explains this cryptic encounter as an angel of *Hashem* coming to warn Yehoshua not to neglect Torah study:

> והכתיב ויהי בהיות יהושע ביריחו וישא עיניו וירא והנה איש עומד לנגדו [וגו'] וישתחו...אמר לו, אמש בטלתם תמיד של בין הערבים, ועכשיו בטלתם תלמוד תורה. אמר לו, על איזה מהן באת? אמר לו, "עתה באתי". מיד, "וילן יהושע בלילה ההוא בתוך העמק", אמר רבי יוחנן, מלמד שלן בעומקה של הלכה.

The Chida, in his commentary *Chomas Anach,* explains the connection between this episode and the *Torah she-be'al peh* of Yehoshua:

> עתה באתי - אמרו פ"ק דמגילה שבא על ביטול תורה, מיד וילן יהושע בעומקה של הלכה. אפשר דתורה שבעל פה היא כנגד השכינה, גם הלכה - ה' כלה, כמשז"ל, וארץ ישראל היא כנגד השכינה. לכן יהושע שהוא כפני לבנה בחינת השכינה לן בעומקה של הלכ"ה שהוא תורה שבעל פה (חומת אנך, יהושע ה:יד).

The greatness of Yehoshua is that he leads by example. What could be more suitable in the closing of his agenda than immersion in actual *talmud Torah*? And what is the "*talmud Torah* of the night" that Yehoshua engages in? As the *Midrash Tanchuma* explains, it is *Torah she-be'al peh*:

> ויהי שם עם ה' מ' יום ומ' לילה. מנין היה יודע משה אימתי יום? אלא כשהקב"ה היה מלמדו תורה בכתב, היה יודע שהוא יום, וכשהיה מלמדו על פה משנה ותלמוד היה יודע שהוא לילה, לפי שהיום ולילה שוין לפני הקב"ה (מדרש תנחומא, כי תשא, פרק לו).

*Torah she-be'al peh* is the Torah of the night, of *choshech. Choshech* is symbolic of *galus,* and specifically of *galus Yavan,* as the *Midrash Rabbah* explains:

> וחושך זה גלות יון שהחשיכה עיניהם של ישראל בגזירותיהן שהיתה אומרת להם כתבו על קרן השור שאין לכם חלק באלקי ישראל (בראשית רבה ב:ד)

Yehoshua is proclaiming that one can only survive the *choshech* of *galus Yavan* (which Yaakov first alerted *Bnei Yisrael* to) armed with the light of Torah – the flame of אורייתא. The *Or Gedalyahu* explains that it is specifically the *Torah she-be'al peh* which contains the hidden light that enables *Bnei Yisrael* to endure *galus*:

> שבתוך הששה סדרי משנה גנוז זה האור אשר על ידה ביכולתינו להחזיק מעמד בגלות הזה, שע"י שכל אחד מקשר עצמו בתושבע"פ יכול לגלות הקץ, פי' לגלות האור הגנוז שיהיה מקושר לפנמיות הדבר, ובזה ביכולת כל אחד לסבול הגלות (אור גדליהו, ויחי, עמוד קמח).

The *Gemara* in *Megillah* sees an allusion to Yehoshua's nighttime Torah learning in the *pasuk*'s description of how he spent that night in an *emek*, a valley: מלמד שלן בעומקה של הלכה.

Why the use of a *lashon* of *omek*, depth, to describe Yehoshua's immersion in *Torah she-be'al peh*? With the *omek*, Yehoshua was intentionally including *galus Edom*, which shares features with *galus Yavan*, as the *Or Gedalyahu* explains:

> כתיב וחושך על פני תהום, משמע שיון המרומז במלת חושך, יש לה שייכות עם מלכות אדום המרומז בתהום, כי אותו הכח של גאולת יון, כשנגאלו מהחושך של יון, אותו האור שבקע תוך החושך, הוא הנותן לנו הכח לעבור על התהום (אור גדליהו, מועדים, עמוד סא).

The light of *Torah she-be'al peh* that pierces the "*choshech*" of *galus Yavan* also gives us the strength to overcome the "*tehom*" of *galus Edom*.

(7) The seventh and final item on the agenda is the removal of Yehoshua's shoe:

> שַׁל נַעַלְךָ מֵעַל רַגְלֶךָ כִּי הַמָּקוֹם אֲשֶׁר אַתָּה עֹמֵד עָלָיו קֹדֶשׁ הוּא וַיַּעַשׂ יְהוֹשֻׁעַ כֵּן.

This appears to be a bizarre close to the agenda. Removing a shoe appears in another context in *Tanach* as well, as *Rus* 4:7 records: עַל הַגְּאוּלָּה וְעַל הַתְּמוּרָה לְקַיֵּם כָּל דָּבָר שָׁלַף אִישׁ נַעֲלוֹ וְנָתַן לְרֵעֵהוּ.

The *Gemara* explains these halachic concepts:

> גאולה זו מכירה, וכן הוא אומר לא יגאל, תמורה זו חליפין, וכן הוא אומר לא יחליפנו ולא ימיר אותו (בבא מציעא מז.).

By removing his shoe, Yehoshua, is initiating a *ma'aseh kinyan* (*chalifin*), which seals his agenda with an air of permanence.

The incident of Yehoshua removing his shoe mimics a previous occurrence, the encounter between Moshe and *Hashem* at the burning bush (*Shemos* 3:5):

> וַיֹּאמֶר אַל תִּקְרַב הֲלֹם שַׁל נְעָלֶיךָ מֵעַל רַגְלֶיךָ כִּי הַמָּקוֹם אֲשֶׁר אַתָּה עוֹמֵד עָלָיו אַדְמַת קֹדֶשׁ הוּא.

What is the difference between the two incidents? Moshe is asked to remove both shoes, whereas Yehoshua is requested to remove one. Rabbeinu Bechaye explains the significance:

> אך בענין הנבואה הזכיר של מלשון שלילה, הזהירו שישלול ממנו החומריות שהמשילם לנעלים, לפי שהחומר דבק בגוף כמו שהמנעל דבק ברגל, וכשם שיש ביד האדם לשלול נעלו מעל רגלו כן בידו שישלול ממנו החומריות כדי שיהיה מוכן לנבואה, וראוי להדבק באור השכל. והזכיר ביהושע של נעלך (יהושע ה:טו) כי הזכירו על שלילת מקצת לא על כולן, וזוהי מעלתו של משה בהיותו משולל יותר מיהושע (רבנו בחיי, שמות ג:ה).

Shoes symbolize attachment to the physical, material world. Moshe, the quintessence of the spiritual being, possessed the rare ability to "remove both shoes," to totally strip away the physical. When Yehoshua assumed the leadership and entered *Eretz Yisrael*, the exalted spiritual state unique to Moshe and the *dor ha-midbar* of Moshe was no longer a viable option. That former way of life was about to be redefined. The necessities of life would no longer be provided gratis, but instead the new order would be בְּזֵעַת אַפֶּיךָ תֹּאכַל לֶחֶם (*Bereishis* 3:19). These guidelines altered the mission and challenge of Jewish daily life. By removing one shoe, Yehoshua was demonstrating the new reality – how to have one foot solidly grounded and entrenched in the world of *gashmiyus*, while the other foot was detached and suspended in the world of *ruchniyus*. Yehoshua exemplified the constant striving to maintain balance between these two realms.

There is another reason Yehoshua concluded his agenda with the removal of his shoe. As noted earlier, Yehoshua intimated to the people that their present stay in *Eretz Yisrael* would not be permanent. But although the people would be exiled, ultimately a Final Redemption would come. When Yehoshua removed one shoe, he was planting the seed for the final *ge'ulah*. The following *pesukim* in *Megillas Rus* show the connection between removing shoes and the *ge'ulah*:

> וִיהִי בְשָׁכְבוֹ וְיָדַעַתְּ אֶת הַמָּקוֹם אֲשֶׁר יִשְׁכַּב שָׁם וּבָאת וְגִלִּית מַרְגְּלֹתָיו (ג:ד).
>
> אִם תִּגְאַל גְּאָל וְאִם לֹא יִגְאַל הַגִּידָה לִּי וְאֵדְעָ כִּי אֵין זוּלָתְךָ לִגְאוֹל וְאָנֹכִי אַחֲרֶיךָ וַיֹּאמֶר אָנֹכִי אֶגְאָל (ד:ד).
>
> גְּאַל לְךָ אַתָּה אֶת גְּאֻלָּתִי כִּי לֹא אוּכַל לִגְאֹל (ד:ו).
>
> וַיֹּאמֶר הַגֹּאֵל לְבֹעַז קְנֵה לָךְ וַיִּשְׁלֹף נַעֲלוֹ (ד:ח).

Naomi directs Rus to "uncover the feet" of Boaz in order to alert him that he has a mission to undertake. Boaz comprehends and immediately sets into motion the process to "redeem" the property of Elimelech. The transaction is consummated by the *go'el* removing his shoe (*kinyan chalifin*). The acquisition allows Boaz to perform *yibum* (an act of *ge'ulah*) and paves the way (*kovesh derech*) for the Final Redemption.

Finally, when one takes off one's shoes it means the journey is over and one can rest at last (*menuchah*). Thus, the agenda of Yehoshua concludes with the *nechamah*[63] of *bi'as go'el, Mashiach.*

## R. The Holiday of *Shavuos*

R. Nasan Sternhartz of Nemirov explains in his *Likkutei Halachos* that *chametz* and *matzah* correspond to animal and man. *Matzah* is far more spiritual and is associated with *dibbur. Chametz,* on the other hand, relates to the *behemah,* physical aspects of man, and the inability to speak:

> חג המצות נקרא "פסח" פה סח, כי אזי בתחלת התשובה עיקר התקון לזכות לדבור... ובפסח אוכלין מצה דיקא. כי חמץ ומצה הם בחינת

63. As noted above, the *ge'ulah* will come when the *galgal* of *galus* ceases to turn and comes to rest (*menuchah*). Changing around the letters of the word *menuchah* (מ־נ־ח־ה) yields *nechamah* (נ־ח־מ־ה).

בהמה ואדם, שחמץ בחינת אין לו פה, שעל זה מרמז החי"ת של חמץ, בחינת חית השדה, אבל מצה, שהיא בה"א, היא בחינת ה' מוצאות הפה. והכל תלוי בדעת, כי הדבור תלוי בדעת, כמובא, דהיינו האדם שיש לו דעת יש לו דבור ולהיפך בהמה (ליקוטי הלכות או"ח, הלכות ספירת העמר, הלכה א).

The *teshuvah* process of the *yemei ha-sefirah* commences with the bringing of the *omer ha-tenufah* from *se'orim*, barley. The *se'orim* relate to our *behemah* component, which is characterized by our lack of *dibbur*. The עומר תנופה (תנו פה) is intended to refine our *dibbur* and elevate us to the status of *adam* through our *yegi'ah* and *ameilus* on all of our *middos*. The *avodah* of the forty-nine days is the *avodah* of *Torah she-be'al peh*, and ultimately the union of the two *Toros*, as the *Sefer Or Ha-Me'ir* explains:

וזהו תנו פה, מלכות פה ותורה שבע"פ וכו', לחברה וליחדה עם תורה שבכתב, כמבואר למעלה שזהו עיקר מגמתינו להגיע לחג הקדוש, לזכות לחבר שתי תורות כנזכר, ואומר שבע שבתות תמימות תהיינה, להורות מאמרינו שדברנו עד הנה, שיהיה שלם בפרטי מדותיו בכלל ובפרט (אור המאיר, דרוש ספירת העומר).

On *Shavuos*, two loaves are brought to represent the *chibbur* of *Torah she-bichsav* and *Torah she-be'al peh*. The *yom tov* of *Shavuos* is a re-enactment of *ma'amad Har Sinai*. At that time *Bnei Yisrael* were raised to the status of *mal'achim* and reverted to the state of Adam *ha-Rishon* before the *cheit*, as the *Gemara* (*Shabbos* 146b) states:

בשעה שבא נחש על חוה הטיל בה זוהמא. ישראל שעמדו על הר סיני פסקה זוהמתן.

Paradoxically, this elevates us from the refinement of *dibbur*, which was just achieved during the *yemei ha-omer*, to a higher sphere, that of *shesikah*, silence. The *chametz* of the *shtei ha-lechem* thus represents not the inability to speak of the animals, but a silence higher than speech. The *Likkutei Halachos* sees the connotation of silence in the word *Atzeres*, another name for *Shavuos*:

וזה בחינת שבועות שאז זוכין לסתרי תורה, לבחינת כבוד אלקים הסתר דבר, בחינת מעשה מרכבה, כי אז נעשה בחינת כתר כנ"ל, ועל כן נקרא

עצרת בחינת עצור במלין, בחינת שתיקה שלמעלה מן הדיבור (ליקוטי הלכות או"ח, הלכות ספירת העמר, הלכה א).

There are two kinds of silence. There is *shesikah* that is a product of bewilderment, fear, and humiliation, whose outcome is a loss of words, as *Bereishis* 45:3 illustrates:

וַיֹּאמֶר יוֹסֵף אֶל אֶחָיו אֲנִי יוֹסֵף הַעוֹד אָבִי חָי וְלֹא יָכְלוּ אֶחָיו לַעֲנוֹת אֹתוֹ כִּי נִבְהֲלוּ מִפָּנָיו.
מלבים: כי נבהלו מפניו. בהלה הזאת היתה השתוממות וגם חרדה.

But there is another type of silence. An example of the second is Aharon's silence following the death of his sons Nadav and Avihu (*Vayikra* 10:3):

וַיֹּאמֶר מֹשֶׁה אֶל אַהֲרֹן הוּא אֲשֶׁר דִּבֶּר ה' לֵאמֹר בִּקְרֹבַי אֶקָּדֵשׁ וְעַל פְּנֵי כָל הָעָם אֶכָּבֵד וַיִּדֹּם אַהֲרֹן.

This is a *shesikah* that emanates from strength of character, fortitude of spirit, control of emotions and recognition of *kevod Hashem*, as described in *Pirkei Avos* 4:1:

אֵיזֶהוּ גִּבּוֹר, הַכּוֹבֵשׁ אֶת יִצְרוֹ, שֶׁנֶּאֱמַר (משלי טז:לב), טוֹב אֶרֶךְ אַפַּיִם מִגִּבּוֹר וּמֹשֵׁל בְּרוּחוֹ מִלֹּכֵד עִיר.

The *shesikah* of *Shavuos* (and Aharon) is the *shesikah* of the *gibbor.*

## s. The *Gibborei Ko'ach* of the Receivers of the Torah and of *Yesh*[64]

*Tehillim* 103:20 equates *gibborei ko'ach* with angels:

בָּרְכוּ ה' מַלְאָכָיו גִּבֹּרֵי כֹחַ עֹשֵׂי דְבָרוֹ לִשְׁמֹעַ בְּקוֹל דְּבָרוֹ.

---

64. The *Zohar Chadash* explains the significance of the *roshei teivos* of the word "*yesh*":

א"ר שמעון, להנחיל אוהבי י"ש, מאי יש. דא רזא דיובל ושמטה [ר"ת י"ש] דלא מסר יתהון קב"ה לשאר עמין, אלא לעמא קדישא. ובשעתא דישראל נטרין שתא דשמטה כדקא יאות, נשמתהון דצדיקיא משתעשען בגנתא דעדן, ואתהדרו חדתין. ועלייהו אתמר, וקוי ה' יחליפו כח (זהר חדש [מרגליות], דף מט ע"ב).

The *Gemara* (*Shabbos* 88a) notes that at *Har Sinai,* when *Bnei Yisrael* declared *"na'aseh ve-nishma,"* they were privy to the secret of the angels, who also intuitively placed *na'aseh* before *nishma*:

בשעה שהקדימו ישראל נעשה לנשמע, יצתה בת קול ואמרה להן, מי גילה לבני רז זה שמלאכי השרת משתמשין בו, דכתיב "ברכו ה' מלאכיו גבורי כח עושי דברו לשמוע בקול דברו", ברישא עושי והדר לשמוע.

The *Midrash Rabbah* gives an alternative explanation of *gibborei ko'ach,* namely, one who offers no protest and remains silent regarding the barren state of his fields during the yearlong *mitzvah* of *shemittah*:

"גבורי כח עושי דברו" במה הכתוב מדבר? א"ר יצחק בשומרי שביעית הכתוב מדבר, בנוהג שבעולם אדם עושה מצוה ליום א', לשבת אחת, לחודש א', שמא לשאר ימות השנה? ודין חמי [וזה רואה] חקליה ביירה [שדהו בור], כרמיה ביירה, ויהבי ארנונא ושתיק. יש לך גבור גדול מזה? וא"ת אינו מדבר בשומרי שביעית, נאמר כאן "עושי דברו", ונאמר להלן (דברים טו:ב) "וזה דבר השמיטה", מה דבר שנאמר להלן בשומרי שביעית הכתוב מדבר, אף דבר האמור כאן בשומרי שביעית הכתוב מדבר (ויקרא רבה, א:א).

The *Or Gedalyahu* elaborates on the *midrash* and emphasizes that the primary fulfillment of *shemittah* is the stoic silence of the farmer challenged to forfeit his fields to *hefker* for a full, long year. This silence is not the silence of resignation, but the silence of one who accepts *Hashem*'s will with equanimity. It is the silence of *gibborei ko'ach,* the silence of those who joyfully embrace the Torah:

ונראה מדברי המדרש כי עיקר נקודת השמיטה היא מה שרואה שדהו מופקרת ושותק. וע"כ דאין כוונת המדרש לאדם השותק בעל כרחו, כאיש שמקבל עליו הדין, דלזה לא היה המדרש קורא אותו גבור, אלא צ"ל דהשתיקה היא בהרגש של מנוחה, שאין המצב של שמיטה טורדהו כלל, וזהו שקורא המדרש גבור, שכובש את יצרו ואינו מדבר כלל, אין לו שום קושיא, כי באה השמיטה, שבת לה', שנה של מנוחה והשקט ובטח. "בשומרי שביעית הכתוב מדבר", שרואה שדהו בור ושותק, בבטחון גמור בה' שלא יחסר לו דבר, אדרבה, "וצויתי את ברכתי", בוטח הוא בהקב"ה שיביא ברכה בשדותיו כמו שכתוב בתורה.

במס׳ אבות תנן (א:יז) ״ולא מצאתי לגוף טוב משתיקה״, ופירש בשפ״א (פ׳ בהר תרס״ג) דהכוונה שהדבר הכי טוב לגוף שישתיק אותו, היינו שישתיק את רצונות הגוף ושיגביר כח הנשמה כמו שפירשו חז״ל (בזוה״ק הובא בשפ״א שם) את הפסוק (קהלת ט:י) ״כל אשר תמצא ידך לעשות בכחך עשה״ - ״דא נשמתא״ - היינו כח הנשמה, וזהו ״גיבורי כח״ שמגביר כח הנשמה לישב על הארץ לבטח ורואה שדהו מופקרת ושותק, בלי שום קושי וטרדא כלל.

מצות השמיטה היא הבטחון בהקב״ה שיהיה שותק ובוטח, ומשנה זו שכולה בטחון נוטל האדם את כח הבטחון לשאר השנים, שגם בשעה שעובד וקוצר ואוכל יהיה בוטח בה׳ הנותן לו כח לעשות חיל, ולא יתלה הצלחתו בכוחות שלו, ולתכלית זו ניתנה מצות שמיטה ללמד על מדת הבטחון אף בשאר השש שנים.

והנה הבאנו... את הפסוק ״גיבורי כח״ וכו׳ לענין בני ישראל שאמרו נעשה ונשמע בהר סיני, כי היה נצרך גבורה כדי שיקבלו התורה ויאמרו נעשה קודם לנשמע, ונראה... שדורש את שתי הדרשות מפסוק אחד, לענין שמיטה ולענין קבלת התורה, כי עיקר הגבורה של קבלת התורה היא שתיקה, אותו ענין של שתיקה שהיה אצל שומרי שביעית כמו שנתבאר לעיל, כמה גבורה צריך לראות את שדהו בור ושותק, כי כדי לקבל התורה בלב שלם, צריך להשתיק כל הרצונות האחרים ולמסור את עצמו כולו לקבלת התורה, וזה היה מצב בנ״י בהר סיני כשהקדימו נעשה לנשמע, שביטלו והשתיקו כל הרצונות ושעבדו עצמם לקבל את התורה (אור גדליהו, בהר, עמוד סח-סט).

This lesson of total submission to *retzon Hashem* that is extracted from *yesh* (*yovel-shemittah*) and *kabbalas ha-Torah* is analogous to the *mon/omer* message – to elevate the *yesh mi-yesh shel teva* to the *yesh me-ayin*. That is why we find numerical references to the numbers seven, forty-nine, and fifty, which parallel the characteristics of *shemittah* and *yovel*, in *parashas ha-omer*.

## T. "The Tree from which Adam *ha-Rishon* Ate Was Wheat"

The *Asufas Ma'arachos* notes a key difference between growing fruit and grain. Fruit trees require only planting and watering, and then bear their fruits annually with minimal labor on the grower's part. Grains, however, must be cultivated and processed, with extensive labor on man's part. Fruits represent *Hashem*'s generosity in directly providing man with *parnasah,* whereas grains reflect *parnasah* acquired through copious physical exertion. In *Gan Eden,* however, even grain was granted to Adam *ha-Rishon* without any effort on Adam's part, and in that sense, wheat was equivalent to "fruit":

> פירות האילן ותבואת השדה מגדירים שתי מצבי נפש שאדם עשוי להכלל בהם. עץ פרי, די בנטיעה והשקיה: הטורח בו מועט, והוא שב ונותן פירותיו שנה בשנה, והוא מבטא צורת חיים שבה מוגשים צרכינו החומריים מידו הרחבה והמלאה ללא טורח ועמל הכנה. בעוד התבואה, שם רבה המלאכה, ההכשרה וההכנה. סיקול האבנים, הפיכת העפר, החרישה והכרוך בה. וגם לאחר שנתבשלה ונתמרחה התבואה בכרי, אינה אלא חומר גולמי ודרושה מלאכה רבה כדי לתקנה ולהכשירה למאכל אדם. דישה, זריה ברירה, טחינה, לישה, וכדו'.
>
> ושתי הצורות הללו של מתנות הבורא הם בצביונם הפנימי שתי הגדרות בעבודה. ביסודו נברא האדם במצב בו היתה החומריות ערוגה ומזומנת לשרתו, ללא טורח ויגיעה, כדי שהאנרגיה הגופנית והנפשית האצורה בו תהא נרתמת ללא סייג לבניינו הרוחני. לפיכך היה אדם הראשון יושב בכבודו של עולם, ומלאכי השרת צולין לו בשר ומסננין לו יין, והוא שונה תורה מפי הגבורה. במצב דברים כזה, <u>גם החיטה היתה בחינת 'פרי'</u>, משום שמזונותיו כולם ניתנו לו מדגן שמים ללא עמל וטורח גשמי, וזהו פשר ענין החיטה שאכל אדם הראשון, כמו ששנו רבותינו, "עץ שאכל אדם הראשון חיטה היה".
>
> לאחר חטא עץ הדעת, נוצר ערבוב של טוב ברע, וניצוצות הקדושה שמתחילה היו במצב של גילוי ובירור, נתפזרו ונתערבו בכל פינות ההוויה החומרית, זקוקים לחשיפה וגילוי. חלק מעבודת החשיפה והגילוי של ניצוצי הקדושה, הוא בכח "בזיעת אפיך תאכל", <u>ע"י העמל והתקנת היסוד החומרי לעבודת הבורא</u> (אסופת מערכות, שבועות, עמוד קיד-קטו).

As stated earlier, the saga of man is inextricably intertwined with the story of "*lechem.*" The forty years that the *dor ha-midbar* sojourned in the desert qualitatively parallels the period that Adam *ha-Rishon* inhabited *Gan Eden*. Both were characterized by an existence where daily sustenance was Divinely provided – the *mon* to the *dor ha-midbar* and the *pri* to Adam *ha-Rishon.* Unfettered by the need to pursue physical necessities, the purpose of life was apparent and straightforward to both parties – to enhance *kevod shem shamayim.*

But like the *dor ha-midbar,* the "lifestyle" of Adam *ha-Rishon* was never meant to be everlasting. It was intended only to serve as the ideal, an aspirational model for posterity. What prompts the metamorphosis is the *cheit,* the (sinful) act of consuming the *pri.* The "*pri*" that Adam grasps in his hand is transformed into *chitah* the moment after he takes his first bite. This powerful idea is confirmed when noting the similarity between the words חטא and חטה. The *cheit* and the *chitah* are almost one and the same.

The moment of commission of the cardinal sin is where the "real" story of man begins. But the *chitah* and *lechem* contain not only the story of man's downfall, but deliver his salvation as well.[65] (As *Megillah* 13b states, אין הקדוש ברוך הוא מכה את ישראל אלא אם כן בורא להם רפואה תחילה.) Man's forfeiture of his נהמא דכיסופא opens the door for genuine reward for the *yegi'ah* and *ameilus,* בְּזֵעַת אַפֶּיךָ תֹּאכַל לֶחֶם. Man's defining role of enhancing *kevod shem shamayim* does not change, but his position has been dramatically altered. No longer ensconced *bifnim,* he now dwells *mi-ba-chutz;* removed from *Gan Eden,* man's goal is now to retrieve what he has lost. He clings to the memories of his former idyllic residence, pining to return. However, man is informed that the gates to Eden are closed to him (*Bereishis* 3:24): וַיְגָרֶשׁ אֶת הָאָדָם וַיַּשְׁכֵּן מִקֶּדֶם לְגַן עֵדֶן אֶת הַכְּרֻבִים וְאֵת לַהַט הַחֶרֶב הַמִּתְהַפֶּכֶת לִשְׁמֹר אֶת דֶּרֶךְ עֵץ הַחַיִּים.

Even so, there is a concealed back door. The entryway of בְּזֵעַת אַפֶּיךָ תֹּאכַל לֶחֶם has been left ajar as an alternative path to "דֶּרֶךְ עֵץ הַחַיִּים".[66]

The בְּזֵעַת אַפֶּיךָ תֹּאכַל לֶחֶם directive dictated to Adam parallels the mission statement of the fledgling Jewish nation. The stay in the

65. Since the word חטה can also be written with a *yud* (חיטה), it can be a hint to the concept of *kavod,* since the *gematria* of both כבוד and חיטה is 32.

66. It is important to note that the *lechem* in the *pasuk* בְּזֵעַת אַפֶּיךָ תֹּאכַל לֶחֶם also symbolizes Torah, as *Midrash Mishlei* (*parashah* 31) explains: ואין לחם אלא דברי תורה, שנאמר (משלי ט:ה) לכו לחמו בלחמי. The message is that the study of Torah allows man to enter *Gan Eden, derech eitz ha-chayim.*

*midbar* laid the foundation for the nation's lifework by providing, first, the educational framework (the Torah) and second, the cherished memory of the idyllic, "miraculous" lifestyle characterized by the *mon,* which serves as a model. (In every working environment, the existence of a model, the optimum state, is critical.) The real *avodah* begins with the cessation of the *mon* (נהמא דכיסופא), when the nation sets foot in *Eretz Yisrael.* The *korban ha-omer,* which was brought immediately upon the nation's arrival to *Eretz Yisrael,* confirms the realities of the new lifestyle, *yegi'ah* and *ameilus.* These new realities do not alter the job description but redefine the challenge – how can *kevod shem shamayim* (*yesh me-ayin*) be extracted from the *yesh mi-yesh shel teva*? The basis of the challenge is the difficulty in discerning the difference between *tov* and *ra* that resulted from *cheit Adam ha-Rishon*:

> ועץ הדעת טוב ורע, ודא ערבוביא דטוב ורע, מעורב ממצה ושאור (תיקוני זוהר, תיקון ל"ה).

The *cheit* caused a radical change in the moral chemistry of *tov va-ra.* Whereas *tov va-ra* had been previously clearly discernible, the defining lines became blurred. The *avodah* of the *omer* (part of the *teshuvah* process) is to restore the moral clarity of *tov va-ra,* which can even be seen in the letters of the word *"omer,"* according to the *Sefer Avodas Yisrael*:

> וכמאמר חז"ל (ברכות לד:) "במקום שבעלי תשובה עומדין אין צדיקים" כו', וכשהוא סר מרע נעשה מאותיות מר"ע צירוף עמ"ר, וזהו עמר התנופה (עבודת ישראל, יום שני של פסח).

The *ze'as apecha* of the *omer* is the *"onesh"* or *tikkun* for the sin of Adam *ha-Rishon* and seeks to re-establish the clear demarcation between *tov va-ra* that existed prior to the *cheit.*

The recurring theme of *lechem* and *beged* (see the end of section K, above) plays a prominent role in the story of Adam *ha-Rishon* as well. Prior to the *cheit,* the food source of Adam is the *pri* which is akin to the *mon,* but he is without clothing, *arum,* exposed (וַיִּהְיוּ שְׁנֵיהֶם עֲרוּמִּים; *Bereishis* 2:25). After the *cheit,* he is clothed (וַיַּעַשׂ ה' אֱלֹקִים לְאָדָם וּלְאִשְׁתּוֹ כָּתְנוֹת עוֹר וַיַּלְבִּשֵׁם; *Bereishis* 3:21), but his "free" food supply has been withdrawn. The *omer ha-tenufah* parallels this theme. The *mon,* which is representative of the state of Adam before the *cheit,* is replaced by the *omer.* If you are *mehapech* (*tenufah*) the letters ע־ו־מ־ר the result is ע־ר־ו־ם. The objective of the *avodas lechem ha-tenufah* unique to *Shavuos* is to recapture the exalted spiritual state of Adam before the sin (*arum*), when he was not weighed down by all the *chomriyus.*

The *Asufas Ma'arachos* discusses the unique status of the *lechem ha-panim* and *bigdei kehunah,* which represent an elevation of the *gashmiyus* of *lechem* and *beged*:

> 'לחם' ו'שמלה' הם מושגים חומריים, המגדירים ומבליטים לפנינו את הרעיון הטמון בחיבור העולמות. 'לחם' הוא התגלמות החומר. מוצאו וגסותו יונקים מן העפר, המסמל את גסות החומר. ואותו הלחם עצמו כשהונף לשם מקדש ה', נתקדש ולבש מציאות רוחנית חדשה. וכן איתא בגמ' (חגיגה כו:): "לחם הפנים, כסידורו כך סילוקו", שהיה הלחם חם בשעת סילוקו, כביום סידורו על השולחן, שלא נתקרר ולא נתעפש. כי בבית המקדש גבר בו היסוד הרוחני שנחשף, ומהות רוחנית אינה מושפעת משינויי זמן ואורחות של טבע.
>
> וה'בגד' כמו ה'לחם' מבטא גם הוא מצב גשמי מהותי. בגד מבטא עטיפה חיצונית. הבגד בצורתו הגשמית, הוא כמין מסיכה העוטה את המהות הפנימית האמיתית. ואותו בגד עצמו שהוא מתייחד ל'בגדי כהונה', הופך ונעשה עצם מעצמיו של מעשה העבודה. וכמו בכל חלקי העבודה, גם העבודה ללא 'בגדים' פסולה. להורות לך, שהסמל הגשמי לחיצוניות ועטיפה, כשהוא מתקדש ומשרת במקדש ה', צופן בתוכו פנימיות והוויה רוחניים ספוגים בתוכן ומשמעות (אסופת מערכות, פורים, עמוד רסג-רסד).

The *Mishnah* in *Rosh Ha-Shanah* states that the world is judged four times a year, including on *Shavuos,* when there is judgment regarding the fruits of the tree:

> בארבעה פרקים העולם נידון בפסח על התבואה בעצרת על פירות האילן בראש השנה כל באי עולם עוברין לפניו כבני מרון שנאמר היוצר יחד לבם המבין אל כל מעשיהם ובחג נידונין על המים (ראש השנה טז.)

The *Gemara* explains that the *shtei ha-lechem* are brought on *Shavuos,* the period when the trees bear fruit, in order that the fruit be blessed through this *korban*:

א"ר יהודה משום ר"ע...ומפני מה אמרה תורה הביאו שתי הלחם בעצרת, מפני שעצרת זמן פירות האילן הוא. אמר הקדוש ברוך הוא, הביאו לפני שתי הלחם בעצרת כדי שיתברכו לכם פירות האילן (ראש השנה טז.).

Seemingly, the Gemara is difficult to understand – how do the *shtei ha-lechem,* two loaves of bread, relate to the fruits of the tree? Rashi explains that the *shtei ha-lechem* are considered fruit of the tree, following the opinion of R. Yehudah in *Maseches Sanhedrin,* that the *pri,* the fruit of the *etz ha-da'as* eaten by Adam, was actually wheat:

ואני שמעתי דרבי יהודה לטעמיה, דהא אזלא כמאן דאמר בסנהדרין (ע:) עץ שאכל אדם הראשון חטה היתה (רש"י, ראש השנה טז. ד"ה שתי הלחם).

The *Asufas Ma'arachos* asks: if the focus of *Shavuos* is the fruit of the tree, the *korban* should be from the fruit of the tree, not from wheat. In fact, the connection between the *etz ha-da'as* and *Shavuos* is even more tenuous:

ותמוה מאד דכיוון שעצרת יום דין הוא לפירות האילן, הו"ל להקריב קרבן המורכב מפירות האילן, כשם שבפסח נידונים על התבואה קרבנו עומר העשוי מתבואה, ומדוע קרבין שתי הלחם הבאים מהחיטין. וברש"י כתב ואני שמעתי דרבי יהודה לטעמיה דהא אזלא כמאן דאמר בסנהדרין עץ שאכל אדה"ר חיטה היתה. וכאן מתעצמת התמיהה, וכי קרבין היום שתי הלחם כדי שיתברכו עצי פרי שבימי אדם הראשון? והרי היום שוב אין החיטה פרי אלא תבואה (אסופת מערכות, פסח-שבועות, עמוד קיג).

It is also critical to understand why *Chazal* disregarded the simple meaning of the *pasuk* describing the sin of the *etz ha-da'as* (*Bereishis* 3:6): וַתִּקַּח מִפִּרְיוֹ וַתֹּאכַל וַתִּתֵּן גַּם לְאִישָׁהּ עִמָּהּ וַיֹּאכַל, which clearly states that a *pri* was eaten by Adam and Chava, and instead substituted *chitah* for *pri.*

The *Asufas Ma'arachos* explains that *Shavuos,* when the "*peiros*" are judged, is actually the moment when the fate of all material commodities in the world is decided. Our fervent plea on *Shavuos* is that all of the produce of the world should be elevated to the status of *pri.*

The *shtei ha-lechem* is brought from the grain tainted by the *cheit* of Adam *ha-Rishon*. This sin incurred the need for זֵעַת אַפֶּיךָ to achieve the end product of bread. Our passionate prayer is that all of man's *parnasah* be transformed into a "*pri*" once again, obtained effortlessly and directly from *Hashem*:

> כאן גנוזה תפיסת ה'דין' על פירי האילן, שרבותינו העניקו לה משמעות מפליגה. למשנ"ת, זהו יום דינה של הבריאה החומרית, יעודיה ודרכי שימושה. אנו מבקשין בעצרת, שהבריאה כולה - פירותיה, תבואתה וכל קניניה הגשמיים - תיכנס לכלל מצב של 'פרי'. זהו מצב בו הבריאה משעבדת את חומריותה, ורותמת את כליה ליעוד, לעמוד ולשרת את האדם השלם. לפיכך אומר הקב"ה: "הביאו לפני שתי הלחם בעצרת כדי שיתברכו לכם פירות האילן". הביאו לפני אותן פירות של תבואה שנתקללו לאחר החטא, והם מסמלים במצבם את פחיתות הקומה של האדם ומשמשיו. ע"י הבאת הלחמים העשויין חיטים, תעלה התבואה לדרגה של 'פרי' (אסופת מערכות, שבועות, עמוד קטז-קיז).

### U. *Shavuos* and *Malchus Beis David*

Many customs of *Shavuos* fittingly pertain to David *ha-Melech*, as *Shavuos* is David's *yahrzeit*. The *Sefer Ha-Toda'ah* discusses several customs both in *chutz la-aretz* and in *Eretz Yisrael*:

> יום טוב של שבועות, יום זכרון של דוד מלכנו הוא. על כן נהגו בחוץ לארץ להתאסף בבתי הכנסת ביום טוב שני של שבועות, שהוא יום סילוקו של דוד מן העולם... ומשלימים בציבור כל ספר תהלים ומדליקים נרות הרבה. ויש קהילות שמדליקים ביום זה מאה וחמשים נרות כמנין המזמורים שבספר תהלים. ובירושלים עיר הקודש נהגו ללכת ביום זה למקום המקובל כקברי בית דוד, להזכיר זכותו של דוד וצדקותיו אשר עשה, ואשר עתיד לעשות עם ישראל, עד יבוא לציון גואל במהרה בימינו, אמן (ספר התודעה, פרק כט).

Because of its relation to David, one of the themes of *Shavuos* is *malchus*. What are the prerequisites for *malchus*? The *Midrash Rabbah* explains that true *malchus* is crowning *Hashem* as king over oneself, submitting the *yetzer ha-ra* to the *yetzer ha-tov*, and thereby attaining *yir'as Hashem*.

שאמר הכתוב (משלי כד:כא) ירא את ה׳ בני ומלך, מהו ומלך? המליכהו עליך. דבר אחר, ומלך, המלך יצר טוב על יצר הרע שנקרא מלך שנא׳ (קהלת ט:יד) ובא אליה מלך גדול וסבב... וכל מי שהוא ירא מן הקב״ה סופו ליעשות מלך (במדבר רבה טו:יד).

The *Asufas Ma'arachos* emphasizes that the first step of *malchus* is placing the authority of *Hashem* over one's physical body, desires, thoughts and ambitions:

השלב הראשון הוא המלכת הבורא על עצמו: על רמ״ח אברי התאווה, הדעות והמדות, הרצונות והשאיפות. ו״מלכות״ משמעה לא להותיר בכל המערכת האנושית שום רצון ונטיית נפש שאינן רצונו יתברך. ואל המלכות הזו א״א להגיע ללא המלכת יצר טוב על יצר רע. השלב הבא, הנובע מכח המלכויות הללו וניזון מהם, הוא המלכות העצמית: ״כל מי שהוא ירא מן הקב״ה סופו להעשות מלך״ (אסופת מערכות, שבועות, עמוד קפו).

The first qualification listed by the *Asufas Ma'arachos* is *hamlachas ha-Borei al atzmo*. He then proceeds to define that trait in terms that are almost identical to the *gibborei ko'ach* of *shomrei shevi'is* and *mekabbelei Torah* – the capacity to totally submit oneself to *retzon ha-Borei*, as the *Or Gedalyahu* (quoted above, section s) explains:

כאיש שמקבל עליו הדין... שכובש את יצרו ואינו מדבר כלל, אין לו שום קושיא. בבטחון גמור בה׳ שלא יחסר לו דבר... היינו שישתיק את רצונות הגוף ושיגביר כח הנשמה (אור גדליהו, בהר, עמוד סח-סט).

The ability to demonstrate *hamlachas ha-Borei al atzmo* is the common denominator that binds the *mon* and the *omer*. By combining two teachings of the *Sefas Emes*, we can gain a deeper understanding of the process by which the *mon* and the *omer* lead to *hamlachas ha-Borei*:

אכן המן הי׳ בחי׳ לחם מן השמים, ונראה שהוא סועד המוח, והוא היפך מזון הגשמיי שבא דרך כבד ולב אל המוח, והמן אדרבא סועד המוח ונמשך ממוח ללב ולכבד מלמעלה למטה (שפת אמת, עקב, שנת תרנ״ב).

כי הנה הקב״ה ברא יש מאין, והצדיקים יש להם לברר זאת ולהחזיר היש לאין, וזה רמז העומר, לבטל היש לאין, וזה הרמז במדרש שהקב״ה

נתן לכל א׳ עמר מן, ובנ״י מעלין עמר א׳, והוא שהמן היה מאכל רוחני שמלאכי השרת אוכלין אותו, והקב״ה צמצם אותו שיתלבש בגשמיות, והוא יש מאין, ובנ״י מעלין העמ״ר גימטריא י״ש אל האין (שפת אמת, הגדה של פסח, עמוד שכא).

The *Sefas Emes* states that *malchus* is established when conduct is dictated by the following thought process (**מוח, לב, כבד** (**מלך**. The objective is to unite the *yesh mi-yesh shel teva* (*omer*) with the *yesh me-ayin* (*mon*), to be connect the *elyonim* with the *tachtonim*.[67]

The *Shem Mi-Shmuel* defines the *melech* as the unique person capable of uniting his subjects. All aspects of the *melech* must be in spiritual harmony, which allows the *melech* to properly serve *Hashem*. This, in turn, enables the nation to follow suit and to unite in the service of *Hashem*:

וכך יש לומר בענין מלך ישראל, כי מלך הוא המחבר את העם ונקרא מטעם זה בלשון עוצר,[68] כמ״ש (שמ״א ט:יז) "זה יעצור בעמי", שפירש״י שלא יתפזרו. וכנראה כי מלך ר״ת מוח לב כבד, שהם משכן נפש רוח ונשמה,[69] ובמה שהוא מאחד את נפשו רוחו ונשמתו להש״י בזה עצמו מביא ג״כ בלב ישראל להתאחד בכלל ובפרט שיהיו לאחדים בידו, כי המלך לבו לב כל קהל ישראל כמ״ש הרמב״ם (פ״ג מהל׳

67. This idea is also included in the concept of י־ה discussed above, as the *Asufas Ma'arachos* explains:

צירוף היו״ד עם הה״א, מרמז איפוא על סוד חיבור העולמות. הוא מבטא את הרז הטמיר של שילוב שמים בארץ, והפיכת הקרקע המגושמת שתחת רגלנו, לשמש מדור לשכינה. שם זה, מפרה איפוא את האדמה, ומסוגל להשריש בה גופה את דבר ה׳ (אסופת מערכות, במדבר, עמוד קסג).

68. The same idea is found in regard to the *omer*. As the *Shem Mi-Shmuel* writes:

וזהו לשון עומר שהוא לשון קיבוץ וקישור כמו עומרי תבואה (שם משמואל, פרשת ויקרא, שנת תרע״ו).

69. The full *pasuk* about *gibborei ko'ach* is *Tehillim* 103:20: בָּרְכוּ ה׳ מַלְאָכָיו גִּבֹּרֵי כֹחַ עֹשֵׂי דְבָרוֹ לִשְׁמֹעַ בְּקוֹל דְּבָרוֹ. The *pasuk* equates *mal'achim* and *gibborei ko'ach* because both of them fulfill the *retzon ha-Borei*. From our discussion here, it emerges that a *gibbor ko'ach* is someone who possesses mastery over **מוח, לב, כבד**, who is therefore called a מלך.

מלכים ה"ו), וזה מביא התאחדות עליונים ותחתונים (שם משמואל, פרשת ויקרא, שנת תרע"ה).

The amalgamation *yesh* (310) of *yesh mi-yesh shel teva* (*tachtonim*) together with the *yesh* of *yesh me-ayin* (*elyonim*) creates *keser malchus* (the *gematria* of כתר is 620). The *keser malchus* is the acknowledgement that *Hashem* has dominion over *elyonim* and *tachtonim*.[70]

*Iyyov* 11:6 states:

וְיַגֶּד לְךָ תַּעֲלֻמוֹת חָכְמָה כִּי כִפְלַיִם לְתוּשִׁיָּה וְדַע כִּי יַשֶּׁה לְךָ אֱלוֹקַ מֵעֲוֺנֶךָ.

In his commentary on *Iyov,* the Ramban explains that all the "*yesh*" in the world has two aspects, the hidden and the revealed:

כי כפלים לתושיה. כי כל היש הנראה בעולם כפול, ובו חכמה נגלית וחכמה נעלמת, כלומר כי השגחת הא-ל בנבראים טובה בנראה ובנעלם, כי נראה הנהגתו טובה בעולם ונודע כי הוא יותר טובה מאשר דעתינו משגת (רמב"ן, איוב יא:ו).

Another integral prerequisite for *malchus* is the capability for *teshuvah,* which is closely associated with Yehudah, the progenitor of the *malchus,* as the *Tzror Ha-Mor* illustrates:

וזהו וירד יהודה מאת אחיו, לעשות תשובה שלימה ולהודות על חטאתו. כי יהודה שמו והודאה עמו, כמאמר אמו "הפעם אודה את ה'" (בראשית כט:לה), וכמאמר אביו "יהודה אתה יודוך אחיך" (בראשית מט:ח)... ולפי שהודה על חטאתו וירד מעצמו מגדולתו, מדד לו השם מדה כנגד מדה...ואולי כל אחד מהשבטים היה מתנשא לאמר אני אמלוך, עד ששאלו (שופטים א:א-ב) "מי יעלה לנו בתחלה... ויאמר

70. The idea that *keser* (620) encompasses the *yesh* (310) plus *yesh* (310) is widespread. See, for example, R. Yitzchak Isaac Chaver's *Or Torah,* which connects the 620 of *keser* with the 620 letters of the *Aseres Ha-Dibros* and the 620 of the *taryag mitzvos* added to the seven *mitzvos de-Rabbanan*:

והוא מעטר בכתר מלכות, והם תר"ך אותיות שביו"ד הדברות שבהם כלל כל התורה, וידוע שיש תר"ך עמודי אור, שכלם מוכנים למי שדבוק בתורה, בעד תר"ך מצות עם ז' דרבנן. ועל זה נאמר בדבריהם ז"ל בפרק קמא דמגילה (מגילה טו:), עתיד הקדוש ברוך הוא להיות עטרה בראש כל צדיק וצדיק (אור תורה, אות מג).

ה׳ יהודה יעלה״. כלומר למה אתם מסופקים בדבר הברור. כי אחר שיהודה עשה הודאה והוא בעל הודאה וירד עצמו מגדולתו, כדכתיב וירד יהודה מאת אחיו, ראויה לו העלייה מדה כנגד מדה, ולכן יהודה יעלה (צרור המור, בראשית לח:א).

David *ha-Melech*, the first monarch from *shevet Yehudah*, continues his ancestor's legacy of *teshuvah*. The *Gemara* in *Avodah Zarah* explains that David *ha-Melech* is the model for *teshuvah* of the individual:

משום רבי שמעון בן יוחאי לא דוד ראוי לאותו מעשה... אלא למה עשו לומר לך שאם חטא יחיד אומרים לו כלך אצל יחיד... מאי דכתיב נאם דוד בן ישי ונאם הגבר הוקם על, נאם דוד בן ישי שהקים עולה של תשובה (עבודה זרה ד:־ה.).

What is *teshuvah*? It is the opportunity to return (*la-shuv*). Regardless of how far one has strayed or to what extreme one has gone, there exists the possibility to "return" to the Source. David was instrumental in paving the way of *teshuvah*, as the Maharal explains:

ויש לך להבין איך דוד היה מוכן אל התשובה, לכך אמר שהקים עולה של תשובה, שלא היה התשובה נמצאת בדוד במקרה... וזה כי בעל התשובה הוא חוזר אל התחלתו הראשונה הוא הש״י כי הוא ית׳ התחלת הכל ולכך הש״י מקבל שבים מצד כי הכל ראוי לשוב אל דבר שהוא התחלה לו ומפני כך יש כאן סלוק חטא, כי כאשר שב הדבר אל התחלתו האדם בעצמו שב אל התחלתו כמו שהיא בלא חטא ועון כמו שהיה האדם בתחלת בריאתו ולכך יש כאן סלוק עון. ולפיכך ראוי אותם שהיו ראשונים והתחלה כמו שהיו ישראל שיצאו ממצרים ודוד המלך שהם התחלה בעצמם הם ראשונים לשוב אל התחלתם כמו שהם התחלה לשוב, כי ההתחלה של דבר ראשון לשוב אל הדבר שהוא התחלה שלו (נתיבות עולם, נתיב התשובה, פרק ד).

The capacity to return to man's pristine state, "כמו שהיה בתחלת בריאותו", with a clean slate, defines the very essence of David *ha-Melech* and his mission to bring *Mashiach*.

The *Midrash Rabbah* explains that David was given his seventy years of life by Adam *ha-Rishon*:

ד״א כנגד ע׳ שנה שחיסר אדם משנותיו ונתן לדוד בן ישי, לפי שראוי היה לחיות אלף שנים שנאמר (בראשית ב:יז) כי ביום אכלך ממנו מות

תמות ויומו של הקב"ה אלף שנים שנא' (תהלים צ:ד) כי אלף שנים בעיניך כיום אתמול כי יעבור ואשמורה בלילה (במדבר רבה, יד:יא).

Based on this, we can explain the *pasuk* in *Tehillim*: אָחוֹר וָקֶדֶם צַרְתָּנִי וַתָּשֶׁת עָלַי כַּפֶּכָה (139:5). David *ha-Melech* is relating that he was formed by the same hand which formed Adam *ha-Rishon*, יציר כפיו של הקב"ה. This is the meaning of וַתָּשֶׁת עָלַי כַּפֶּכָה. In addition, David was "formed" ("צַרְתָּנִי") by removing the last seventy years ("אָחוֹר") from the life of Adam *ha-Rishon*, which were placed at the beginning ("קֶדֶם") of David's life.

David's entire life, from beginning to end, is the completion of the last seventy years of the life of Adam *ha-Rishon*. Likewise, the ultimate "completion" is accomplished through *Mashiach*, the closing and final chapter of mankind that was begun by Adam *ha-Rishon*.

The purpose of *Mashiach* is to obliterate the זוהמא of the *nachash*,[71] to recreate the state of being of Adam before the sin, and bring creation full circle.

The אָחוֹר וָקֶדֶם צַרְתָּנִי וַתָּשֶׁת עָלַי כַּפֶּכָה is evident in the name of David ben Yishai: ד־ו־ד and י־ש־י are palindromes, which means they can be read forwards and backwards – אָחוֹר וָקֶדֶם צַרְתָּנִי. In addition, ישי is an abridgement of יש שי,[72] which is יש forwards and backwards (אָחוֹר וָקֶדֶם צַרְתָּנִי). The forward *yesh* stands for the "straightforward" process of *yesh me-ayin*, while the backwards *yesh* represents the retrospective achievement of *teshuvah*.[73] Together (310+310) they form the כתר (620), the *chibbur elyonim ve-tachtonim*, which affirms *hamlachas ha-Borei* (וַתָּשֶׁת עָלַי כַּפֶּכָה).

In the life of David *ha-Melech*, which was the completion of the life of Adam *ha-Rishon*, the two themes of *lechem* and *beged* are present and dominant as well.

---

71. The *Sefas Emes* notes that *Mashiach* has the same *gematria* as *nachash*, indicating that *Mashiach* will be a *tikkun* for the sin of the *nachash*:

משיח גי' נחש שאז יתוקן קלקול הנחש (שפת אמת, בראשית, חנוכה, שנת תרנ"ד).

72. I heard this in the name of *Ha-Gaon* Rav Moshe Shapiro, *zt"l*.

73. The word "*achor*" comes before the word "*kedem*" in the *pasuk*, indicating that David *ha-Melech*'s role was to demonstrate *teshuvah, derech ha-achor*.

Our first introduction to David *ha-Melech* as the prospective new king is *Shmuel* I 16:1:

וַיֹּאמֶר ה׳ אֶל שְׁמוּאֵל עַד מָתַי אַתָּה מִתְאַבֵּל אֶל שָׁאוּל וַאֲנִי מְאַסְתִּיו מִמְּלֹךְ עַל יִשְׂרָאֵל מַלֵּא קַרְנְךָ שֶׁמֶן וְלֵךְ אֶשְׁלָחֲךָ אֶל יִשַׁי בֵּית הַלַּחְמִי כִּי רָאִיתִי בְּבָנָיו לִי מֶלֶךְ.

David is not identified by name; instead, Shmuel is instructed only to go to "Yishai from *Beis* Lechem."

One of the last acts David *ha-Melech* performs in his role as king is the purchase of the *goren* (the threshing floor), the future site of the *Beis Ha-Mikdash,* from Aravnah (*Shmuel* II 24:24): וַיִּקֶן דָּוִד אֶת הַגֹּרֶן וְאֶת הַבָּקָר בְּכֶסֶף שְׁקָלִים חֲמִשִּׁים. It is significant that the site of the *Beis Ha-Mikdash* is a *goren,* a place where wheat is processed.

There are also several key references to *beged* in David *ha-Melech*'s life:

When Shaul, David's precedessor, is told by Shmuel *ha-Navi* that he will no longer be king, a *beged* (specifically, a *me'il*) is torn (*Shmuel* I 15:27–28):

וַיִּסֹּב שְׁמוּאֵל לָלֶכֶת וַיַּחֲזֵק בִּכְנַף מְעִילוֹ וַיִּקָּרַע.
וַיֹּאמֶר אֵלָיו שְׁמוּאֵל קָרַע ה׳ אֶת מַמְלְכוּת יִשְׂרָאֵל מֵעָלֶיךָ הַיּוֹם וּנְתָנָהּ לְרֵעֲךָ הַטּוֹב מִמֶּךָּ.

The sobering words of Shmuel hit Shaul with full impact when Shaul becomes aware that David has "innocently" cut the *kenaf* of his (Shaul's) *me'il* (*Shmuel* I 24:5, 12, 21):

(ה) וַיָּקָם דָּוִד וַיִּכְרֹת אֶת כְּנַף הַמְּעִיל אֲשֶׁר לְשָׁאוּל בַּלָּט.
(יב) וְאָבִי רְאֵה גַּם רְאֵה אֶת כְּנַף מְעִילְךָ בְּיָדִי כִּי בְּכָרְתִי אֶת כְּנַף מְעִילְךָ וְלֹא הֲרַגְתִּיךָ דַּע וּרְאֵה כִּי אֵין בְּיָדִי רָעָה וָפֶשַׁע וְלֹא חָטָאתִי לָךְ וְאַתָּה צֹדֶה אֶת נַפְשִׁי לְקַחְתָּהּ.
(כא) וְעַתָּה הִנֵּה יָדַעְתִּי כִּי מָלֹךְ תִּמְלוֹךְ וְקָמָה בְּיָדְךָ מַמְלֶכֶת יִשְׂרָאֵל.

Toward the end of David *ha-Melech*'s life, *beged* reappears (*Melachim* I 1:1):

וְהַמֶּלֶךְ דָּוִד זָקֵן בָּא בַּיָּמִים וַיְכַסֻּהוּ בַּבְּגָדִים וְלֹא יִחַם לוֹ.

The *Chasam Sofer* explains the significance of the fact that *begadim* could not warm David:

והנה ידענו כי דוד ע"ה חרד מאוד ליגע במשיח ה', אך חשב כי אין קדושה בבגדי הצדיק כי הם רק נרתיק לקנקן לכן כנ"ף מעי"ל גמטרי' קנק"ן, אך באמת קיי"ל מצילין תיק הספר עם הספר, לכן לא חממוהו בגדיו כי אין החמימות בבגדי הצדיק גשמיות עפ"י טבע כמו שאינו נהנה ממאכליו כ"א משפע עליון השופע עליהם, כמו שהעיד רבינו הקדוש על עצמו שלא נהנה מעוה"ז אפי' באצבע קטנה [כתובות קד.] כי כל חיותו היה מעין עוה"ב, כן הוא התועלת בבגדו הרוחניות, וכאשר דוד לא חשב כן ע"כ לא חממוהו הבגדים וק"ל (חתם סופר, בראשית כה:ו).

## v. *Leket, Pe'ah,* and Rus

Although the *mitzvos* of *leket* and *pe'ah* are initially discussed in *Parashas Kedoshim* (*Vayikra* 19:9), the identical *mitzvos* are surprisingly repeated within *parashas ha-mo'adim, Parashas Emor* (*Vayikra* 23:22). To the *Sifra,* the repetition of the *mitzvos* of *leket* and *pe'ah* and their insertion in the middle of *parashas ha-mo'adim* in *Sefer Vayikra* is to underscore the significance of one's continuous social obligation to the needy and to the *kohanei Hashem*. These acts of *chesed* are equated with the sanctity of the *korbanos.*

ובקוצרכם את קציר ארצכם לא תכלה פאת שדך בקוצרך ולקט קצירך לא תלקט, אמר רבי אוורדימס ברבי יוסי וכי מה ראה הכתוב ליתנה באמצע הרגלים פסח ועצרת מיכן וראש השנה ויום הכיפורים מיכן, אלא ללמד שכל מי שהוא מוציא לקט שכחה ופיאה ומעשר עני מעלים עליו כאילו בית המקדש קיים והוא מקריב קרבנותיו לתוכו, וכל מי שאינו מוציא לקט שכחה ופיאה ומעשר עני מעלים עליו כאילו בית המקדש קיים ואינו מקרב קרבנותיו לתוכו (ספרא אמור פרשה י).

The Malbim explains further:

מפני שאחת מן כוונות ותועליות הרגלים והחגים היה לפרנס כהני ה' והעניים ששתי אלה סמוכים על שולחנו של מקום לפרנס. כמ"ש תמיד אתה והלוי והגר והיתום וכו'. אמר שגם אחר הרגל מצוה עליך לפרנס

העניים ממתנות הקציר. וזה במעלה אחת עם קרבנות ה׳ ברגל שמהם יתפרנסו הכהנים כמ״ש אישי ה׳ ונחלתו יאכלון, וזה נוהג כל השנה וגם כשהמקדש חרב. ומי שאינו מוציא חלק העניים דומה כאילו מונע מלהקריב קרבנותיו בבית הבחירה (מלבי״ם, ויקרא כג:כב).

*Chesed* was chiseled into our national character by Avraham *Avinu*, the progenitor of the Jewish faith. The *Midrash Tanchuma* describes Avraham's *chesed* to his fellow man not merely as an end in itself, but also as a stepping stone to bring about the greater awareness of the *chesed* of *Hashem*:

לאחר שהיה מאכילן ומשקן היו מברכין אותו, ואמר להם לי אתם מברכין? ברכו לבעל הבית שנותן לכל הבריות אוכל ומשקה ונותן בהם רוח. והיו אומרים לו היכן הוא, אמר להם שליט בשמים ובארץ, וממית ומחיה, מוחץ ורופא, צר את העובר במעי אמו ומוציאו לאויר עולם, מגדל צמחים ואילנות, מוריד שאול ויעל. כיון שהיו שומעין כך היו שואלין כיצד נברך אותו, ומחזיקין לו לטובה? היה אומר להם אמרו ברוך ה׳ המבורך לעולם ועד, ברוך נותן לחם ומזון לכל בשר, והיה מלמדם ברכות וצדקות. הוא שאמר הכתוב ואת הנפש אשר עשו בחרן (מדרש תנחומא, לך לך, פרק יב).

Note that Avraham's *"eshel"* consisted of *achilah, shesiyah,* and *linah,* with the objective of cultivating *emunah* and *bitachon* in *Hashem,* just as in the *midbar, Hashem* provided us with the *mon* (*achilah*), the *be'er* (*shesiyah*), and the *ananei ha-kavod* (*linah*), with the same objective of creating awareness for the source of our sustenance.

The seeds of *chesed* planted by Avraham are further rooted by his grandson, Yaakov:

אמר רב נחמן, כתיב (בראשית מו:א) ״ויסע ישראל וכל אשר לו ויבא בארה שבע״, להיכן הלך? הלך לקוץ ארזים שנטע אברהם אבינו בבאר שבע שנא׳ (בראשית כא:לג) ״ויטע אשל בבאר שבע״. אמר רבי לוי, כתיב (שמות כו:כח) ״והבריח התיכון בתוך הקרשים הבריח שלשים ושתים אמה היה״.[74] ומהיכן היתה נמצאת בידם לשעה? מלמד שהיו מוצנעים עמהם מימות יעקב אבינו (שיר השירים רבה א:נו).

74. The thirty-two *amos* of the *beriach ha-tichon* have same *gematria* as לב. The *lev,* the *beriach ha-tichon* of the *Mishkan,* is the *chesed* that Avraham planted.

The *chesed* originally planted by Avraham forms the *beriach ha-tichon,* the central pillar, which is the main support of the *Mishkan/Beis Ha-Mikdash,* the place where the *korbanos* were brought. This explains the connection between *chesed* and *korbanos* suggested by the *Sifra,* cited above at the beginning of this section.

The critical role that *chesed* plays in Jewish life can be further seen from the fact that admission to the Jewish faith is eternally denied to the nations of Ammon and Moav because of an historical incident where they displayed a gross lack of *chesed.* Despite coming from a background which should have compelled them to be sensitive to the plight of the Jews, they acted callously and cold-heartedly (*Devarim* 23:4–5):

> לֹא יָבֹא עַמּוֹנִי וּמוֹאָבִי בִּקְהַל ה׳ גַּם דּוֹר עֲשִׂירִי לֹא יָבֹא לָהֶם בִּקְהַל ה׳ עַד עוֹלָם.
>
> עַל דְּבַר אֲשֶׁר לֹא קִדְּמוּ אֶתְכֶם בַּלֶּחֶם וּבַמַּיִם בַּדֶּרֶךְ בְּצֵאתְכֶם מִמִּצְרָיִם...

The Abarbanel explains that Ammon and Moav were especially obligated to act with *chesed* to *Bnei Yisrael,* since Avraham had done so much *chesed* to their ancestor Lot:

> ולפי שעמון ומואב היו בני לוט, שקבל חסד רב מאברהם אשר הצילו מהחרב ומהשבי, ובזכותו נמלט ממהפכת סדום ועמורה, היו הם חייבים לעשות עם ישראל, והם עשו בהפך, ולכן היה ראוי שיהיה ענשם רב ועצום... כי כמו שהם לא קדמו אתכם בלחם ובמים, ככה לא תקדמו אותם לתת להם אשה מבנות ישראל. לפי שבעלי הטבע הנשחת והתכונה הנשחתת והנפסדת אשר כזה, אין ראוי שיהיו כלאים עם הזרע אשר ברך ה׳ (אברבנאל, דברים, כג:ב-ט).

Although *chesed* became the lifeblood of the Jewish nation, as inculcated by Avraham, we confront a historical moment when the nation begins to severely hemorrhage its *chesed* character, placing it in grave danger (*Rus* 1:1):

> וַיְהִי בִּימֵי שְׁפֹט הַשֹּׁפְטִים וַיְהִי רָעָב בָּאָרֶץ וַיֵּלֶךְ אִישׁ מִבֵּית לֶחֶם יְהוּדָה לָגוּר בִּשְׂדֵי מוֹאָב הוּא וְאִשְׁתּוֹ וּשְׁנֵי בָנָיו.

Rashi explains that Elimelech abandoned his community because of "*tzarus ha-ayin,*" his unwillingness to share his good fortune with others:

וילך איש - עשיר גדול היה ופרנס הדור ויצא מארץ ישראל לחוצה לארץ מפני צרות העין, שהיתה עינו צרה בעניים הבאים לדוחקו, לכך נענש.

Rashi is based on *Rus Rabbah,* which describes Elimelech as a leader and patron of his generation, who chose to ignore those ravaged by the famine who turned to him for help:

אלימלך היה מגדולי המדינה ומפרנסי הדור וכשבאו שני רעבון אמר עכשיו כל ישראל מסבבין פתחי, זה בקופתו וזה בקופתו, עמד וברח לו מפניהם. הה"ד "וילך איש מבית לחם יהודה" (רות רבה א:ד).

The Chida elaborates on the significance of the name "*Beis Lechem Yehudah,*" which signifies that anyone who trusts in *Hashem* will not lack for *lechem*:

איש מבית לחם יהודה. רמז דהו"ל להסתכל בשם העיר, בית לחם יהודה, כי יהודה הוא כמספר שם הויה וארבע אותיות גימטריא יהודה. והרמז דהבוטח בשמו יתברך לא יחסר לחמו ויהיה ביתו בית לחם (חומת אנך, רות א:א).

The Jewish nation is confronting an existential crisis. The *chesed* edifice so painstakingly constructed by Avraham is being threatened by Elimelech. Impervious to the pleading knocks at his door, Elimelech, the leader from *Beis Lechem* worthy of being king,[75] packs up his family and flees to avoid sharing his largesse. Elimelech's scornful conduct violates Avraham's raison d'etre. As the Alshich explains, Avraham pursued opportunities to perform *chesed,* whereas Elimelech ran away to avoid the needy:

אמר [אברהם] בלבו, אם אמרתי פה אשב, גם שלא יבצר מליזון פה, אך איך אעשה הוותרנות וחסדים טובים עם כל באי עולם לאלפים

75. As *Rus Rabbah* 2:5 explains: "ושם האיש אלימלך, שהיה אומר אלי תבא מלכות".

ולרבבות אם אין בר ולחם ומזון בארץ, על כן נועץ ללכת למקום שבו יוכל לעשות חסדים טובים, הפך אלימלך שיצא מהארץ לבל עשות חסד (תורת משה, בראשית יב:י-יג).

What is the destination of Elimelech and his family? The fields of Moav, a place which is well known for its absence of *chesed*. In fact, the *midrash* compares the selfish actions of Elimelech to the actions of Ammon and Moav, who refused to do *chesed* for *Bnei Yisrael* in the desert:

מי גרם לשבט יהודה לישא אשה מואביה? על שעשו מעשה עמון ומואב. [על דבר אשר] לא קדמו אתכם בלחם ובמים (רות זוטא, פרשה א).

But the *chesed* that Lot imbibed from Avraham was stored in the wellsprings of the descendants of Moav for safekeeping, to be drawn when needed.

Rus returns the *aveidah*, the lost *middah* of *chesed*, to its rightful owners, and thereby revives the moribund corpse of the Jewish people, as the *Sefer Ha-Toda'ah* describes:

אחרי אברהם, נחלק האור הזה, אורו של משיח, לשנים. חציו נטמן בתחתיות ארץ, בזרע עמון ומואב; וחציו השני נשאר גלוי, ועבר ליצחק, וממנו ליעקב, וביהודה בן יעקב כבר החל האור הזה להיות מבהיק, וראו הכל כי ראוי הוא למלכות. והיה האור הזה הולך ומבהיק בזרעו של יהודה שמבני פרץ, ונכסה במצרים, ונגלה שוב בנחשון בן עמינדב שהיה מיוצאי מצרים, ונשאר גלוי בבניו, עד שנכסה שוב בימי אלימלך בן נחשון, שאז אמרו הכל: זה האיש שקווינו לו שישב על כסא מלכות בישראל - אינו ראוי למלוכה. ברח לו למואב.

אז גלה הקב"ה את האור שהיה טמון בשדה מואב, והיתה עצה עמוקה ל'השיב' את רות לבית לחם, ויגלה אורו של משיח משני חלקיו בבת אחת. בועז בן שלמון בן נחשון הוא שיולידו מרות בת עגלון, השבה משדה מואב לשרשה הראשון: תורת חסד של אברהם (ספר התודעה, פרק כט).

*Rus* 2:17–18 describes Rus's selfless actions:

(יז) וַתְּלַקֵּט בַּשָּׂדֶה עַד הָעָרֶב וַתַּחְבֹּט אֵת אֲשֶׁר לִקֵּטָה וַיְהִי כְּאֵיפָה שְׂעֹרִים.

(יח) וַתִּשָּׂא וַתָּבוֹא הָעִיר וַתֵּרֶא חֲמוֹתָהּ אֵת אֲשֶׁר לִקֵּטָה וַתּוֹצֵא וַתִּתֶּן לָהּ אֵת אֲשֶׁר הוֹתִרָה מִשָּׂבְעָהּ.

By providing for Naomi with the gleanings that she gathered, Rus was returning the *lechem* to *Beis Lechem*. This incredible act of *chesed* paves the way for *Mashiach*.

Why is the *chesed* of Rus so praiseworthy? Because Rus must overcome her infamous Moabite background, which was renowned for its lack of *chesed*. She has to contend with a pampered upbringing where she enjoyed a life of privilege and indolence.[76] Yet she makes a conscious choice to remain with and to serve Naomi, which in turn meant being sentenced to a life of poverty and uncertainty. The *Sefer Ha-Toda'ah* describes Rus's *chesed* as similar to Avraham's, so altruistic that the donor retains nothing for himself or herself:

> חסד זה לא היה חסד של כל אדם. זה היה חסד של אברהם, אדם שוכח כל עמלו וצערו שלו ונותן כל לבו רק על צער זולתו בלבד; וכשהוא בא לגמול חסד לזולתו - עם כל כולו הוא גומל ואינו משאיר מאומה לעצמו. כזה היה החסד שעשתה רות את חמותה אחרי מות אישה, בשעה שהיתה בעצמה זקוקה לחסד ולרחמים. לא גמול טוב גמלה לנעמי, אלא עשתה את עצמה כולה מעשה אחד של חסד, ונתנתו לנעמי ולא הותירה לעצמה אפילו שריד (ספר התודעה, פרק כט).

This exemplary *mesirus nefesh*, to overcome the natural order (*teva*), has the power to portend *Mashiach*.

There is an amazing dynamic present here, as Rus continues to unfold the story of *lechem* and Adam as well. As R. Shmuel Vital writes:

> אמר שמואל: ואפשר עוד לומר שתקנה רות עתה מה שפגמה חוה בימי אדה"ר (שער מאמרי רז"ל, מאמר פסיעותיו של אברהם אבינו).

When Rus benevolently gives the grain/*lechem* to Naomi, she is transforming the grain back into a *pri*, in the sense that Naomi is

---

76. Rus was from the royal family of Moav, as *Rus Rabbah* points out:
רות וערפה בנותיו של עגלון [מלך מואב] היו (רות רבה ב:ט).

not required to exert any effort for her sustenance. This is the power of *chesed*. The *chesed* performed by Rus casts the seed for the Final Redemption and is the *tikkun* for the *cheit Adam ha-Rishon*. It returns Adam to his exalted state of *kodem ha-cheit*.

We can now understand why the Torah concludes the *parashah* of *Shavuos* with the repetition of *mitzvos* of *leket* and *pe'ah*. It is not to inform us of the commandments of *leket* and *pe'ah*, which were previously stated in *Parashas Kedoshim*, but to impress upon us the awesome power of this *ma'aseh chesed*. While the bulk of the *parashas ha-mo'adim* deals with *mitzvos* of *bein adam la-Makom*, we long for some inclusion of its necessary counterpart, *bein adam la-chavero*. To address this concern, the Torah inserts the *mitzvos* of *leket* and *pe'ah* at the very end, juxtaposed to the "fiftieth,"[77] the ultimate symbol of *ge'ulah*, to convey the paramount message – that *chesed* is the catalyst that can bring the *ge'ulah*. The *Meshech Chochmah* explains:

> כי תבואו אל הארץ כו׳ וקצרתם את קצירה כו׳ - הענין מורה כי רצון השם יתברך שלא יתגשמו בני ישראל בעבודת קרקע, ונתן להם הבורא מצות הרבה בכל פועל בכל מצעד לייחד כל עניני בני אדם אל השי״ת, להיות כל הפועלים החומריים לדרכים מאירים ומזהירים להגיע בהן לשלמות האמיתי ולהתקרבות השי״ת, כאשר דברתי בפ׳ קדושים הרבה מזה. וכן בתחילת הקצירה צוה להביא עומר ושתי הלחם להשם ואז יותרו באכילת חדש. וכן בסוף הקצירה, ״לא תכלה״ (ויקרא כג:כב), רק ליתן לעני. ובתוך הקצירה, ״לא תלקט״ כו׳ (ויקרא כג:כב). הכלל, ראשית ואמצע וסוף הקצירה קודש הם להשם, וקודש הוא לענינים אשר בהן יושרש החמלה והחסד, אשר הן הן המגיעות את הישראלי לאושר השלמות ולהתכלית הנרצה לאלקים יתעלה. ולכן סיים הפרשה ב״ובקוצרכם״ כו׳, אעפ״י שכבר נכתב בפ׳ קדושים, לעורר לבבינו להמושכל הזה (משך חכמה, ויקרא כג:י).

The *mitzvos* of *leket* and *pe'ah* transport us back to the epic story of Rus, which we read on *Shavuos*, to remind us of the unlimited potential of *chesed*:

77. The fiftieth of the *yemei ha-sefirah*, and the fiftieth of *yovel*.

מגלה זו (רות) אין בה לא טומאה ולא טהרה ולא איסור ולא היתר ולמה נכתבה ללמדך כמה שכר טוב לגומלי חסד (רות רבה, ב:יד).

The story of Rus is the continuing saga of *lechem*, "ואין לחם אלא דברי תורה" (*Midrash Mishlei, parashah* 31). On *Shavuos* we bring the *shtei ha-lechem*. The *Sefas Emes* explains that the two loaves represent the union of the two *Toros, Torah she-bichsav* and *Torah she-be'al peh*, as well as the *olam ha-teva* and the world above *teva*:

והוא ענין שתי הלחם בשבועות ב׳ תורות תורה שבכתב ושבעל פה, וזה ענין ״יפה תלמוד תורה עם דרך ארץ שיגיעת שניהם משכחת עון״,[78] פירוש יגיעת שניהם היא העבודה לחבר שני הבחינות שתי הלחם כנ״ל, ועל ידי התחברות שניהם נתעלה עולם הטבע גם כן שיהי׳ נמשך אחר השורש שהוא למעלה מהשמש ובא התחדשות כי אין כל חדש כו׳ (שפת אמת, ליקוטים, פרשת כי תשא).

*Megillas Rus* also symbolizes the union of the two *Toros, Torah she-bichsav* and *Torah she-be'al peh*, as the *Sefer Ha-Toda'ah* explains:

ולפיכך קוראים מגילת רות בזמן מתן תורתנו, לידע ולהודיע ולהיוָדע כי התורה שבכתב עם התורה שבעל פה - תורה אחת היא ואי אפשר לזו בלא זו. תדע, שעל ידי שדרשו חכמים בכח התורה שבעל פה שנמסר להם: ׳מואבי - ולא מואבית׳, על ידי כך הותרה רות לבוא בקהל ויצא ממנה דוד משיח ה׳ לכל הדורות, ועל מלכות בית דוד נשענת כל כנסת ישראל שהיא והתורה - אחת. והכל על ידי כחה של תורה שבעל פה (ספר התודעה, פרק כח).

*Torah she-be'al peh* retains the magical power to generate *chiddush*, the upheaval of accepted positions through the introduction of novel perspectives. This was evidenced by *korban Pesach sheni*, as well as the *Bnos Tzelofechad* and the *agalos* of the *nesi'im* (*Bamidbar* 7:3), when the dedication, persistence, and commitment (*yegi'ah va-ameilus*) of certain individuals fashioned a new reality never thought possible.

Rus's tenacious commitment (*ze'as apecha/omer*) to reject the prevailing status quo (*teva*) is the driving force that brings about the

78. The sin that is eradicated by toiling in Torah together with *derech eretz* may hint to the "sin" of Adam *ha-Rishon*.

*chiddush* of the *derashah* of מואבי ולא מואבית. As the *Sefer Ha-Toda'ah* explains, the *derashah* was unprecedented because Rus was the first descendant of Moav who was worthy of even being considered for entry into *Klal Yisrael*:

> בדורות הראשונים לא עלתה שאלה זו לפני חכמים, ולא הורו בה הלכה, וגם הקבלה לא היתה ידועה לרבים, כי לא נגע הדבר למעשה. אכן, לא היתה שם אפילו נפש אחת מואביה שראויה לבוא בקהל ה'. רק בדורו של בועז ושל רות נתעוררה שאלה זו בסמוך לבואה של רות. אותה שעה ישבו החכמים ובררו ההלכה; עמוני - ולא 'עמונית'; מואבי - ולא 'מואבית' (ספר התודעה, פרק כט).

Her exemplary selfless conduct is a total refutation of the *"asher lo kidmu"* of her ancestral nation and represents a deep and meaningful act of *teshuvah,* the hallmark of *Torah she-be'al peh*. Rus is a fiery testament that one person can radically change the course of the world.

It was in *Arvos Moav* that the era of the *Torah she-bichsav/mon* drew to a close and the transition to the *Torah she-be'al peh/omer* commenced. The *Sefas Emes* explains that the introductory *pasuk* to *Sefer Devarim* hints to the transition from *Torah she-bichsav* to *Torah she-be'al peh* that took place in *Arvos Moav*:

> אלה הדברים כו' וכי לא דיבר יותר ונ"ל דבחינת דיבור זה הי' סמוך למיתה שהתחיל להנהיגם בבחינת יהושע שהוא בבחינת דברים תורה שבעל פה, ואמת פירוש משנה תורה הוא כמו לחם משנה מן השמים ומן הארץ, כן אלה כמו שכתוב מי ברא אלה וקאי על השמים (שפת אמת, ליקוטים, השמטות).

The Netziv also highlights the transition to *Torah she-be'al peh* that occurred in *Arvos Moav*:

> וַיְהִי בְּאַרְבָּעִים שָׁנָה בְּעַשְׁתֵּי עָשָׂר חֹדֶשׁ בְּאֶחָד לַחֹדֶשׁ דִּבֶּר מֹשֶׁה אֶל בְּנֵי יִשְׂרָאֵל כְּכֹל אֲשֶׁר צִוָּה ה' אֹתוֹ אֲלֵהֶם.
>
> הכונה ב"כל אשר צוה ה'", הוא... דמשמעות צווי בכ"מ הוא דברים שבע"פ שהיה לו על תורה שבכתב. והנה נכלל בזה הלכות המקובלות וכדאיתא בברכות (ה.) והמצוה זה המשנה... שבא משה רבינו ולימד זה הדרך לישראל בערבות מואב. ומש"ה כשהגיע לערבות מואב הודיע משה רבינו לישראל ענין הגלות שנגזר עליהם ושעל כן מוכרחים לקבל

עול תורה בזה הדרך כדי שלא יאבד דרך ההוראה בישראל (העמק דבר, דברים א:ג).

Despite the notorious Moabite reputation, *Arvos Moav* was the place where the seeds of *chesed* were being preserved. It is only fitting that the stories of Rus/*Torah she-be'al peh*/*omer* and the salvation of the Jewish nation (through the rejuvenation of *chesed*) start in *"sedei Moav"* (*Rus* 1:1).

*Megillas Rus* is no exception to our earlier observation regarding the recurring themes of *lechem* and *beged* (see above, section Q, regarding the removal of the shoe in *Rus* 4:8). A simple reading of the *pesukim* yields a plethora of images of *lechem* and *beged*. It is worth focusing on one pivotal scene, the encounter between Rus and Boaz in the *goren* (*Rus* 3:3–9):

(ג) וְרָחַצְתְּ וָסַכְתְּ וְשַׂמְתְּ שִׂמְלֹתַךְ \{שִׂמְלֹתַיִךְ\} עָלַיִךְ וְיָרַדְתִּי \{וְיָרַדְתְּ\} הַגֹּרֶן אַל תִּוָּדְעִי לָאִישׁ עַד כַּלֹּתוֹ לֶאֱכֹל וְלִשְׁתּוֹת.
(ד) וִיהִי בְשָׁכְבוֹ וְיָדַעַתְּ אֶת הַמָּקוֹם אֲשֶׁר יִשְׁכַּב שָׁם וּבָאת וְגִלִּית מַרְגְּלֹתָיו וְשָׁכָבְתִּי \{וְשָׁכָבְתְּ\} וְהוּא יַגִּיד לָךְ אֵת אֲשֶׁר תַּעֲשִׂין.
(ה) וַתֹּאמֶר אֵלֶיהָ כֹּל אֲשֶׁר תֹּאמְרִי \{אֵלַי\} אֶעֱשֶׂה.
(ו) וַתֵּרֶד הַגֹּרֶן וַתַּעַשׂ כְּכֹל אֲשֶׁר צִוַּתָּה חֲמוֹתָהּ.
(ז) וַיֹּאכַל בֹּעַז וַיֵּשְׁתְּ וַיִּיטַב לִבּוֹ וַיָּבֹא לִשְׁכַּב בִּקְצֵה הָעֲרֵמָה[79] וַתָּבֹא בַלָּט וַתְּגַל מַרְגְּלֹתָיו וַתִּשְׁכָּב.
(ח) וַיְהִי בַּחֲצִי הַלַּיְלָה וַיֶּחֱרַד הָאִישׁ וַיִּלָּפֵת וְהִנֵּה אִשָּׁה שֹׁכֶבֶת מַרְגְּלֹתָיו.
(ט) וַיֹּאמֶר מִי אָתְּ וַתֹּאמֶר אָנֹכִי רוּת אֲמָתֶךָ וּפָרַשְׂתָּ כְנָפֶךָ עַל אֲמָתְךָ כִּי גֹאֵל אָתָּה.
(י) וַיֹּאמֶר בְּרוּכָה אַתְּ לַה׳ בִּתִּי הֵיטַבְתְּ חַסְדֵּךְ הָאַחֲרוֹן מִן הָרִאשׁוֹן לְבִלְתִּי לֶכֶת אַחֲרֵי הַבַּחוּרִים אִם דַּל וְאִם עָשִׁיר.
(יא) וְעַתָּה בִּתִּי אַל תִּירְאִי כֹּל אֲשֶׁר תֹּאמְרִי אֶעֱשֶׂה לָּךְ כִּי יוֹדֵעַ כָּל שַׁעַר עַמִּי כִּי אֵשֶׁת חַיִל אָתְּ.

The Chida explains that the *"anochi"* with which Rus answered Boaz in *pasuk* 9 recalls the *"Anochi"* of the *Aseres Ha-Dibros*, and that the entire encounter is replete with hints to different aspects of Torah:

---

79. Note that the letters of ערמה can be rearranged to spell העמר.

ובאשר כל עניני רות בהשגחה נפלאה ומעשה נסים, נזדמן בפיה לומר לו "אנכי רות", כלומר אנכי, רמז לתורה שבכתב דכתוב בלוחות אנכי. "רות" הוא תור שהוא רמז לתורה שבע"פ. "אמתך" יהיה סיוע לעסק התורה עם אמתך. "ופרשת כנפיך", לשון נשואין ואהני לך לתורה. "ויאמר לה ברוכה את לה' בתי הטבת חסדך", כי כל מעייניך בתורה ומצות. "כי יודע כל שער עמי", הם הסנהדרין והחכמים, "כי אשת חיל את" (חומת אנך, רות ג:ז).

The meeting between Rus and Boaz as orchestrated by Naomi represents the union of *Torah she-bichsav* with *Torah she-be'al peh,* the prerequisite for the advent of *Mashiach.*

Rus requests from Boaz "וּפָרַשְׂתָּ כְנָפֶךָ", that he spread out the corner of his garment over her. Why did she use the word *kanaf,* which literally means "corner," instead of *beged*?

The *kanaf* is a clear allusion to *malchus* (*Shmuel* I 15:27–28):

וַיִּסֹּב שְׁמוּאֵל לָלֶכֶת וַיַּחֲזֵק בִּכְנַף מְעִילוֹ וַיִּקָּרַע.
וַיֹּאמֶר אֵלָיו שְׁמוּאֵל קָרַע ה' אֶת מַמְלְכוּת יִשְׂרָאֵל מֵעָלֶיךָ הַיּוֹם וּנְתָנָהּ לְרֵעֲךָ הַטּוֹב מִמֶּךָּ.

Rus was intimating to Boaz that their union will beget *malchus.*

It is no coincidence that the setting for the entire scene is the *goren,* the threshing floor, the locale for *avodas ha-chitah.* Boaz is occupied with winnowing "*se'orim*" (*Rus* 3:2). (Note that *se'orim* is a common motif in *Megillas Rus*):

וְעַתָּה הֲלֹא בֹעַז מֹדַעְתָּנוּ אֲשֶׁר הָיִית אֶת נַעֲרוֹתָיו הִנֵּה הוּא זֹרֶה אֶת גֹּרֶן הַשְּׂעֹרִים הַלָּיְלָה.

The *Me'am Lo'ez* suggests that Boaz was actually busy harvesting the *omer,* which is brought from barley:

ובמדרש, הנה הוא זורה את גורן השעורים הלילה. שהיה עוסק בקצירת העומר, שהיה העומר בא מהשעורים ונקצר בלילה. והיו זורים אותו ברחת ובמזרה נרמז במסורה (ילקוט מעם לועז, מגילת רות עמוד פח).

The *goren* is also the site that David purchases, towards the end of his reign, for the future *Beis Ha-Mikdash* (*Shmuel* II 24:24). The *Beis*

*Ha-Mikdash* is the spot at which heaven and earth touch, as Malbim (*Bereishis* 28:12) puts it, where the *yud* and *heh* intersect, where *Torah she-bichsav* and *Torah she-be'al peh* meld.

## w. Conclusion

The last *mishnah* in *Maseches Uktzin*, which is the end of *Torah she-be'al peh*, contains the following statement:

> עָתִיד הַקָּדוֹשׁ בָּרוּךְ הוּא לְהַנְחִיל לְכָל צַדִּיק וְצַדִּיק שְׁלֹשׁ מֵאוֹת וַעֲשָׂרָה (310) עוֹלָמוֹת, שֶׁנֶּאֱמַר (משלי ח:כא), לְהַנְחִיל אֹהֲבַי יֵשׁ (310) וְאֹצְרֹתֵיהֶם אֲמַלֵּא (עוקצין ג:יד).

In his commentary *Or Torah* on the *Sefer Maalos Ha-Torah*, R. Yitzchak Isaac Chaver explains that *tzaddikim* possess a dual aspect of *yesh*. One aspect is *chochmah*, which is bestowed from above, and the other is *binah*, which is achieved with human effort:

> כי שני דברים מושג לנו מאתו יתברך. א׳ השגחתו, וא׳ רצונו, והשגחתו מושג לנו על ידי העולם והבריאה, ורצונו על ידי התורה, שזהו תכלית רצונו האמתי, והוא שמ״ו יתברך גימטריא רצו״ן, שהתורה שמותיו של הקדוש ברוך הוא. והם הש״ך עמודי אור שבכתר שאמרו המקובלים שהוא רצונו יתברך, והוא מתחלק לשני פעמים י״ש בחכמה ובבינה, וחכמה נקרא מה שנתן מאתו יתברך לאדם הכנה להשיג התורה, ובינה הוא מה שמטריח בעצמו בשכלו להבין דבר מתוך דבר. ומי שלומד תורה ולא זכה ללמד השיג לבחינת חכמה לבד, אבל מי שלמד ולימד משיג לשניהם, ולכן עתיד הקדוש ברוך הוא להנחיל לכל צדיק ש״י עולמות. ובאמת ידוע שכל נשמה יש בה ב׳ חלקים, א׳ שורשה למעלה, וחלק הב׳ מה שמתלבש באדם למטה בעולם הזה, ולכן מצינו בצדיקים שכפל שמותם, כמו שנאמר, אברהם אברהם (בראשית כב:יא) משה משה כו׳ (שמות ג:ד). והם נקראים ב׳ בחינות צדיקים בכל אחד, והם במדרגת חכמה ובינה כשזוכה לחבר חכמה ובינה ביחד, כמו שנאמר, קנה חכמה, קנה בינה כו׳ (משלי ד:ה) (אור תורה, אות מג).

When the *yesh* (*yesh mi-yesh* of *teva*) will be one and the same with the *yesh* (*yesh me-ayin*) then the words of the *navi* Zechariah (14:9) will be realized:

> וְהָיָה ה׳ לְמֶלֶךְ עַל כָּל הָאָרֶץ בַּיּוֹם הַהוּא יִהְיֶה ה׳ אֶחָד וּשְׁמוֹ אֶחָד.

# *Megillas Rus*: How the *Chesed* of Avraham Shaped Jewish Destiny

The shortest of the five *Megillos* (possibly in deference to our staying up and learning Torah the entire night, its brevity seeks to expedite our path to coveted slumber), the storyline of *Megillas Rus* is straightforward, its characters are uncomplicated, and it concludes on a cheerful and optimistic note with the planting of the seed of *Mashiach*, the proverbial happy Jewish ending. But why do we read it on *Shavuos*?

While there are many reasons given for the reading of *Megillas Rus* on *Shavuos*, let us focus on two of them.

> אמר רבי זעירא המגילה הזאת אין בה לא טומאה ולא טהרה לא איסור ולא היתר, ולמה נכתבה, להודיעך גודל שכרן של גומלי חסדים (רות רבה, ב:יד).
>
> ולמה קורין מגילה זו בחג שבועות, שמגילה זו כולה חסד והתורה כולה חסד, שנאמר (משלי לא, כו) ותורת חסד על לשונה, וניתנה בחג שבועות (פסיקתא זוטרתא [לקח טוב], סוף מגילת רות).

From beginning to end, the singular events of *Megillas Rus* are a case study of *chesed* and its beneficial outcomes, or the lack of *chesed*, which in turn generates devastating consequences. The theme of *chesed* runs from Elimelech's insensitive lack of *chesed* to his destitute neighbors, to the selfless *chesed* that Rus showers upon Naomi, to Boaz's magnanimous *chesed* in sustaining Naomi and Rus and performing the ultimate *chesed* through the *yibum* of Rus. While the *Yom Tov* of *Shavuos* celebrates the august *zeman Matan Torasenu,* the reading of *Megillas Rus* is a poignant reminder that the formality and discipline of Torah must be coupled and tempered with the softness and sensitivity of *chesed,* to form the ideal hybrid of *Toras chesed.*

Another reason for the reading of *Megillas Rus* on *Shavuos* is to underscore the critical role of *Torah she-be'al peh* and to secure its coveted position alongside the transmittal of *Torah she-bichsav.* The legitimacy of the union of Boaz with Rus hinges on a single obscure *derashah,* a classic vehicle of *Torah she-be'al peh.* The *derashah* audaciously declares that עמוני ולא עמונית מואבי ולא מואבית, an Ammonite or Moabite man is forbidden to marry into the Jewish people, but an Ammonite or Moabite woman is not forbidden. This distinction between male and female members of an excommunicated nation is not applied to other nations such as Egypt or Amalek, and accordingly was rejected by the *hamon am,* the common folk, most notably by Ploni Almoni, the relative who, Boaz believed, had the primary duty to marry Rus. Ploni's refusal to perform *yibum* with Rus on those grounds paved the way for Boaz to do so, which ironically brought about the lineage of *Mashiach* in its wake. Parenthetically, there are 85 *pesukim* in *Megillas Rus,* which equals the numerical value of (תורה שבעל) פה.

Let us turn our attention to the previously mentioned *pesukim* about the status of Ammonites and Moabites and see them in their full context:

דברים פרק כג:
(ד) לֹא יָבֹא עַמּוֹנִי וּמוֹאָבִי בִּקְהַל ה׳ גַּם דּוֹר עֲשִׂירִי לֹא יָבֹא לָהֶם בִּקְהַל ה׳ עַד עוֹלָם.
(ה) עַל דְּבַר אֲשֶׁר לֹא קִדְּמוּ אֶתְכֶם בַּלֶּחֶם וּבַמַּיִם בַּדֶּרֶךְ בְּצֵאתְכֶם מִמִּצְרָיִם וַאֲשֶׁר שָׂכַר עָלֶיךָ אֶת בִּלְעָם בֶּן בְּעוֹר מִפְּתוֹר אֲרַם נַהֲרַיִם לְקַלְלֶךָּ.

These *pesukim* are troubling and present formidable challenges to the *mefarshim.* Let us review some issues raised by these *pesukim*:

1. In *pasuk* 4, the *pasuk* could have ended with לֹא יָבֹא עַמּוֹנִי וּמוֹאָבִי בִּקְהַל ה׳, period. Why would one assume that the stated prohibition is anything but eternal? Thus, the remaining part of the *pasuk* is extraneous: first, the phrase גַּם דּוֹר עֲשִׂירִי adds nothing if the prohibition has no expiry, and likewise, why specifically mention *asiri*, the tenth generation, and not any other number? Second, the last two words עַד עוֹלָם also appear to add nothing. The fact that the Torah inserts these additional words compels us to search for deeper meaning in these words.

2. The next *pasuk* presents the justifications for banning the targeted nations – their egregious lack of hospitality in not providing provisions, and additionally, the hiring of Bilam to curse the Jewish nation. It is quite apparent that the hiring of Bilam is by far the more flagrant offense of the two stated reasons, which should merit it being mentioned first. Why then does the Torah list this subsequent to the offense of אֲשֶׁר לֹא קִדְּמוּ? Furthermore, why would the offense of אֲשֶׁר לֹא קִדְּמוּ, one of omission ("שב ואל תעשה"), which is always treated leniently in *halachah*, warrant such a draconian response? This emerges all the more strongly when the *halachah* regarding Amon and Moav is contrasted to that of the Egyptians – Egypt brazenly drowned Jewish infants yet they are allowed entry into the Jewish fold after a mere three generations (as noted in the very next *pesukim*, *Devarim* 23:8–9).

3. In addition, the word "*kidmu*" appears to be misused. We never again find this word used in the Torah in a similar context. A more suited word would have been "*hotziu*," as found in *Bereishis* 14:18 when Malki Tzedek greets Avraham with (similar) "provisions" – הוציא לחם ויין. Again, after the Torah insists on employing "*kidmu*," we are compelled to search for deeper meaning in the expression אֲשֶׁר לֹא קִדְּמוּ to fully grasp the severity of this offense.

4. Finally, why does the Torah insert the words "בַּדֶּרֶךְ בְּצֵאתְכֶם מִמִּצְרָיִם", which appear to be irrelevant and somewhat inaccurate? This incident occurs forty years after *Yetzias Mitzrayim* and involves

the next generation, who were not even present at the departure from Egypt.

It is widely known that Avraham *Avinu* utilized *chesed* as the building block to create the Jewish nation. What were the circumstances that led Avraham to this revolutionary approach, and what was he hoping to achieve?

The *Midrash Tehillim* (37) states that Avraham inquired of Shem, the son of Noach, as to how he and the other inhabitants of the *teivah* survived the brutal *mabul* which destroyed virtually everything in its unforgiving path. Shem replied it was strictly on the merit of the *tzedakah* performed by the inhabitants of the *teivah*. Puzzled, Avraham pressed further and asked if there were poor people on board who were recipients of that *tzedakah*. No, said Shem, the acts of kindness involved tending to the welfare of the animals on board. Avraham digested Shem's response and then formulated a *kal va-chomer* which laid the foundation for his future life's work:

מה אלו אלולא שעשו צדקה עם בהמה חיה ועוף לא היו יוצאין משם... אני, אם אעשה עם בני אדם, שהם בדמות וצלם של המלאכים, על אחת כמה וכמה שאנצל מן הפגעים. מיד, ויטע אש"ל - אכילה שתיה לויה.

If the inhabitants of the *teivah* were spared because of their *chesed* for animals, how much more will I be saved if I do *chesed* for human beings, who are in the image of angels. Immediately, Avraham planted an *eishel* – that is, established a place to provide food, drink and accompaniment to guests (in Hebrew, the word "*eishel*" is an acronym for the three services Avraham provided for his guests – *achilah, shesiyah, leviyah*).

To grasp Avraham's ultimate objective through the performance of his acts of *chesed*, we must proceed to the end of the *pasuk* of "וַיִּטַּע אֶשֶׁל" (*Bereishis* 21:33) quoted by the *Midrash*: וַיִּטַּע אֶשֶׁל בִּבְאֵר שָׁבַע וַיִּקְרָא שָׁם בְּשֵׁם ה' אֵ־ל עוֹלָם. After Avraham planted the *eishel*, he "called there in the name of God." Rashi elucidates:

על ידי אותו אשל נקרא שמו של הקב"ה אלוק לכל העולם. לאחר שאוכלים ושותים אמר להם ברכו למי שאכלתם משלו, סבורים אתם שמשלי אכלתם, משל מי שאמר והיה העולם אכלתם.

Through the *"eishel,"* the name of *Hashem* was proclaimed as God of the whole world. After the guests had eaten, Avraham would tell them to bless *Hashem,* from whose bounty they had eaten.

Rabbeinu Bechaye fine-tunes this idea:

> ויקרא שם בשם ה׳. לשון קריאה והכרזה, וכן יקרא איש חסדו (משלי כ, ו), כי שם ה׳ אקרא (דברים לב, ג), וכוונת הכתוב כי אברהם מכריז ומודיע לבריות שהעולם מחודש ויש לו מנהיג יחיד **וקדמון**. ועל כן יאמר כי ההכרזה הזאת היתה בשם ה׳ היחיד א־ל עולם **הקדמון** אשר הויתו ואלקותו **קודם** העולם, והוא שאמר א־ל עולם, כלומר **שקדם** לעולם.

Avraham would declare to all that the world was created, that there is One who existed prior ("קודם") to the creation of the world. Note Rabbeinu Bechaye's emphasis on the word קדמון\קדם in this passage.

One must ask why the above *mefarshim* chose to elaborate on this particular *pasuk* of וַיִּטַּע אֶשֶׁל בִּבְאֵר שָׁבַע וַיִּקְרָא שָׁם בְּשֵׁם ה׳ אֵ־ל עוֹלָם, when we find similar prior *pesukim* without any commentary from the *mefarshim,* such as "וַיִּבֶן שָׁם מִזְבֵּחַ לַה׳ וַיִּקְרָא בְּשֵׁם ה׳" (*Bereishis* 12:8), and "אֶל מְקוֹם הַמִּזְבֵּחַ אֲשֶׁר עָשָׂה שָׁם בָּרִאשֹׁנָה וַיִּקְרָא שָׁם אַבְרָם בְּשֵׁם ה׳" (*Bereishis* 13:4)?

The *pasuk* of "...וַיִּטַּע אֶשֶׁל" is unique because the Torah adds the critical "אֵ־ל עוֹלָם", which is absent from the other quoted *pesukim.* Up until וַיִּטַּע אֶשֶׁל Avraham promoted God in a more subdued, private, low-key manner. Only after וַיִּטַּע אֶשֶׁל, when Avraham decided to single-mindedly promote God's name (as confirmed by the above *midrash*), was it mandatory to clearly spell out his agenda and to broadcast his critical message:

> וכוונת הכתוב כי אברהם מכריז ומודיע לבריות שהעולם מחודש ויש לו מנהיג יחיד וקדמון (רבינו בחיי).

Why did Avraham choose the medium of *chesed* (conveyed through the *eishel – achilah, shesiyah, leviyah*) to "touch" people?

Avraham was born into a world steeped in idol worship. None other than his father, Terach, was the premier idol-maker in the world. What lies at the root of idol worship? *Ta'avah* – pure, unadulterated lust.

לא עבדו ישראל עבודה זרה אלא להתיר להם עריות (*Sanhedrin* 63b). The idolatrous-gods are fervently worshipped in the unwavering belief that they are the gateway to fulfilling the lustful wants and desires coveted by their practitioners. You cannot discuss spiritual matters with people fixated on this belief. You must first dislodge them from their captive mindset. Avraham chose the vehicle of *chesed* to accomplish this. In the world of *avodah zarah* that has personal gratification as the apex of its value system, it is every man for himself, as graphically depicted by the conduct of the infamous town of Sodom. An act of selfless *chesed* dispensed with no expectation of reciprocal repayment defies the "every man for himself" value system. It rattles the world of the most hard-core idolater and cracks open the door to initiate a discussion of a Creator, which can eventually lead to other spiritual topics. It is truly amazing how by merely "being nice" one can impact people and make them receptive to your message. This was Avraham's master plan.

Let us examine Avraham's first appearance in the Torah at the very end of *Parashas Noach*. One could ask, given Avraham's eventual stature and prominence, and considering that Avraham is about to dominate the next three *parshiyos* of *Lech Lecha, Vayeira and Chayyei Sarah*, why not postpone Avraham's "emergence" to coincide with the beginning of the next *parashah*, which fully "belongs" to him? Why relegate Avraham to "footnote" status in the tail end of the previous *parashah* titled by another major personality (Noach)?

There are two cataclysmic events that dominate *Parashas Noach* – the *mabul* and the *dor ha-palagah* (the generation of the tower of Bavel).[1] Avraham was intentionally placed in *Parashas Noach* because these two paramount events molded Avraham's *weltanschauung* and cast a long shadow on his life's work.

The Torah explicitly states the reason for the *mabul* – "כִּי־מָלְאָה הָאָרֶץ חָמָס" (*Bereishis* 6:13). Rashi expounds – "לא נחתם גזר דינם אלא על הגזל"; the generation's fate was sealed due to robbery. Robbery reflects a total denigration of your fellow man. The robber asserts that

1. Parenthetically, these events were 340 years apart, the numerical value of "Shem."

his personal wants and desires override and quash the inherent rights of his victim. It is the polar opposite of *chesed*, which venerates one's fellow man. Robbery is the illegal and selfish seizure of someone else's property, whereas *chesed* is a selfless act of giving something gratis to another human being. The latter sustains and invigorates the world, while the former destroys and terminates it.

In contrast to the sin of the *dor ha-mabul*, which was based on flawed character, the sin of the *dor ha-palagah* was ideological. The ideological confrontation is captured in the opening lines of the Torah's recording of the incident – "וַיְהִי בְּנָסְעָם מִקֶּדֶם" (*Bereishis* 11:2). The *Yalkut Shimoni* explains, הסיעו עצמן מקדמונו של עולם, on which the Malbim further elaborates:

> ואמרו חז"ל מקדמונו של עולם, וימצאו בקעה, רצו להתיישב ולכונן ממלכה גדולה ולחיות חיי המדינים ומלך בראשם מושל ממשל רב, וכמ"ש חז"ל שנמרוד היה ראש עצתם, ושהוא המרידן על המקום.

The leader of the *dor ha-palagah* was Nimrod, whose very name connotes rebellion, מרד, (להמריד כל העולם על הקב"ה – Rashi, *Bereishis* 10:8). Nimrod is the arch-nemesis of Avraham. What was Nimrod hoping to achieve by constructing the massive tower? According to *Bereishis* 11:4, the generation's goal was "וְנַעֲשֶׂה לָּנוּ שֵׁם", to make a name for themselves. Rabbeinu Bechaye clarifies that "דור הפלגה כפרו בשם המיוחד". Nimrod was determined to eradicate the *shem Hashem* and replace it with a secular *shem* (possibly the *avodah zarah* of technology and science, so clearly evident in contemporary times). This explains why the *dor ha-palagah* intentionally sought out a "*bik'ah*," a valley, when the rational choice when building a "a tower whose top will reach the heavens" should have been to seek out the highest ground. In a similar vein, *the dor ha-palagah* intentionally sought to "manufacture" bricks and eschewed any "natural" materials, which carry the signature of *shem Hashem*. They were resolute in their determination that the *migdal* would be the exclusive product of man-made materials, כחי ועצם ידי, in utter defiance of *shem Hashem*.

The Netziv questions why the Torah would describe in detail the building materials used. He concludes that this kiln in which they manufactured their bricks alludes to the *kivshan ha-esh* from which Avraham emerged unscathed after Nimrod threw him into it:

> ונשרפה לשרפה וגו׳. כל המקרא אין בו ענין שראוי להודיע לענין הסור ומה לי אם היו להם אבנים לבנין או בנו בעץ או עשו שריפת לבנים, וכבר לפני המבול כתיב ויהי בנה עיר. ונראה דכאן מרומז קבלת חז״ל דהפילו לא״א לכבשן האש (העמק דבר, בראשית יא:ג).

The irony here should not be overlooked. The *kivshan ha-esh,* the integral component of the entire *migdal* building project, is used by Nimrod in his attempt to destroy his rival, Avraham.

We now have a deeper insight into the background and motivation of Avraham's sacred mission of וַיִּטַּע אֶשֶׁל בִּבְאֵר שָׁבַע וַיִּקְרָא שָׁם בְּשֵׁם ה׳ אֵ־ל עוֹלָם. The *eishel,* the dispensing of *chesed,* was to redress the selfish misdeeds of the *dor ha-mabul* – the corrosive *gezel.* The *dor ha-mabul* took away; Avraham undertook to give back. The second half of the *pasuk* – "וַיִּקְרָא שָׁם בְּשֵׁם ה׳ אֵ־ל עוֹלָם" – was intended to counter the ideology of the *dor ha-palagah.* As Rabbenu Bechaye explained, Avraham was promoting the idea שהעולם מחודש ויש לו מנהיג יחיד וקדמון – publicizing the *shem Hashem* that Nimrod and his *dor ha-palagah* were rebelling against in their defiance of קדמונו של עולם.

Avraham's world was illuminated by the *chesed* tied to *bein adam la-chavero* and the *shem Hashem* linked to *bein adam la-Makom;* these two elements were instrumental in helping him navigate his personal journey.

Let us now turn our attention to Avraham's complex relationship with his nephew, Lot, who plays a highly visible role in Avraham's life. He is a noted member of Avraham's entourage and faithfully accompanies his uncle through countless sojourns. While Lot manages to capture more than his fair share of valuable Torah "real estate," there is minimal dialogue between Avraham and Lot. In the only instance of dialogue between them, it is Avraham who does the (brief) speaking with no apparent response from Lot. This dialogue is recorded in *Bereishis* chapter 13, a pivotal chapter that captures the dissolution of the relationship between these two relatives. Let us scrutinize some of the *pesukim* in this chapter:

בראשית פרק יג:

(ז) וַיְהִי רִיב בֵּין רֹעֵי מִקְנֵה אַבְרָם וּבֵין רֹעֵי מִקְנֵה לוֹט וְהַכְּנַעֲנִי וְהַפְּרִזִּי אָז יֹשֵׁב בָּאָרֶץ.

(ח) וַיֹּאמֶר אַבְרָם אֶל לוֹט אַל נָא תְהִי מְרִיבָה בֵּינִי וּבֵינֶךָ וּבֵין רֹעַי וּבֵין רֹעֶיךָ כִּי אֲנָשִׁים אַחִים אֲנָחְנוּ.

(ט) הֲלֹא כָל הָאָרֶץ לְפָנֶיךָ הִפָּרֶד נָא מֵעָלָי אִם הַשְּׂמֹאל וְאֵימִנָה וְאִם הַיָּמִין וְאַשְׂמְאִילָה.

(י) וַיִּשָּׂא לוֹט אֶת עֵינָיו וַיַּרְא אֶת כָּל כִּכַּר הַיַּרְדֵּן כִּי כֻלָּהּ מַשְׁקֶה לִפְנֵי שַׁחֵת ה׳ אֶת סְדֹם וְאֶת עֲמֹרָה כְּגַן ה׳ כְּאֶרֶץ מִצְרַיִם בֹּאֲכָה צֹעַר.

(יא) וַיִּבְחַר לוֹ לוֹט אֵת כָּל כִּכַּר הַיַּרְדֵּן וַיִּסַּע לוֹט מִקֶּדֶם וַיִּפָּרְדוּ אִישׁ מֵעַל אָחִיו.

(יב) אַבְרָם יָשַׁב בְּאֶרֶץ כְּנָעַן וְלוֹט יָשַׁב בְּעָרֵי הַכִּכָּר וַיֶּאֱהַל עַד סְדֹם.

(יג) וְאַנְשֵׁי סְדֹם רָעִים וְחַטָּאִים לַה׳ מְאֹד.

The chapter begins with a vivid description of Avraham's material wealth – "וְאַבְרָם כָּבֵד מְאֹד בַּמִּקְנֶה בַּכֶּסֶף וּבַזָּהָב". Lot rides the coattails of his rich uncle and reaps material benefits as well – "וְגַם לְלוֹט הַהֹלֵךְ אֶת אַבְרָם הָיָה צֹאן וּבָקָר וְאֹהָלִים". They appear to be the epitome of a successful, harmonious family enterprise. But tension in the relationship surfaces – וַיְהִי רִיב בֵּין רֹעֵי מִקְנֵה אַבְרָם וּבֵין רֹעֵי מִקְנֵה לוֹט. The friction appears to be of a commercial nature, between "רֹעֵי מִקְנֵה אַבְרָם" and "רֹעֵי מִקְנֵה לוֹט". While the dispute, as clearly stated, does not involve the principals, Avraham immediately reacts by personalizing the matter – וַיֹּאמֶר אַבְרָם אֶל לוֹט אַל נָא תְהִי מְרִיבָה בֵּינִי וּבֵינֶךָ – as a dispute between "me and you." Avraham adopts a hardline position and demands nothing less than a complete parting of the ways – הִפָּרֶד נָא מֵעָלָי. Is this how "אֲנָשִׁים אַחִים אֲנָחְנוּ", a friendly phrase uttered by none other than Avraham, act? After so many years of closeness and cooperation, why is there no attempt to compromise or to work things out? Even Avraham's statement of "הִפָּרֶד נָא מֵעָלָי" is overly harsh, as the "מֵעָלָי" is redundant, and thus serves only to add an extra "toughness" to his demand. Furthermore, Avraham is forcefully dictating to Lot, "הִפָּרֶד", separate yourself from me, and not convivially suggesting, נִפָּרֵד, that they mutually engage in the act of separation. There is no verbal reply from Lot. Instead, the next *pasuk* gives a lengthy description of Lot's potential relocation site. This appears not to be germane to the discussion at hand, as Avraham does not care where Lot goes. In addition, why does the Torah add the words, "לִפְנֵי שַׁחֵת ה׳ אֶת סְדֹם"? What is the relevance here, especially in light of the fact that the Torah will shortly provide a detailed account of the destruction that befalls Sodom? The same question can be posed in regard to *pasuk* 13 – וְאַנְשֵׁי סְדֹם רָעִים וְחַטָּאִים לַה׳ מְאֹד – of what relevance is it here, as the Torah will shortly detail the nefarious behavior of the inhabitants of Sodom? Lot then chooses a destination and departs – וַיִּסַּע לוֹט מִקֶּדֶם וַיִּפָּרְדוּ אִישׁ מֵעַל אָחִיו. The "וַיִּפָּרְדוּ אִישׁ מֵעַל אָחִיו" is intuitive and thus extraneous, especially in light of the next *pasuk* – אַבְרָם יָשַׁב בְּאֶרֶץ כְּנָעַן וְלוֹט יָשַׁב בְּעָרֵי הַכִּכָּר – which clearly establishes the separation that now exists between them.

Let us review the above *pesukim* through the lens of some key *mefarshim* for deeper insight.

Rashi discloses the source of contention בֵּין רֹעֵי מִקְנֵה אַבְרָם וּבֵין רֹעֵי מִקְנֵה לוֹט:

> לפי שהיו רועיו של לוט רשעים ומרעים בהמתם בשדות אחרים ורועי אברם מוכיחים אותם על הגזל והם אומרים נתנה הארץ לאברם ולו אין יורש ולוט יורשו ואין זה גזל והכתוב אומר והכנעני והפרזי אז יושב בארץ ולא זכה בה אברם עדיין (ב"ר).

Lot's shepherds were *resha'im* and grazed his animals in the fields of others. Avraham's shepherds rebuked them for the theft (*ha-gezel*), but Lot's shepherds claimed that since the land was given to Avraham, and Lot is Avraham's heir in the absence of another heir, their actions therefore did not constitute theft. The key word here is "*ha-gezel*." It is uncomfortably reminiscent of לא נחתם גזר דינם אלא על הגזל referring to the *dor ha-mabul*. Even the slightest whiff of *gezel* evokes a visceral reaction from Avraham, who has devoted his life to redressing the misdeeds of the *dor ha-mabul*. Avraham does not consider this incident to be a minor disagreement, but a highly charged personal affair, "מְרִיבָה בֵּינִי וּבֵינֶךָ". He rejects the attempt to whitewash the *gezel* by claiming that Lot is Avraham's heir. Avraham recognizes Lot for what he is, an avaricious opportunist waiting for Avraham's demise so that he, as the sole surviving relative, can lay claim to Avraham's vast estate. The Torah details Avraham's vast wealth – וְאַבְרָם כָּבֵד מְאֹד בַּמִּקְנֶה בַּכֶּסֶף וּבַזָּהָב. Lot's holdings are paltry when compared to Avraham's – וְגַם לְלוֹט הַהֹלֵךְ אֶת אַבְרָם הָיָה צֹאן וּבָקָר וְאֹהָלִים. Lot is introduced with "וְגַם", secondary in status, and "הַהֹלֵךְ אֶת אַבְרָם" – a hanger-on to Avraham, the genuine source of Lot's wealth. Lot has no "כָּבֵד", no "מְאֹד", and no "בַּכֶּסֶף וּבַזָּהָב", the conventional repositories of significant wealth. All these things are likely mentioned to intimate that Lot is greedily eyeing Avraham's estate and plotting his future moves. In all the years of being together, Lot has not absorbed the repeated lessons of proper moral conduct preached by Avraham. As the *Sifsei Chachamim* explains, Lot's motivation for staying with Avraham was not for Avraham's benefit, but for Lot's own; if Avraham died, Lot would be first in line to inherit:

> דמה שהלך לוט עם אברהם לא היה לטובת אברהם אלא לטובתו שאם ימות אברהם יירש הוא אותו (*שפתי חכמים* בראשית יט:כט).

In Avraham's mind, when dealing with people like Lot, there can be no mediation or compromise, only the directness of הִפָּרֶד נָא מֵעָלָי, with the word "מֵעָלָי" inserted for extra emphasis. Avraham intentionally avoids "נִפָּרֶד", a mutually agreed upon separation, to highlight Lot's culpability. Avraham's assessment of the situation and his ensuing drastic course of action is vindicated by Lot's choice of relocation, Sodom, the dwelling place of "great evildoers" – וְאַנְשֵׁי סְדֹם רָעִים וְחַטָּאִים לַה' מְאֹד. This is the environment that Lot elected to immerse himself in. Incredibly, after all these years of being under the wing of Avraham, the great moral beacon, Lot does not have the slightest qualm about residing in Sodom. It is a revealing testament to Lot's true character:

> ולכן אמר ויבחר לו לוט ולא אמר ויבחר לוט, אלא ויבחר לו, בבחירת עצמו בלי שום סבה אלא שלבו הרע הניעהו (צרור המור על בראשית יג:יא).

The *Tzror Ha-Mor* explains the addition of the word "*lo*," "himself" in *pasuk* 11, "and Lot chose for himself the plain of the Jordan." Lot deliberately rejected the good and chose the bad, for no reason other than the motivation of his "self," his sinful heart.

To permit Lot to remain is to invite turpitude (השחתה) into the camp of Avraham and eventual destruction, as Avraham prophetically senses the coming annihilation of Sodom and of its citizens – לִפְנֵי שַׁחֵת ה' אֶת סְדֹם (compare to "וְהִנְנִי מַשְׁחִיתָם אֶת־הָאָרֶץ" in *Bereishis* 6:13, in reference to *dor ha-mabul*).

*Pasuk* 11 describes Lot's departure from Avraham: וַיִּסַּע לוֹט מִקֶּדֶם וַיִּפָּרְדוּ אִישׁ מֵעַל אָחִיו. Lot traveled "מִקֶּדֶם", and he and Avraham separated from one another. Rashi expounds:

> מקדם - נסע מאצל אברם (למזרח) והלך לו למערבו של אברם נמצא נוסע ממזרח למערב. ומדרש אגדה הסיע עצמו מקדמונו של עולם, אמר אי אפשי לא באברם ולא באלקיו.

Rashi presents two explanations of מִקֶּדֶם – first, the literal translation, and second, the *Midrash Aggadah,* that Lot moved away from the קדמונו של עולם, from *Hashem* who preceded the world. Lot expressed his rejection of both Avraham and Avraham's God.

What compels Rashi to introduce the *Midrash Aggadah* in addition to the *peshuto shel mikra*? It seems that Rashi is not comfortable with the *peshat* of מִקֶּדֶם. If "קֶדֶם" refers to the east, it would be more appropriate to say the actual direction that Lot traveled, which was to the west, rather than to say that he traveled "from" the east. Furthermore, the fact that the Torah places וַיִּסַּע לוֹט מִקֶּדֶם before וַיִּפָּרְדוּ אִישׁ מֵעַל אָחִיו implies not only a spatial separation, but a spiritual one as well, a separation of minds. The fact that the Torah places וַיִּסַּע לוֹט מִקֶּדֶם before וַיִּפָּרְדוּ אִישׁ מֵעַל אָחִיו implies that the former relates to the spiritual separation of the latter. Therefore, Rashi introduces the *Midrash Aggadah.*

When turning to the *Midrash Aggadah,* it is impossible to avoid noticing the striking similarity between וַיִּסַּע לוֹט מִקֶּדֶם stated here, and the וַיְהִי בְּנָסְעָם מִקֶּדֶם found in reference to the *dor ha-palagah.* In both places we find the identical notion of שנסעו מקדמונו של עולם.[2]

---

2. See also *Zohar, Bereishis* 84a, which also notes this parallel:

ויהי ריב בין רעי מקנה אברם - רב כתיב, חסר יוד, דבעא לוט למהדר לפולחנא נוכראה דפלחי יתבי ארעא, וסופיה דקרא אוכח, דכתיב והכנעני והפריזי אז יושב בארץ. ומנלן

Rashi's wording suggests that the קדמונו של עולם alludes not only to *Hashem*, but to Avraham as well. While *Hashem* is the *kadmon* who predated the world, Avraham was also very much a *kadmon*, the first to introduce the world to his revolutionary teachings of *chesed* that eventually lead to the recognition of the קדמונו של עולם. To move away from the קדמונו של עולם is total rejection of both *Hashem* and His faithful servant, אי אפשי לא באברם ולא באלקיו.

Lot's rejection of the קדמונו של עולם parallels the mindset of the *dor ha-palagah* and is an overt violation of the second pillar of Avraham's credo, וַיִּקְרָא שָׁם בְּשֵׁם ה' אֵ־ל עוֹלָם, and further seals Avraham's decision that Lot must go.

The redundancy of וַיִּפָּרְדוּ אִישׁ מֵעַל אָחִיו is to convey the idea of מעשה אבות סימן לבנים – Avraham foresees that neither Lot nor his future progeny, Ammon and Moav, is capable of reform, and thus his edict of "separation" remains eternal. As the Chizkuni in *Bereishis* 13:11 states:

> ויפרדו איש מעל אחיו – פרידה גדולה היתה, וכן הוא אומר לא יבא עמוני ומואבי וגו'.

From this "great separation" stems the prohibition for Lot's descendants to marry Avraham's.

I would like to suggest the following *derashah* on Avraham's words הִפָּרֶד נָא מֵעָלָי in *Bereishis* 13:9. If you rearrange ה־פ־ר־ד, you can spell פרדה (fledgling). Avraham is intimating that the "פרדה" should be spared from the ban of intermarriage with Ammonites and Moabites, because he sees prophetically that שתי פרידות טובות יש לי להוציא מהן רות המואביה ונעמה העמונית (*Bava Kamma* 38b), there are two "fledglings" I will extract from them, Rus the Moabite and Na'ama the Ammonite, the future wife of Shlomo *ha-Melech*.[3]

---

דלוט אהדר לסרחניה, לפולחנא נוכראה, דכתיב ויסע לוט מקדם, מאי מקדם, מקדמונו של עולם. כתיב הכא, ויסע לוט מקדם, וכתיב ויהי בנסעם מקדם, מה להלן נטילו מקדמונו של עולם, אוף הכא כן. כיון דידע אברהם דלוט להכי נטי לביה, מיד ויאמר אברם אל לוט וגו' הפרד נא מעלי, לית אנת כדאי לאתחברא בהדאי.

3. See also R. Tzadok Ha-Kohen, *Machshevos Charutz*, 19 (81b):

Let us now revisit the *pesukim* that state the prohibition against intermarriage with an Ammonite and a Moabite:

דברים פרק כג:
(ד) לֹא יָבֹא עַמּוֹנִי וּמוֹאָבִי בִּקְהַל ה׳ גַּם דּוֹר עֲשִׂירִי לֹא יָבֹא לָהֶם בִּקְהַל ה׳ עַד עוֹלָם.
(ה) עַל דְּבַר אֲשֶׁר לֹא קִדְּמוּ אֶתְכֶם בַּלֶּחֶם וּבַמַּיִם בַּדֶּרֶךְ בְּצֵאתְכֶם מִמִּצְרָיִם וַאֲשֶׁר שָׂכַר עָלֶיךָ אֶת בִּלְעָם בֶּן בְּעוֹר מִפְּתוֹר אֲרַם נַהֲרַיִם לְקַלְלֶךָּ.

To fully understand these *pesukim* and to respond to our original questions, we must review Avraham's profile.

Avraham establishes a movement whose core concepts are captured in the *pasuk* וַיִּטַּע אֶשֶׁל בִּבְאֵר שָׁבַע וַיִּקְרָא שָׁם בְּשֵׁם ה׳ אֵ־ל עוֹלָם. As previously discussed, Avraham's modus operandi was to engage in acts of *chesed* (וַיִּטַּע אֶשֶׁל) which ultimately lead to an awareness of *Hashem*, the קדמונו של עולם (וַיִּקְרָא שָׁם בְּשֵׁם ה׳). In other words, Avraham sought to achieve the synthesis of *bein adam la-chavero* and *bein adam la-Makom*. Nowhere is this critical message more pronounced than in the *Aseres ha-Dibros* that were inscribed on the *luchos* – where the first *luach* contained the first five *dibros* of *bein adam la-Makom* and the second *luach* the next five *dibros* of *bein adam la-chavero*.

The *pasuk* frames Ammon and Moav's failure to perform an act of *chesed* as אֲשֶׁר לֹא קִדְּמוּ. The word "קִדְּמוּ" takes us back to וַיִּסַּע לוֹט מִקֶּדֶם, where Lot proclaims אי אפשי לא באברם ולא באלקיו. Lot totally disavows any part of Avraham's model, and the same holds true for his offspring. Just as Avraham concluded that Lot cannot stay and

וגם לוט ההולך את אברהם חשב שיש בו גם כן אהבת הבריות כאברהם אבינו ע״ה. אבל הוא היה באמת מלא תאות, וכשרכש קנינים שבהם הוא מילוי התאות התחיל המריבה בין הרועים, עד שאמר לו אברהם אבינו ע״ה אל נא תהי מריבה ביני וביניך. כי זו המריבה סופה לצמוח ביניהם... ועל כן אמר לו הפרד וגו׳ שאין לו חיבור עמו. והיינו מצידו מצד הדכורא, אבל נקבותיהם מותרות מיד, מצד השתי פרידות טובות (ב״ק לח:), שנקראים פרידות לשון פרידה, שהם נפרדות מעמון ומואב, כי עם עמון ומואב אין חיבור כלל רק שהם נפרדות מאבותן.

For another explanation of why the females of Ammon and Moav are not included in the prohibition, see *Panim Yafos, Bereishis* 13:9.

must depart, so too the descendants of Lot, Ammon and Moav, must forever keep their distance from the Jewish nation.

In the final analysis, the iniquity of Ammon and Moav extends far beyond not offering hospitality; it is enmity toward the very heart of Judaism. But the sin of hiring Bilam to curse the Jews was rooted in the divergence from Avraham's path of *chesed* that Ammon and Moav exhibited in the their inhospitality. This is why the Torah first mentions אֲשֶׁר לֹא קִדְּמוּ אֶתְכֶם בַּלֶּחֶם וּבַמַּיִם, and only subsequently the graver sin of וַאֲשֶׁר שָׂכַר עָלֶיךָ אֶת בִּלְעָם בֶּן בְּעוֹר מִפְּתוֹר אֲרַם נַהֲרַיִם לְקַלְלֶךָּ.

Why inject into the *pasuk* that this inhospitality took place "בַּדֶּרֶךְ בְּצֵאתְכֶם מִמִּצְרָיִם"? In His first conversation with Moshe at the site of the burning bush, God declares the purpose of the Exodus from Egypt: בְּהוֹצִיאֲךָ אֶת הָעָם מִמִּצְרַיִם תַּעַבְדוּן אֶת הָאֱלֹקִים עַל הָהָר הַזֶּה (*Shemos* 3:12). The sole purpose of "בְּצֵאתְכֶם מִמִּצְרָיִם" was *kabbalas ha-Torah*, the two *luchos* of the *Aseres ha-Dibros*. This is intimated in the opening of the *Aseres ha-Dibros*: אָנֹכִי ה׳ אֱלֹקֶיךָ אֲשֶׁר הוֹצֵאתִיךָ מֵאֶרֶץ מִצְרַיִם מִבֵּית עֲבָדִים (*Shemos* 20:2).

Thus, the sentiment of "אי אפשי לא באברם ולא באלקיו" ascribed to Lot and his descendants, Ammon and Moav, is a denunciation of the *Aseres ha-Dibros*, the paradigm of synthesis between *bein adam la-chavero* and *bein adam la-Makom*. Possibly that is why the prohibition even to "דור עשירי" is inserted in *Devarim* 23:4, as an allusion to the *Aseres ha-Dibros*. The "extraneous" words לֹא יָבֹא לָהֶם בִּקְהַל ה׳ עַד עוֹלָם may be a further reference that the distancing of Ammon and Moav is due to their rejection of וַיִּקְרָא שָׁם בְּשֵׁם ה׳ אֵ־ל עוֹלָם.

We quoted above the *pasuk* וּמַלְכִּי צֶדֶק מֶלֶךְ שָׁלֵם הוֹצִיא לֶחֶם וָיָיִן to show the use of הוֹצִיא instead of קדם, the word used in reference to Ammon and Moav. It is worth noting the full context of that *pasuk*:

בראשית פרק יד:
(יח) וּמַלְכִּי צֶדֶק מֶלֶךְ שָׁלֵם הוֹצִיא לֶחֶם וָיָיִן וְהוּא כֹהֵן לְאֵ־ל עֶלְיוֹן.
(יט) וַיְבָרְכֵהוּ וַיֹּאמַר בָּרוּךְ אַבְרָם לְאֵ־ל עֶלְיוֹן קֹנֵה שָׁמַיִם וָאָרֶץ.
(כ) וּבָרוּךְ אֵ־ל עֶלְיוֹן אֲשֶׁר מִגֵּן צָרֶיךָ בְּיָדֶךָ וַיִּתֶּן לוֹ מַעֲשֵׂר מִכֹּל.

Notice the repeated emphasis of אֵ־ל עֶלְיוֹן.

We established that the word "קדם" is employed (in the contexts of *dor ha-palagah,* Lot, as well as Ammon and Moav) as an indicator of the rebellion against בְּשֵׁם ה׳ אֵ־ל עוֹלָם, the "*Kadmono shel olam.*" In the case of Malki Tzedek, he fully appreciates Avraham's message of וַיִּקְרָא שָׁם בְּשֵׁם ה׳ אֵ־ל עוֹלָם, as evidenced by his effusive acknowledgement and praise of "אֵ־ל עֶלְיוֹן".

It should be noted that Malki Tzedek who performed an act of *chesed* in bringing out wine and bread was, according to *Chazal,* Shem ben Noach, the very individual who planted the seed of *chesed* in Avraham's brain through his description of the life on the *teivah* (see the *Midrash Tehillim* quoted above). Avraham planted this "seed" and developed it into a full-grown movement:

וַיִּטַּע אֶשֶׁל בִּבְאֵר שָׁבַע וַיִּקְרָא שָׁם בְּשֵׁם ה׳ אֵ־ל עוֹלָם.

It appears that Malki Tzedek is a full-fledged acolyte of Avraham's movement. Not only does he extend Avraham acts of *chesed* but he is also fluent in the calling the name of *Hashem,* as he showers Avraham with blessings all in the name of א־ל עליון.

While Avraham inculcated *chesed* into the character of the Jewish people, this attribute was threatened in the generation of Elimelech (*Rus* 1:1):

וַיְהִי בִּימֵי שְׁפֹט הַשֹּׁפְטִים וַיְהִי רָעָב בָּאָרֶץ וַיֵּלֶךְ אִישׁ מִבֵּית לֶחֶם יְהוּדָה לָגוּר בִּשְׂדֵי מוֹאָב הוּא וְאִשְׁתּוֹ וּשְׁנֵי בָנָיו.

*Rus Rabbah* describes Elimelech as a leader and patron of his generation who nevertheless chose to abandon his people in their time of need:

אלימלך היה מגדולי המדינה ומפרנסי הדור וכשבאו שני רעבון אמר עכשיו כל ישראל מסבבין פתחי, זה בקופתו וזה בקופתו, עמד וברח לו מפניהם. הה״ד "וילך איש מבית לחם יהודה" (רות רבה א:ד).

Impervious to the pleading knocks at his door, Elimelech flees to avoid sharing his largesse. Elimelech's scornful conduct violates Avraham's raison d'etre. While Avraham pursued opportunities to perform *chesed,* Elimelech ran away to avoid the needy:

אמר [אברהם] בלבו, אם אמרתי פה אשב, גם שלא יבצר מליזון פה, אך איך אעשה הוותרנות וחסדים טובים עם כל באי עולם לאלפים ולרבבות אם אין בר ולחם ומזון בארץ, על כן נועץ ללכת למקום שבו יוכל לעשות חסדים טובים, הפך אלימלך שיצא מהארץ לבל עשות חסד (אלשיך, בראשית יב:י-יג).

Instead of helping those in need, Elimelech runs to the fields of Moav, a place known specifically for its absence of *chesed*. The *midrash* compares the actions of Elimelech to those of Ammon and Moav, who refused to do *chesed* for *Bnei Yisrael* in the desert:

מי גרם לשבט יהודה לישא אשה מואביה? על שעשו מעשה עמון ומואב, [על דבר אשר] לא קדמו אתכם בלחם ובמים (רות זוטא, פרשה א).

But beneath the surface, Moav retained a reservoir of *chesed* that Lot absorbed from Avraham, to be drawn when needed. Rus returns the lost *middah* of *chesed* to its rightful owners, as the *Sefer Ha-Toda'ah* describes:

אחרי אברהם, נחלק האור הזה, אורו של משיח, לשנים. חציו נטמן בתחתיות ארץ, בזרע עמון ומואב; וחציו השני נשאר גלוי, ועבר ליצחק, וממנו ליעקב, וביהודה בן יעקב כבר החל האור הזה להיות מבהיק, וראו הכל כי ראוי הוא למלכות. והיה האור הזה הולך ומבהיק בזרעו של יהודה שמבני פרץ, ונכסה במצרים, ונגלה שוב בנחשון בן עמינדב שהיה מיוצאי מצרים, ונשאר גלוי בבניו, עד שנכסה שוב בימי אלימלך בן נחשון, שאז אמרו הכל: זה האיש שקווינו לו שישב על כסא מלכות בישראל - אינו ראוי למלוכה. ברח לו למואב.

אז גלה הקב"ה את האור שהיה טמון בשדה מואב, והיתה עצה עמוקה ל'השיב' את רות לבית לחם, ויגלה אורו של משיח משני חלקיו בבת אחת. בועז בן שלמון בן נחשון הוא שיולידו מרות בת עגלון, השבה משדה מואב לשרשה הראשון: תורת חסד של אברהם (ספר התודעה, פרק כט).

The *chesed* of Rus is so praiseworthy precisely because Rus must overcome her Moabite background, which was renowned for its lack of *chesed*. When Rus decides to remain with and to serve Naomi she was choosing a life of poverty and uncertainty for the sake of *chesed*. The *chesed* of Rus is akin to Avraham's, so altruistic that the donor retains nothing for himself or herself:

> חסד זה לא היה חסד של כל אדם. זה היה חסד של אברהם, אדם שוכח כל עמלו וצערו שלו ונותן כל לבו רק על צער זולתו בלבד; וכשהוא בא לגמול חסד לזולתו - עם כל כולו הוא גומל ואינו משאיר מאומה לעצמו. כזה היה החסד שעשתה רות את חמותה אחרי מות אישה, בשעה שהיתה בעצמה זקוקה לחסד ולרחמים. לא גמול טוב גמלה לנעמי, אלא עשתה את עצמה כולה מעשה אחד של חסד, ונתנתו לנעמי ולא הותירה לעצמה אפילו שריד (ספר התודעה, פרק כט).

*Megillas Rus* also symbolizes the union of the two *Toros, Torah she-bich-sav* and *Torah she-be'al peh,* as the *Sefer Ha-Toda'ah* explains:

> ולפיכך קוראים מגילת רות בזמן מתן תורתנו, לידע ולהודיע ולהיוָדע כי התורה שבכתב עם התורה שבעל פה - תורה אחת היא ואי אפשר לזו בלא זו. תדע, שעל ידי שדרשו חכמים בכח התורה שבעל פה שנמסר להם: 'מואבי - ולא מואבית', על ידי כך הותרה רות לבוא בקהל ויצא ממנה דוד משיח ה' לכל הדורות, ועל מלכות בית דוד נשענת כל כנסת ישראל שהיא והתורה - אחת. והכל על ידי כחה של תורה שבעל פה (ספר התודעה, פרק כח).

Rus's tenacious commitment is the driving force that brings about the *chiddush* of the *derashah* of מואבי ולא מואבית. As the *Sefer Ha-Toda'ah* explains, the *derashah* was unprecedented because Rus was the first descendant of Moav who was worthy of even being considered for entry into *Klal Yisrael*:

> בדורות הראשונים לא עלתה שאלה זו לפני חכמים, ולא הורו בה הלכה, וגם הקבלה לא היתה ידועה לרבים, כי לא נגע הדבר למעשה. אכן, לא היתה שם אפילו נפש אחת מואביה שראויה לבוא בקהל ה'. רק בדורו של בועז ושל רות נתעוררה שאלה זו בסמוך לבואה של רות. אותה שעה ישבו החכמים וברורו ההלכה; עמוני - ולא עמונית; מואבי - ולא מואבית (ספר התודעה, פרק כט).

Her exemplary selfless conduct is a total refutation of the *"asher lo kidmu"* of her ancestral nation and represents a deep and meaningful act of *teshuvah*, the hallmark of *Torah she-be'al peh*. Rus is a fiery testament that one person can radically change the course of the world.

Despite the notorious Moabite reputation, *Arvos Moav* was the place where the seeds of *chesed* were being preserved. It is only fitting that the stories of Rus/*Torah she-be'al peh*/*omer* and the salvation of the Jewish nation (through the rejuvenation of *chesed*) start in "*sedei Moav*" (*Rus* 1:1).

Let us conclude by returning to our introductory comments where we pointed out the two reasons for reading *Megillas Rus* on *Shavuos* – the theme of *chesed* and the theme of *Torah she-be'al peh*. Rus represents both elements because her *chesed* allowed the truth of *Torah she-be'al peh* to be revealed in a way it had not been previously. The *chesed* of Rus gave a new (*Torah she-be'al peh*) meaning to the instruction of הפרד נא מעלי commanded by Avraham. While Lot rejected Avraham's selflessness and therefore rejected as well Avraham's God, Rus followed the opposite trajectory – she embraced the *chesed* of Avraham, and she therefore embraced Avraham's God as well. As Rus says to Naomi, not only will she join her destitute mother-in-law on her journey back to her homeland (*bein adam la-chavero*), but she also accepts her God (*bein adam la-Makom*) – עַמֵּךְ עַמִּי וֵאלֹקַיִךְ אֱלֹקָי (*Rus* 1:16). Because of this, Rus is the פרדה who not only is not excluded from the Jewish people, but who becomes instead the mother of *Mashiach*.

# *Sefer Ha-Yashar*[1]

### A. INTRODUCTION – *Sefer Ha-Yashar*

The expression "*Sefer Ha-Yashar*" is found in only two places in the entire *Tanach*:

(1) יהושע פרק י פסוק יג:
וַיִּדֹּם הַשֶּׁמֶשׁ וְיָרֵחַ עָמָד עַד יִקֹּם גּוֹי אֹיְבָיו הֲלֹא הִיא כְתוּבָה עַל סֵפֶר הַיָּשָׁר
וַיַּעֲמֹד הַשֶּׁמֶשׁ בַּחֲצִי הַשָּׁמַיִם וְלֹא אָץ לָבוֹא כְּיוֹם תָּמִים.
(2) שמואל ב פרק א פסוק יח:
וַיֹּאמֶר לְלַמֵּד בְּנֵי יְהוּדָה קָשֶׁת הִנֵּה כְתוּבָה עַל סֵפֶר הַיָּשָׁר.

The context of the first source of "*Sefer Ha-Yashar*" is the miracle performed by Yehoshua of "*shemesh be-Giv'on*," the sun standing still in Givon, and the second is found in David's eulogy for Shaul in the opening of *Shmuel* II.

The *Gemara* in *Avodah Zarah* 25a asks: what is *Sefer Ha-Yashar*? The Gemara responds by discussing both of the above references to *Sefer Ha-Yashar*:

1. "וידום השמש וירח עמד עד יקום גוי אויביו הלא היא כתובה על ספר הישר". מאי ספר הישר? אמר רבי חייא בר אבא אמר רבי יוחנן, זה ספר אברהם יצחק ויעקב שנקראו ישרים, שנאמר, "תמות נפשי מות ישרים".

2. כתיב "ויאמר ללמד בני יהודה קשת הנה כתובה על ספר הישר". מאי ספר הישר? אמר רבי חייא בר אבא אמר רבי יוחנן, זה ספר אברהם

---

1. For a fuller understanding, this chapter should be read in conjunction with the next chapter, "*Arami Oved Avi*: The Story of Yaakov and Lavan."

יצחק ויעקב שנקראו ישרים, דכתיב בהו תמות נפשי מות ישרים ותהי אחריתי כמוהו. והיכא רמיזא? "יהודה אתה יודוך אחיך ידך בעורף אויביך", ואיזו היא מלחמה שצריכה יד כנגד עורף הוי אומר זו קשת. רבי אלעזר אומר, זה ספר משנה תורה, ואמאי קרו ליה ספר הישר? דכתיב, "ועשית הישר והטוב בעיני ה'", והיכא רמיזא? "ידיו רב לו", ואיזו היא מלחמה שצריכה שתי ידים, הוי אומר זו קשת. רבי שמואל בר נחמני אמר, זה ספר שופטים, ואמאי קרו ליה ספר הישר? דכתיב, "בימים ההם אין מלך בישראל איש הישר בעיניו יעשה".

Regarding both the reference in *Sefer Yehoshua* and the reference in *Sefer Shmuel,* R. Chiya bar Abba in the name of R. Yochanan defines *Sefer Ha-Yashar* as the *sefer* of Avraham, Yitzchak and Yaakov. R. Elazar offers a different understanding of *Sefer Ha-Yashar*: "*zeh Mishneh Torah.*" R. Shmuel bar Nachmani has still another underderstanding: *Sefer Ha-Yashar* refers to *Sefer Shoftim.*

A careful reading of the above *Gemara* raises several questions:

1. The *Gemara* asks the identical question, "מאי ספר הישר?", "what is *Sefer Ha-Yashar*?" about both the *pasuk* in *Sefer Yehoshua* and in *Sefer Shmuel.* Why does the *Gemara* not simply ask the question with regard to both *pesukim* at once? What is the the distinction between the two references to *Sefer Ha-Yashar*?

2. Why does R. Elazar (who holds "*zeh Mishneh Torah*") only comment on the *Sefer Ha-Yashar* found in *Sefer Shmuel* and not the one in *Sefer Yehoshua*?[2]

3. Why does the *Gemara* use the expression "the *sefer* of Avraham, Yitzchak and Yaakov" (which is not found anywhere else) and not simply say *Sefer Bereishis*? Additionally, if the *Gemara* is determined to use "the *sefer* of Avraham, Yitzchak and Yaakov" for whatever reason, why not follow the rule of *lashon ketzarah* and say "*sefer ha-Avos*"?

---

2. If *Sefer Ha-Yashar* is *Sefer Shoftim,* the reference to *Sefer Ha-Yashar* in *Yehoshua* cannot refer to *Shoftim* since *Shoftim* was written after *Yehoshua.*

4. The word "*ha-yashar*" appears five times in *Sefer Devarim*. Why is the "*ha-yashar*" found in *Devarim* 6:18 chosen as the reference to "*Sefer Ha-Yashar*"?[3]

5. The connection between *Sefer Ha-Yashar* and *Sefer Devarim* is evident, as the word "*ha-yashar*" appears in the *pasuk* "ועשית הישר הטוב" (*Devarim* 6:18) in *Sefer Devarim*. This is not the case with the suggestion that relates *Sefer Ha-Yashar* to *Sefer Bereishis*. The word "*ha-yashar*" never appears in *Sefer Bereishis*. The *Gemara* abandons *Sefer Bereishis* and turns to *Sefer Bamidbar* where it locates the word "*yesharim*" (*Bamidbar* 23:10), and states that the description "*yesharim*" refers to the *Avos*, whose exploits are recorded in *Sefer Bereishis*, thus the connection between *ha-yashar* and *Sefer Bereishis*. If so, why is it not called *Sefer Ha-Yesharim* instead of *Sefer Ha-Yashar*?[4] Furthermore, seeing that the *Avos* are never called *yesharim* in the Torah, what is the proof that *yesharim* refers to the *Avos*? Can we find a direct link between "*yashrus*" and the *Avos* in *Sefer Bereishis*?

6. The *pasuk* in *Sefer Bamidbar* in which the word *yesharim* appears, "תמות נפשי מות ישרים" (*Bamidbar* 23:10), is a prayer by Bilam that he "die the death of *yesharim*." What is "the death of *yesharim*" that Bilam craves? Is there something unique about the "death of *yesharim*"? If he is envious of the afterlife that the *yesharim* enjoy, as the adjacent phrase in *Bamidbar* 23:10 implies, "ותהי אחריתי כמהו", then the emphasis should not be on the "death" of the *yesharim*, but on the afterlife. And why "אחריתי כמהו", "like his," and not "כמוהם", "like theirs," which would be grammatically correct since the antecedent, *yesharim*, is plural? Furthermore, if Bilam believes

---

3. As the *Torah Temimah, Devarim* 6:18, asks:
ויש להעיר בכלל מאי מעליותא דפסוק זה יותר על כמה פסוקים בס׳ דברים שמבואר בהם מדות והנהגות ישרות ורצויות, ולמה זה נעלה על כולם פסוק זה שעל שמו יקרא כל הספר?

4. As the *Sefer Benayahu ben Yehoyada* (*Avodah Zarah* 25a) asks:
זה ספר אברהם יצחק ויעקב שנקראו ישרים - י״ל למה כתוב ספר הישר דהוה ליה למימר ספר ישרים?

in an afterlife, then surely he should understand that the afterlife is granted for "leading" a life of *yashrus* and is not granted arbitrarily. And thus, he should be bemoaning not having led an exemplary, virtuous life instead of the immoral corrupt life he led, to make himself deserving of an afterlife.

7. R. Shmuel bar Nachmani offers the final interpretation of *Sefer Ha-Yashar, "zeh Sefer Shoftim."* Why does he reject the opinions of R. Chiya and R. Elazar, who are citing Torah-based references for *Sefer Ha-Yashar* (*Bereishis, Mishneh Torah*) which are generally preferred over *Nevi'im*?

### B. ספר הישר – ספר אברהם יצחק ויעקב – ספר בראשית

In his introduction to *Sefer Bereishis* in his *Ha'amek Davar*, the Netziv explains why *Sefer Bereishis* is called *Sefer Ha-Yashar*:

> זה הספר הנקרא ספר בראשית נקרא בפי הנביאים ספר הישר... ויש להבין הטעם למה קרא בלעם את אבותינו בשם "ישרים" ביחוד ולא 'צדיקים' או 'חסידים' וכדומה. וגם למה מכונה זה הספר ביחוד בכינוי "ישר"... וזה היה שבח האבות, שמלבד שהיו צדיקים וחסידים ואוהבי ה' באופן היותר אפשר, עוד היו ישרים, היינו, שהתנהגו עם אומות העולם אפילו עובדי אלילים מכוערים, מ"מ היו עמם באהבה וחשו לטובתם באשר היא קיום הבריאה. כמו שאנו רואים כמה השתטח אברהם אבינו להתפלל על סדום אע"ג שהיה שנא אותם ואת מלכם תכלית שנאה עבור רשעתם, כמבואר במאמרו למלך סדום, מ"מ חפץ בקיומם... והיינו ממש כאב המון גוים, שאע"ג שאין הבן הולך במישרים מ"מ שוחר שלומו וטובו... וכן ראינו כמה נח היה יצחק אבינו להתפייס ממשנאיו, ובמעט דברי פיוס מאבימלך ומרעיו נתפייס באופן היותר ממה שבקשו ממנו, כמבואר במקומו. ויעקב אבינו אחר שהיטב חרה לו על לבן שידע שביקש לעקרו לולי ה', מ"מ דיבר עמו דברים רכים... וכן הרבה למדנו מהליכות האבות בדרך ארץ מה ששייך לקיום העולם המיוחד לזה הספר שהוא ספר הבריאה. ומש"ה נקרא כמו כן ספר הישר על מעשה אבות בזה הפרט.

The Netziv defines the *yashrus* of the *Avos* as their overarching concern for the welfare of all the world's inhabitants, Jews and non-Jews alike.

Regardless of the idolatrous beliefs and immoral practices of some of their interlocutors, such as the king and populace of Sodom, Avimelech king of the Philistines, and Lavan, the *Avos* treated all equally with respect in their keen desire to foster peaceful coexistence.

A similar approach can be found in the *Sefer Emes Le-Yaakov* by R. Yaakov Kamenetsky. He explains what compelled Avraham to put himself in harm's way and risk his life, while certainly not obligated to do so, in order to rescue his nephew, Lot:

> אלא מה שעשה כן אברהם הוא משום שהאבות נקראו "ישרים" [עבודה זרה כה ע"א], והיינו שכל הנהגתם היתה לא על פי דיני התורה אלא על פי השכל הישר, כי האלקים עשה את האדם ישר, ועל פי היושר היה מוטל על אברהם להשתדל להציל את לוט... כי אברהם הרגיש את עצמו כאחראי לשלומו של לוט מכיון שהרן אביו מת בכבשן האש משום שאמר שהוא מאמין באלקי אברהם, ולכן ע"פ היושר, "מענטשליך-קייט", הוכרח אברהם להריק את חניכיו ולרדוף אחר המלכים. ובאמת כל חיי האבות, שחיו קודם זמן תורה, היו מונהגים על פי היושר, וזהו ביאור מאמר חז"ל [ויק"ר פ"ט א"ג]: דרך ארץ קדמה לתורה, והיינו שהאבות התנהגו על פי דרך ארץ והיושר עוד קודם שניתנה תורה (אמת ליעקב, עמ' צא).

R. Yaakov defines the *yashrus* of the *Avos* as basic "menschlichkeit" – the capacity to conduct oneself at all times in a civil manner and to show concern for others. As Lot's father perished uttering the words "I believe in the God of Avraham," Avraham owed it to his deceased brother to look out for his offspring. It compelled Avraham to disregard concerns of personal safety or "*lomdishe*" arguments not to get involved, but instead to intervene to rescue his nephew. That is the genuine menschlichkeit practiced by the *Avos*.

R. Yaakov, like the Netziv, emphasizes that this *yashrus* is fundamentally incumbent upon all human beings, independent of religious and moral convictions. The stories of the *Avos* recorded in *Sefer Bereishis* serve as models to inspire us to emulate their *yashrus* behavior and to underscore the paramount importance of *middos tovos; derech eretz kadmah la-Torah.*

These ideas are captured and conveyed in the very first word of the

Torah – *Bereishis*. The letters of בראשית can be rearranged to yield ישר אבת, a confirmation that all "begins" with the *yashrus* of the *Avos* and that *yashrus* is the guiding "principle"[5] which prefaces and launches Torah and all of life.

The Netziv and R. Yaakov both have a cogent and meaningful explanation of *Sefer Ha-Yashar* as *Sefer Bereishis*, but neither relates to the other possibilities for *Sefer Ha-Yashar* discussed in the *Gemara* in *Avodah Zarah*.

### c. ספר הישר – ספר משנה תורה – ועשית השר והטוב

The second interpretation of *Sefer Ha-Yashar* is *Mishneh Torah*, i.e., *Sefer Devarim*. The *Gemara* cites *Devarim* 6:18, which contains the phrase "וְעָשִׂיתָ הַיָּשָׁר וְהַטּוֹב", as the reason that *Devarim* is called *Sefer Ha-Yashar*. *Devarim* 6:17–19 shows the context of the phrase:

> (יז) שָׁמוֹר תִּשְׁמְרוּן אֶת מִצְוֹת ה׳ אֱלֹקֵיכֶם וְעֵדֹתָיו וְחֻקָּיו אֲשֶׁר צִוָּךְ.
> (יח) וְעָשִׂיתָ הַיָּשָׁר וְהַטּוֹב בְּעֵינֵי ה׳ לְמַעַן יִיטַב לָךְ וּבָאתָ וְיָרַשְׁתָּ אֶת הָאָרֶץ הַטֹּבָה אֲשֶׁר נִשְׁבַּע ה׳ לַאֲבֹתֶיךָ.
> (יט) לַהֲדֹף אֶת כָּל אֹיְבֶיךָ מִפָּנֶיךָ כַּאֲשֶׁר דִּבֶּר ה׳.

When *pasuk* 18 states וְעָשִׂיתָ הַיָּשָׁר וְהַטּוֹב, what performance ("*ve-asisa*") is being demanded? This question is compounded upon the realization that everything is covered in the previous *pasuk* (6:17), in which the Jewish people are commanded to observe "*mitzvos Hashem, edosav* and *chukav*"; what is left over? And what is added with the word "*ha-tov*"?

While Rashi is terse and explains that "*ha-yashar ve-ha-tov*" refers to "compromise" and "going beyond the letter of the law" ("*pesharah ve-lifnim mi-shuras ha-din*), the Ramban explains that this refers to a broader principle:

> ולרבותינו בזה מדרש יפה, אמרו: זו פשרה ולפנים משורת הדין. והכוונה בזה, כי מתחלה אמר שתשמור חקותיו ועדותיו אשר צוך, ועתה יאמר

5. As seen in the term אבות מלאכות, principles of forbidden *Shabbos* labor, the word *av* can refer to a fundamental principle.

> גם באשר לא צוך תן דעתך לעשות הטוב והישר בעיניו, כי הוא אוהב הטוב והישר.
>
> וזה ענין גדול, לפי שאי אפשר להזכיר בתורה כל הנהגות האדם עם שכניו ורעיו וכל משאו ומתנו ותקוני הישוב והמדינות כלם, אבל אחרי שהזכיר מהם הרבה, כגון לא תלך רכיל (ויקרא יט:טז), לא תקום ולא תטור (שם פסוק יח), ולא תעמוד על דם רעך (שם פסוק טז), לא תקלל חרש (שם פסוק יד), מפני שיבה תקום (שם פסוק לב), וכיוצא בהן, חזר לומר בדרך כלל שיעשה הטוב והישר בכל דבר, עד שיכנס בזה הפשרה ולפנים משורת הדין, וכגון מה שהזכירו בדינא דבר מצרא (ב"מ קח א), ואפילו מה שאמרו (יומא פו.) פרקו נאה ודבורו בנחת עם הבריות, עד שיקרא בכל ענין תם וישר.

The Ramban, in attempting to reconcile the *pesukim,* clearly defines *ha-yashar ve-ha-tov* as an area beyond the purview of commandments (*mitzvos*). After God commanded *Bnei Yisrael* to follow His *mitzvos, edos* and *chukim* in *pasuk* 17, "ועתה יאמר גם באשר לא צוך", "and now [the phrase '*ha-yashar ve-ha-tov*'] is stated in regards to what He did not command you."

The Ramban expresses a similar idea in his commentary to *Vayikra* 19:2, on the phrase קְדֹשִׁים תִּהְיוּ, a phrase which, like וְעָשִׂיתָ הַיָּשָׁר וְהַטּוֹב, expresses an idea that goes beyond specific *mitzvos*:

> וזה דרך התורה לפרוט ולכלול בכיוצא בזה, כי אחרי אזהרת פרטי הדינין בכל משא ומתן שבין בני אדם, לא תגנוב ולא תגזול ולא תונו ושאר האזהרות, אמר בכלל ועשית הישר והטוב (דברים ו:יח), שיכניס בעשה היושר וההשויה וכל לפנים משורת הדין לרצון חבריו.

Just as the Torah states the overarching principle of קְדֹשִׁים תִּהְיוּ after enumerating specific *mitzvos* regarding man's internal spiritual development, so too it states the general principle of וְעָשִׂיתָ הַיָּשָׁר וְהַטּוֹב after enumerating specific *mitzvos bein adam la-chavero.*

This understanding of וְעָשִׂיתָ הַיָּשָׁר וְהַטּוֹב is shared by the Maharsha (*Avodah Zarah* 25a):

> והיינו משום דבקרא דלעיל מיניה כלל כל חלקי המצות, דכתיב שמור תשמרון את מצות ה' וגו' ועדותיו וחקיו אשר צוך, והוסיף בהאי קרא דבתריה לומר ועשית הישר וגו', שאינו בכלל המצות אבל תעשה הישר

לפנים משורת הדין כי הוא טוב בעיני ה׳ אע״פ שלא צוך ע״ז, ועל שם זה קרא ספר משנה תורה ספר הישר לפי שהוא נוסף על התורה בכמה מצות הישרים והטובים בעיני ה׳ וק״ל.

*Sefer Devarim* (*Mishneh Torah*) is called *Sefer Ha-Yashar*, the Maharsha explains, because it is an addition to the Torah which includes many *mitzvos* that are *yashar ve-tov* in the eyes of God.

This position expressed by the Ramban and Maharsha should give us pause for reflection. If the written Torah is an expression of God's will, how can something that is clearly written in the Torah not be a commandment (*mitzvah*)? What do the Ramban and the Maharsha mean when they say that וְעָשִׂיתָ הַיָּשָׁר וְהַטּוֹב is "אשר לא צוך", "that which He did not command you"?

This question is compounded when one compares the *yashrus* of *Sefer Bereishis*, as defined by the Netziv and R. Yaakov Kamenetsky, with the *yashrus* of *Sefer Devarim* as defined by Rashi, the Ramban and the Maharsha. While all agree that *yashrus* refers to the general etiquette and niceties required to maintain societal harmony, which are not legally mandated, only the *mefarshim* in *Sefer Devarim* introduce specific mechanisms such as פשרה, דינא דבר מצרא, שומא הדרא – compromise, first rights of purchase, and the rule that seized property must be returned to the debtor upon repayment of the debt. These mechanisms are not voluntary, and failure to abide by them constitutes cause for a bona fide legal claim.[6] How do we reconcile these legal mechanisms with וְעָשִׂיתָ הַיָּשָׁר וְהַטּוֹב, which appears to be voluntary and left to the discretion of the individual?

### D. ספר הישר – משנה תורה

R. Zalman Sorotzkin, in his *Oznayim La-Torah* (introduction to *Sefer Devarim*), asks why *Sefer Devarim* is called *Sefer Ha-Yashar*. He responds by quoting the above Maharsha, that *Devarim* adds to

---

6. See *Shulchan Aruch, Choshen Mishpat* 175:7 and *Beis Yosef* to *Choshen Mishpat, siman* 12.

the Torah many *mitzvos* that are *yashar ve-tov* in the eyes of God. R. Sorotzkin continues by reporting an "amazing" discovery:

> ודבר פלא מצאתי בב"ר פ"ו - "ספר משנה תורה זה סגנון [דגל או חותם] ליהושע. בשעה שנגלה עליו הקב"ה, מצאו יושב וספר משנה תורה בידו. אמר לו חזק יהושע אמץ יהושע, לא ימוש ספר התורה הזה מפיך והגית בו יומם ולילה", עכ"ל.

The *Midrash Rabbah* closely links *Mishneh Torah* with Yehoshua to the extent that it calls *Mishneh Torah* Yehoshua's "סגנון" (banner or signature).[7] The *Oznayim La-Torah* states that this connection can be understood in light of Yehoshua's status as king. A king is obligated to write two *Sifrei Torah,* and the Yerushalmi (*Sanhedrin* 2:6) implies that the second scroll of the king (which must be in the king's possession at all times) is the *Mishneh Torah*. The *Oznayim La-Torah* continues:

> אבל עדיין דברי הקב"ה "לא ימוש ספר התורה הזה מפיך והגית בו יומם ולילה" צריכים ביאור. ואי משום שנא' בו "ועשית הישר", שנוסף על התורה חייבים לעשות דברים טובים לפנים משורת הדין, הלא חוב זה מוטל על כל ישראל ולמה דוקא המלך נצטוה ע"ז ביחוד?

If the phrase וְעָשִׂיתָ הַיָּשָׁר וְהַטּוֹב applies to the entire Jewish nation, who must act *lifnim mi-shuras ha-din,* why is the king singled out to write and carry with him the *Mishneh Torah*? R. Sorotzkin explains why a king is singled out:

> והנראה בזה, שמכיון שהמלך צריך שתהא אימתו על אזרחיו, כדי שלא ימרו את פיו, ורשאי הוא לדון דיני נפשות שלא בראי' ברורה ובלא התראה ע"פ דין המלך, שלא כדין התורה, ובפרט את הממרה את פיו אפילו בדבר קל הערך (רמב"ם פ"ג מהל' מלכים ה"ח) כדי להטיל אימה, קיים חשש שהאכזריות והגאוה יקוננו בלבו ולא יהי' חונן ומרחם על הבריות, לפיכך מצוה עליו יותר מעל כל ישראל לעשות טוב וחסד

7. The close connection between *Mishneh Torah* and Yehoshua fortifies our original question (see section A, question 2) as to why R. Elazar, who believes that *Sefer Ha-Yashar* is *Mishneh Torah,* does not comment on the *Sefer Ha-Yashar* found in *Sefer Yehoshua*.

לקטנים ולגדולים, ״לפנים משורת הדין״, ונגד זה שעליו להתאכזר (לטובת הנהגת המלכות) שלא כדין התורה, עליו לרחם על העניים והאביונים לפנים משורת הדין באופן יוצא מן הכלל (שהרי יש הרבה דברים שאין חייבים לעשות לפנים משה״ד, אלא שמצוה על העשיר ומכש״כ על המלך, לעשות זאת לעניים).

A king is granted sweeping extrajudicial powers to instill fear and respect into his subjects, in order to guarantee their fealty. These powers, as history has vividly demonstrated, can potentially corrupt the king and lead to flagrant abuse. To counterbalance this awesome entitlement, the king must bend backwards in the opposite direction. He must be a fountain of *chesed,* performing acts of kindness and mercy toward the poor and downtrodden, above and beyond the letter of law.

The *Oznayim La-Torah* concludes with a very bold statement:

והרי מצינו שדוד מלך ישראל הצטיין במדה זו עד להפליא, עד שנא׳ עליו ״ויהי דוד עושה משפט וצדקה״ (ש״ב ח׳), ודרשו חז״ל, שהיה דן את הדין וכשחייב את העני היה משלם את חובו מכיסו... וזהו יותר מלפנים משה״ד שהרי זה בדבר שאינו שייך בו כלל, ואעפ״כ היה עושהו. ולפיכך ניתנה המלוכה לו ולזרעו אחריו, מפני שעשה ״הישר והטוב בעיני ה׳״. הלא תראה, שבכל א׳ ממלכי יהודה (ואפילו בכמה ממלכי ישראל) נא׳ ויעש הישר בעיני ה׳ כדוד אביו או שלא עשה הישר בעיני ה׳ ולא הלך בדרך דוד. הרי לך, שקנה המדה למלכות הוא ״הישר בעיני ה׳״, שעל המלך להצטיין במדה זו, וזה כדי להעמידה נגד מדת האכזריות שעליו לנקוט, כדי שתהא אימתו על ישראל ויסורו למשמעת מלך ושרים. ומדה זו על המלך ללמוד מ״ספר הישר״, שרבו בו האזהרות לעשות את הישר בעיני ה׳, היינו מחוץ למצות התורה. וזה שאמר ה׳ ליהושע: ״לא ימוש ספר התורה הזה מפיך והגית בו יומם ולילה״.

The *Oznayim La-Torah* reveals a fundamental *chiddush,* that David's propensity to excel in the performance of *chesed, ha-yashar ve-ha-tov,* was the critical factor in bestowing upon him the crown of kingship and was that which allowed him to establish the Davidic royal dynasty, which will ultimately usher in the Final Redemption. The linking of *yashrus* with *malchus* has enormous and far-reaching implications, as will be shown.

## E. תורה שבכתב ותורה שבעל פה

To resolve the above issues, it is necessary to review some core concepts regarding *Torah she-bichsav* and *Torah she-be'al peh.* A classic source which explains the differences between the *Torah she-bichsav* and *Torah she-be'al peh* is the *Midrash Tanchuma* (*Parashas Noach, siman* 3):

> יתברך שמו של ממ"ה הקב"ה שבחר בישראל משבעים אומות כמ"ש כי חלק ה' עמו יעקב חבל נחלתו (דברים לב:ט) ונתן לנו את התורה בכתב ברמז צפונות וסתומות ופרשום בתורה שבע"פ וגלה אותם לישראל ולא עוד אלא שתורה שבכתב כללות ותורה שבע"פ פרטות ותורה שבע"פ הרבה ותורה שבכתב מעט ועל שבע"פ נאמר ארוכה מארץ מדה ורחבה מני ים (איוב יא:ט) וכתיב ולא תמצא בארץ החיים (שם כח) ומאי לא תמצא בארץ החיים וכי בארץ המתים תמצא אלא שלא תמצא תורה שבע"פ אצל מי שיבקש עונג העולם תאוה וכבוד וגדולה בעולם הזה אלא במי שממית עצמו עליה שנאמר זאת התורה אדם כי ימות באהל (במדבר יט:יד) וכך דרכה של תורה פת במלח תאכל ומים במשורה תשתה ועל הארץ תישן וחיי צער תחיה ובתורה אתה עמל לפי שלא כרת הקב"ה ברית עם ישראל אלא על התורה שבע"פ שנאמר כי על פי הדברים האלה כרתי אתך ברית (שמות לד:כז) ואמרו חז"ל לא כתב הקב"ה בתורה למען הדברים האלה ולא בעבור הדברים האלה ולא בגלל הדברים אלא ע"פ הדברים וזו היא תורה שבע"פ שהיא קשה ללמוד ויש בה צער גדול שהוא משולה לחשך.

According to the *Tanchuma,* the *Torah she-bichsav* has hints and allusions, which are then elaborated in the *Torah she-be'al peh;* the *Torah she-bichsav* contains general principles, and the *Torah she-be'al peh* details; the *Torah she-bichsav* is brief and straightforward while the *Torah she-be'al peh* is lengthy and complex. Gaining mastery over the *Torah she-be'al peh* requires a willingness to forfeit all the pleasures of this world, and furthermore, the *Torah she-be'al peh* is the basis of the covenant between God and the Jewish people.

The tension between the *Torah she-bichsav* and the *Torah she-be'al peh* has several fundamental manifestations:

1. The first *luchos* vs. the second *luchos*:

> לוחות הראשונות... שהידיעה באה מפני עומק השגתם בעת ההיא, ומחמת רוב הבהירות היו משיגים שורש הדיבור, וממילא מהשורש ידעו את כל הענפים... משא״כ בלוחות שניות ניתן להם דרך חדשה, שיעמדו בחוץ, ומשם יהיה להם הכח ע״י היגיעה להשיג את כל הפרטים... כי סדר של לוחות השניות היה שע״י היגיעה בתושבע״פ יכולים לבוא לידי השגה בתושב״כ, ההשגה של לוחות הראשונות. כי דרגה זו של לוחות הראשונות לא ניטלה מבנ״י לגמרי, אלא שנעשתה הדרך יותר ארוכה ויותר קשה, והאופן להגיע להבחינה שבה עמדו ישראל בעת לוחות הראשונות הוא ע״י היגיעה בתושבע״פ (אור גדליהו, כי תשא).

According to R. Gedalyah Schorr in his *Sefer Or Gedalyahu,* the first *luchos,* which were fashioned by God Himself, correspond to the *Torah she-bichsav,* and were granted to *Bnei Yisrael* when they were in an elevated, angelic spiritual state (akin to Adam *ha-Rishon* before the Sin), at which time they intuitively grasped the will of God, and all its manifestations, with perfect clarity. The second *luchos,* which correspond to the *Torah she-be'al peh,* were chiseled by man (Moshe *Rabbeinu*) and require serious diligence on *Bnei Yisrael's* part to comprehend all aspects of God's will. The second *luchos* represent a longer and more difficult path to once again attain the level of clarity represented by the first ("Godly") *luchos.*

2. The power of *chiddush* was absent in *Torah she-bichsav* but present in *Torah she-be'al peh*:

> דבלוחות הראשונות לא ניתן כח החידוש אלא מה שקיבל משה דיוקי המקראות והלכות היוצא מזה אבל לא לחדש דבר הלכה ע״י י״ג מדות וכדומה הויות התלמוד, ולא הי׳ תורה שבע״פ אלא דברים המקובלים מפי משה, ומה שלא היה מקובל היו מדמים מילתא למילתא, אבל בלוחות השניות ניתן כח לכל תלמיד ותיק לחדש הלכה ע״פ המדות והתלמוד (העמק דבר, שמות לד:א).

According to the Netziv, when receiving the first *luchos,* Moshe effortlessly understood the text and all the encompassing laws that naturally flowed from the text. There was no need to be *mechadesh* as everything was within Moshe's grasp. The *Torah she-be'al peh* of the first *luchos* consisted of Moshe's dissemination of the material he perceived. The loss of the first *luchos* terminated the piercing clarity that intuitively accompanied them. The second *luchos,* by contrast, lacked the inherent Divine clarity of the first luchos. To compensate, the power of *chiddush* was granted to students who were prepared to invest maximum effort (*yegi'ah ve-ameilus*) to uncover the profundities of the Torah.

3. The contrast between Moshe and Aharon and between *nishma* and *na'aseh*:

> ענין שתי הלחם, לחם מן השמים ולחם מן הארץ, והם בחי' נעשה ונשמע, בחי' משה ואהרן, כדאיתא שלכן היו ב' לוחות, בחי' משה ואהרן. נשמע הוא בחי' משה, תורה שבכתב, ונעשה בחי' עובדא עושי דברו, ולזה מיוחד אהרן הכהן. ולפי שחטאנו בנעשה, ונשמע נשאר קיים לעולם, לכן כתיב תורה צוה כו' משה מורשה, כי בחי' משה נשאר קיים לדורות. ובחי' הקרבנות הוא התעוררות התחתונים להתקרב למעלה לימשך ע"י שפע ברכה משמים זה בחי' לחם מן הארץ (שפת אמת, במדבר, שבועות, שנת תרנ"ה).

The *Sefas Emes* understands the *shtei ha-lechem* ("two loaves" offering) as representing "bread of the earth" and "bread of heaven," as well as the two sets of *luchos,* Moshe and Aharon, and the concepts of *na'aseh* and *nishma* (*Shemos* 24:7). Moshe is associated with the bread of heaven, with the first *luchos,* with *Torah she-bichsav* and with *nishma,* which endures forever. Aharon is associated with the second *luchos,* with *Torah she-be'al peh,* with *na'aseh,* and with the "bread of the earth," which represents man's active efforts to bring the Divine Presence to earth.

> תורתו של משה, תורה בהירה היתה. תורה שאין בה ספקות והתלבטיות. ומשנסתפק, היה המפתח הפנימי ביותר מסור בידו: "עמדו ואשמעה מה יצוה ה' לכם" (במדבר ט:ח). משנסתלק משה, ניטלו המפתחות.

מכאן ואילך, אין דרך לעמוד על אמיתת דברי תורה, אלא מתוך יגיעת פלפול מפליגה (אסופת מערכות, במדבר, דף קז).

R. Chaim Yaakov Goldvicht, in his *Asufas Ma'arachos,* explains that the Torah of Moshe was crystal clear, devoid of doubts and quandaries. If Moshe had any issues or questions, he appealed directly to God for immediate resolution. But Moshe's approach was unique and confined to him alone; it is no longer available. Our sole option in understanding God's "will" is to exert great effort in the study and analysis of Torah. This is essentially the path of *Torah she-be'al peh.*

4. *Teshuvah* is linked specifically to *Torah she-be'al peh*. The *Sefas Emes* explains the back-and-forth between Moshe and his father-in-law Yisro about whether all questions should be addressed directly by Moshe:

והנה משה רבינו ע״ה דעת התורה, ובודאי הי׳ טוב כן שילמדו ממנו בעצמו, אולם פירוש ״נבול תבול״ (שמות יח:יח) בסופא דדרגין, כי בני ישראל היו בדרגא תתאי ולא היו עולין עד בחי׳ משה רבינו ע״ה, וזהו ״טוב הדבר כו׳ לעשות״ (דברים א:יד), בבחי׳ עשי׳, ובבחי׳ זו הי׳ טוב עצת יתרו. וההכרח להאריך קצת. כבר נודע בחינת תורה שבכתב בעצמותה גבוה מתורה שבעל פה, אבל תורה שבעל פה אף שמגרמה לית לה כלום, אבל על ידי היגיעה יכולין למצוא אורות גבוהים יותר מתורה שבכתב. והנה בחינת משה רבינו ע״ה תורה שבכתב, וזה הענין הוא סדר הראוי באמת, וענין תורה שבעל פה כענין בעל תשובה, וכההפרש שבין צדיק גמור ובעל תשובה כן בזה. ולזאת ענין תורה שבעל פה הוטב ליתרו, כי דרגא דידי׳ הוי שנודע על ידי עבודה זרה שאין כלום רק ״גדול ה׳ מכל האלהים״ (שמות יח:א), פירוש שנודע מכל האלהים, שה׳ גדול כו׳ עיין שם, וזה ענין גרות, מלשון גרה, שממשיך ממקום אחר אל הקדושה. והכלל כי לפי ענין עמידת ישראל בחי׳ תורה שבעל פה ותשובה על ידי שקלקלו, היה טוב עצת יתרו, ״ושפטו בכל עת״ (שמות יח:כב, כו), כי למשה רבינו ע״ה לא היו ראויין בכל עת להגיע אליו, רק ההולך מדרגה אחר מדרגה. וזהו שאמרו במדרש (שמו״ר כז:א) [וישמע יתרו, הה״ד] ״רעך ורע אביך [אל תעזב]״ (משלי כז:י) כו׳, פירוש כי התחלה באהבה, זהו טוב, וזהו בחי׳ משה רבינו ע״ה, אבל אם עזבת, אזי צריך על ידי יראה ותשובה,

תן דעתך להוסיף דעת מעצמו בחי׳ תורה שבעל פה, והבן מאוד מאוד (שפת אמת, ליקוטים, פרשת יתרו).

The *Sefas Emes* employs the paradigm of *Torah she-bichsav* and *Torah she-be'al peh* to contrast the approaches of Moshe and of Yisro. Moshe's Torah, *Torah she-bichsav,* is Divine and beyond the grasp of mere mortals. Yisro, on the other hand, the quintessential *ba'al teshuvah,* is associated with *Torah she-be'al peh.* The paths of both the *ba'al teshuvah* and of *Torah she-be'al peh* are arduous and challenging, with many rises and falls. The Torah of Yisro, the *ba'al teshuvah,* is "down to earth" and relates to the common man. And in the end, the approach of Yisro triumphs because it involves the participants' motivations and actions (the declaration of *na'aseh,* which leads to *yegi'ah ve-ameilus*).

The link of *Torah she-be'al peh* with *teshuvah* is further underscored by the fact that the *luchos sheniyos* were delivered on Yom Kippur, the primary day of *teshuvah* (see *Or Gedalyahu, Mo'adim,* p. 12). Furthermore, *teshuvah* by definition requires that an individual, on his own volition, decides to initiate a change of conduct.

5. The contrast between Moshe and Yehoshua:

חז״ל אמרו פני משה כפני חמה פני יהושע כפני לבנה, זקנים שבאותו הדור אמרו אוי לבושה זו אוי לכלימה זו (בבא בתרא עה.). כי בחי׳ מרע״ה הוא עלמא דדכורא והוא פני חמה, ויהושע בחי׳ לבנה שאין לה מגרמה כלום רק שמקבלת מאור החמה והיא בחי׳ תורה שבע״פ דלית לה מגרמה כלום רק ע״י דרשות מן התורה הוציאו חכמים כל התורה שבע״פ. וזהו כל האסמכתות שסמכו חכמים מן התורה... והוא בחי׳ נוקבא המקבלת מן דכורא ולכן אמרו אוי לבושה זו דמאן דאכל דלאו דילי׳ בהית לאסתכולי ביה (שפת אמת, פינחס, שנת תרס״ג).

Here again the *Sefas Emes* uses the *Torah she-bichsav* and *Torah she-be'al peh* models to capture the contrast between Moshe and Yehoshua. Moshe is *Torah she-bichsav,* the sun, which is an unchanging and consistent source of light. Yehoshua is *Torah she-be'al peh,* the moon, which waxes and wanes, and does not generate its own light but merely reflects the light of the sun.

### F. *Arvos Moav* – Transition

The setting for *Sefer Devarim* is the last thirty-seven days of Moshe's life in *Arvos Moav,* the plains of Moab. The passing of Moshe heralds a profound change in the life and direction of the Jewish nation in several aspects:

1. Leadership – the baton of leadership is being transferred from Moshe to Yehoshua.
2. Locale – the place of residence is shifting from the desert to *Eretz Yisrael.*
3. Daily life – the supernatural existence, which defined daily life in the desert, is giving way to *derech ha-teva,* a natural, mundane existence.
4. Torah – the era of the Written Torah is on the wane and is being replaced by the Oral Torah.[8] The characteristics of Oral Torah, *yegi'ah, ameilus,* and *chiddush,* are coming into prominence. The passive world of *shemi'a* ("עמדו ואשמעה מה יצוה ה׳ לכם") is no longer, and instead the new world order is *asiyah.* The approach to perceiving and understanding Torah has radically changed.

Thus, *Sefer Devarim* is aptly called *Mishneh Torah,* which captures the *Torah she-be'al peh* essence that sets it apart from the other books of Torah.

---

8. It should be noted that there were vestiges of *Torah she-bichsav* and *derech ha-nes* present in *Eretz Yisrael* for a period of time. This was due to the fact that those elements were preserved through the *klei ha-Mishkan* which originated in the *midbar. Churban Bayis Rishon* terminated any remnants of *Torah she-bichsav* and *derech ha-nes*:

ובזה יובן כי היטיבו חז״ל אשר דברו שאסתר נמשלה לאילת השחר, מה שחר סוף לילה אף אסתר וכו׳, כי בזמן אסתר האיר השחר ובא יממא שקבלו תורה ופסקו ניסים (יערות דבש, חלק ראשון, דרוש ג).

The transition to *Torah she-be'al peh* and *derech ha-teva* is the background to the story of Purim as recounted in *Megillas Esther.*

## G. ספר אברהם יצחק ויעקב Revisited

The bookends of the *Chamishah Chumshei Torah* are both called *Sefer Ha-Yashar.* The blueprint for creation of the universe is *chesed.*[9] Creation commences with "בראשית ברא" – which can be re-read as באת ישר ברא, with what is *yashar* He created.[10] *Yashrus* is fundamental to creation. What is the *yashrus* that God infuses into Creation? As Rashi on *Bereishis* 1:1, s.v. "*bara Elokim,*" comments:

> שבתחלה עלה במחשבה לבראותו במדת הדין וראה שאין העולם מתקיים והקדים מדת רחמים ושתפה למדת הדין.

This is the *yashrus* of *lifnim mi-shuras ha-din,* which also includes the capacity for *teshuvah.*[11]

In the light of באת ישר ברא, let us examine the very first Rashi of the Torah:

> אמר רבי יצחק לא היה צריך להתחיל את התורה אלא מהחודש הזה לכם שהיא מצוה ראשונה שנצטוו בה ישראל ומה טעם פתח בבראשית משום (תהלים קיא) כח מעשיו הגיד לעמו לתת להם נחלת גוים שאם יאמרו אומות העולם לישראל ליסטים אתם שכבשתם ארצות שבעה גוים הם אומרים להם כל הארץ של הקב"ה היא הוא בראה ונתנה לאשר ישר בעיניו ברצונו נתנה להם וברצונו נטלה מהם ונתנה לנו (רש"י, בראשית א:א).

---

9. As *Tehillim* 89:3 declares, כִּי אָמַרְתִּי עוֹלָם חֶסֶד יִבָּנֶה.

10. *Sefer Yitav Lev* on *Parashas Noach* states, - ועל דרך רמז, "בראשית ברא" אותיות באת ישר ברא. Similarly, on the *pasuk* וּמִפְתַּח שְׂפָתַי מֵישָׁרִים, "and the opening of my lips shall be right things" (*Mishlei* 8:6), the Vilna Gaon comments:

כלומר כמ"ש על ספר הישר ואמרו זה בראשית גו', ומפתח שפתי שהוא התחלת התורה הוא נקרא ישר (ביאור הגר"א, משלי ח:ו).

11. As R. Menachem Recanati writes:

וכשברא הקב"ה את העולם קדם לבריאת העולם התשובה, שהיא מן הדברים שנבראו קודם שנברא העולם שנאמר בטרם הרים יולדו וגו' [ותאמר שובו בני אדם] (תהלים צ:ב)... זהו מה שאמרו ז"ל כשברא הקב"ה את עולמו עלה במחשבה לברא אותו במדת הדין ראה שאינו מתקיים בו הקדים מדת רחמים ושתפה עם מדת הדין. ומדת רחמים היא הסליחה והסליחה על ידי התשובה. לכך הקדים לו לאדם התשובה כדי שימחול לו על ידה (פירוש הרקנאטי על התורה, פרשת נשא).

God does not "play favorites." God awarded the Land of Israel לאשר ישר בעיניו, to those who earned it via *yashrus*. The *ummos ha-olam* failed to qualify, whereas the Jews succeeded and were deserving of the Land because of their *yashrus*. Through their conduct, the *Avos* earned the title of *yesharim*. *Bereishis* 2:4, the *pasuk* which Rashi cites as the instant when God added *middas ha-rachamim* to the world (*Bereishis* 1:1, s.v. "*bara Elokim*"), hints at the connection between Avraham and the *middas ha-rachamim*. Rabbeinu Bechaye's interpretation of the *midrash* on *Bereishis* 2:4 shows how the *yashrus* of the *Avos* is the basis for the existence of the world. The *pasuk* states:

> אֵלֶּה תוֹלְדוֹת הַשָּׁמַיִם וְהָאָרֶץ בְּהִבָּרְאָם בְּיוֹם עֲשׂוֹת ה׳ אֱלֹקִים אֶרֶץ וְשָׁמָיִם.[12]

Rabbeinu Bechaye comments, citing the *midrash*:

> ועל דרך המדרש (בראשית רבה יב, ט) בהבראם באברהם, שבזכות אברהם נברא העולם, וכן אמרו (שם) אמר רבי יודן בהבראם באברהם הן הן האותיות, ואם אתה תמה בדבר ראה מה כתיב (תהלים קד:יח) הרים הגבוהים ליעלים, ומה אם הרים הגבוהים לא נבראו אלא בשביל היעלים על אחת כמה וכמה שנברא העולם בזכות אברהם, וביאור המדרש הזה שהעולם נברא בחסד שנאמר (שם פט:ג) אמרתי עולם חסד יבנה, ואברהם זכה למדת החסד שנאמר (מיכה ז:כ) חסד לאברהם (רבנו בחיי, בראשית ב:ד).

The guiding principle of Avraham is *chesed*,[13] which is the cornerstone he uses to build the Jewish nation ("עוֹלָם חֶסֶד יִבָּנֶה"). Yitzchak lends

---

12. It should be noted that this *pasuk* commences Creation II, the *Torah she-be'al peh* (*be'ur*) of Creation I.

13. It should be noted that while the word "בהבראם" is associated by the *midrash* with Avraham (and his *chesed*) Rashi presents an additional perspective on the word בהבראם, which relates to *teshuvah*:

> ולמדך כאן שהעולם הזה נברא בה"א (ס"א רמז כמו שהה"א פתוחה למטה כך העולם פתוח לשבים בתשובה ועוה"ב נברא ביו"ד לומר שצדיקים שבאותו זמן מועטים כמו י' שהיא קטנה באותיות).

Thus we see an important link between *chesed* and *teshuvah*, which relates to

*gevurah/din* to the model. The combination of *chesed* and *din* gives us Yaakov. Yaakov's blend of Avraham's and Yitzchak's *middos* parallels the blend of *rachamim* with *din* that *Hashem* determined was necessary at the creation of the world, as R. David Abuchatzeira explains:

> או יאמר וזכרתי את בריתי יעקוב, ואף את בריתי יצחק, ואף את בריתי אברהם אזכר והארץ אזכר והוא כי ידוע הוא מרבנו האר"י ז"ל אשר יעקב אבינו עליו השלום בחינתו ושרשו הוא כללות אבותיו אברהם ויצחק, כי זה גבורה וזה חסד והוא רחמים ממתק וכו׳, ובזה אתי שפיר אמרם זכרונם לברכה יעקב בחיר שבאבות מטתו שלמה וכו׳ לעולם האמצעי שלם וכו׳ ויבא יעקב שלם וכו׳, וכן אמרו רבותינו ז"ל על פסוק ביום עשות ה׳ אלקים ארץ ושמים, שהקשוהו עם בראשית ברא אלקים וכו׳ ותרצו בתחלה עלה במחשבה לברא העולם במדת הדין כמ"ש בראשית וכו׳, וראה שאין העולם מתקיים וכו׳ והקדים מדת רחמים ושתפה עם מדת הדין, והיינו ביום עשות ה׳ אלקים וכו׳, והיינו נמי בחינת יעקב אבינו עליו השלום (שכל טוב, חלק א, לימים נוראים ותשובה).

The combination of *chesed* and *din*, which defines Yaakov, creates *yashrus*, which is hinted at in Yaakov's name Yisrael, ישר־אל. Thus, we see a direct connection of *yashar* to the *Avos*, and the "*yesharim*" mentioned by Bilam clearly alludes to the *Avos*, as they are the original and authentic *yesharim*. The *Gemara* employs the phrase "*sefer* of Avraham, Yitzchak and Yaakov," instead of *sefer ha-Avos*, to define *Sefer Ha-Yashar*, in order to emphasize the unique role (and order) that each of the *Avos* plays in the development of the *yashar* model.

While in *Devarim*, the concept of *yashrus* is defined by means of legal principles (פשרה, דינא דבר מיצרא, etc.), the *Avos* were on a completely different spiritual level and did not require the assistance of any supportive mechanisms to be *yesharim*. The *Asufas Ma'arachos* explains that the *Avos* had complete understanding of God's will naturally, without the need for the revelation of *Matan Torah*. They

---

the fact that Avraham, who was an outstanding *ba'al chesed*, was also the very first "Jewish" *ba'al teshuvah*.

had nothing obstructing the purity of their intellect, and were thus able to understand the values of the Torah from within themselves:

> ובדבר זה קיים הבדל עמוק, בין דורות ראשונים לאחרונים. שהאבות הקדושים, קודם מתן תורה, זכו להארה אלוקית מכוח השכל לבדו. הישרות הטבעית שהטבעה בשורש בריאת האדם, הנחתה אותם במש־עול העולה בית אל, ללא סטיות. כי שוחד רגשי לא נמסך בטוהר שכלם, ועל כן לא נזקקו לתורה מן השמים. הם זכו לכוין לדעתה של תורה - מליבם שלהם! (אסופת מערכות, דברים, עמ׳ ח)

The *yashrus* of the *Avos* is captured in their activities recorded in *Sefer Bereishis,* and the root of the greatness of their deeds is their complete lack of of the base human desires that mislead humanity and turn people away from morality:

> ונמצאת למד, ששורש מעשיהם ותולדותיהם כולם, מעוגנים במעלה הנפלאה הזו של יושר הדעת. שהישרות הטבעית של שכלם, לא שוחדה ולא ניסוטה בעקב רצון תשוקות חמדת הלב, והיא שהנחתה אותם לחשוף צפוני תורה, ללא סטיות (אסופת מערכות, דברים, עמ׳ ט).

*Ma'aseh Avos siman le-vanim*; our sacred mission is to emulate the exemplary *yashrus* of the *Avos*.

### H. ספר הישר – משנה תורה Revisited

The *Sefer Ha-Yashar* of *Mishneh Torah* is a paradigm shift from the *Sefer Ha-Yashar* of *Bereishis,* even though both strive to produce the identical result of exemplary *yashrus*. Subsequent generations, being many character rungs below the *Avos,* lacked the moral clarity and integrity of their ancestors that permitted the *Avos* to define *yashrus* on their own personal terms. Immersed in and tainted by physical desires which obscured their moral vision, the common folk were in dire need of proper guidance:

> בדורות מאוחרים, העכירה הגופניות את היבט ההסתכלות השכלית, והיה הכרח במתן תורה, ולתבלין שעמה, כדי לזכך את החומר ולהאיר מחדש את הזכות השכלית (אסופת מערכות, דברים, עמ׳ ח).

The guidance comes via the *mitzvos* of *Torah she-bichsav* and the "*tavlin*" of *Torah she-be'al peh* (which finds powerful expression in *Mishneh Torah*). The *Sefer Ha-Yashar* of *Mishneh Torah* expands the *yashrus* found in *Sefer Bereishis* from an act of self-expression to a mode of behavior defined by *mitzvos* and the dictates of *takanos chachamim* derived from *Torah she-be'al peh*. These guidelines constitute *Devarim* 6:17's "*tzivach*" (*Torah she-bichsav*) and "*asher lo tzivach*" (*Torah she-be'al peh*) highlighted by the *mefarshim* in *Mishneh Torah*.

Why does the *Gemara* choose the "*yashar*" of *Parashas Va'eschanan* (*Devarim* 6:18) from all the times this word appears in *Mishneh Torah*? Because *Parashas Va'eschanan* is the home of the *luchos sheniyos*[14] which represent *Torah she-be'al peh*, which is now an integral component of the *yashrus* model.

Additionally, *Devarim* 6:18 is the sole occurrence in *Tanach* of the phrase "*ha-yashar ve-ha-tov*." While the "*ve-ha-tov*" appears to be superfluous, it is absolutely not. The *Gemara* (*Berachos* 5a) states that אין טוב אלא תורה. Thus, the combined words, הישר והטוב, are another indication that *yashrus* must be arm-in-arm and in lockstep with Torah – both *she-bichsav* and *she-be'al peh*.

Further examination of the *pasuk* yields another important reason why this particular instance of "*ha-yashar*" was selected by the *Gemara*:

> וְעָשִׂיתָ הַיָּשָׁר וְהַטּוֹב בְּעֵינֵי ה׳ לְמַעַן יִיטַב לָךְ וּבָאתָ וְיָרַשְׁתָּ אֶת הָאָרֶץ הַטֹּבָה אֲשֶׁר נִשְׁבַּע ה׳ לַאֲבֹתֶיךָ.

It is rare for the Torah to specify the reward that is earned for heeding its numerous directives.[15] The above *pasuk* clearly details the reward ("*lema'an*") for performing "*ha-yasher ve-ha-tov*," which is *yerushas ha-Aretz*. This *pasuk* directly connects to R. Yitzchak's explanation for *Sefer Bereishis* found in the opening Rashi of the Torah (quoted above) – "ונתנה [הארץ] לאשר ישר בעיניו". It is important to note that

14. See *Or Gedalyahu, Mo'adim*, p. 157.

15. The classic example of מתן שכרה בצידה is *Shemos* 20:11: כבד את אביך ואמך למען יאריכון ימיך.

*yerushas ha-Aretz* was not unconditionally bequeathed for eternity. It should come as no surprise that the word י־ר־ו־ש־ת rearranged is ישרות, which implies that *yerushas ha-Aretz* is contingent on *yashrus ha-Aretz,* the unabated performance of *yashrus.*[16] The ultimate breakdown of *yashrus* precipitated the forfeiture of and expulsion from the Land and the ensuing lengthy *galus* that we presently suffer.[17]

Let us turn our attention to the *chasimah* of *Mishneh Torah* (*Devarim* 34:12):

> וּלְכֹל הַיָּד הַחֲזָקָה וּלְכֹל הַמּוֹרָא הַגָּדוֹל אֲשֶׁר עָשָׂה מֹשֶׁה לְעֵינֵי כָּל יִשְׂרָאֵל.

The last word of the Torah is ישראל (ישר א־ל) which contains the word ישר. The Torah has come full circle from its opening words בראשית ברא (באת ישר ברא):

> וזה ענין הסמיכות, "ישראל" (דברים לד:יב), אותיות "ישר א־ל", כלומר ישר מורה חסד א־ל, על כן בראשית ברא. ועל דרך רמז, "בראשית" אותיות "באת ישר ברא" (ספר ייטב לב, פרשת נח).

As the Jewish nation stands on the threshold of entering the Land, it is once again reminded that their entitlement to the Land is contingent upon וְעָשִׂיתָ הַיָּשָׁר וְהַטּוֹב. That is the beginning and end of Torah.

---

16. *Yashrus ha-Aretz* would include observance of *shemitos* and *yovlos,* violation of which ultimately was a contributing factor to the expulsion from the Land. The first two letters of ישר are "י" and "ש" which represent יובל and שמיטה.

17. R. Pinchas Ha-Levi Horowitz, in his *Panim Yafos* (*Devarim* 6:18), explicitly links the *yashrus* practices of *pesharah* and *shuma hadar* with the right to remain in the land, and their dissolution as the reason for *galus*:

וכבר כתבנו בזה בפרשת יתרו מ"ש וגם כל העם הזה על מקומו יבא בשלום, היינו ע"י פשרה שהוא משפט שלום כמ"ש חז"ל [סנהדרין ו:] ובזה יבואו על מקומן לנחול את הארץ, ועוד יש לרמז בזה מ"ש חז"ל בב"מ דף לה דשומא הדרי מדכתיב ועשית הישר והטוב, כי אף שהנחיל השם יתברך ארץ ישראל מירושת אבותינו כבר ניבא עליהם מרע"ה בכמה מקומות כי ידעתי אחרי מותי כי השחת תשחיתון, כי בחטאם יגבה מהם חובותיהם ויגלו מן הארץ וינתן לאויביהם, וניבא להם עוד בפרשת נצבים [ל:א–ג] והיה כי יבואו עליך וגו' והשיבות אל לבבך בכל הגוים אשר הדיחך וגו' ושב ה' אלקיך את שבותך, דהיינו לאחר שיהיו נפרעים ע"י יסורים והתשובה הראוי יחזירם וישיב להם את ארצם, וכן היה בבית שני ובבית השלישי אשר אנו מצפים בכל לבבנו להשיבנו אליו בארץ הקדושה מאבותינו, הרי זה מצד הישר והטוב כענין בע"ח שיגבה ממנה נחלתו ובפרעון חובו ישוב אליו, והיינו דאמר למען ייטב לך ובאת וירשת את הארץ וגו'.

Let us examine the last Rashi of the Torah, where we also find an allusion to *yashar*:

> לעיני כל ישראל - שנשאו לבו לשבור הלוחות לעיניהם שנאמר ואשברם לעיניכם והסכימה דעת הקב"ה לדעתו שנאמר אשר שברת יישר כחך ששברת.

Reading Rashi raises some perplexing questions:

1. What compels Rashi to interpret the *pasuk* as a reference to *sheviras ha-luchos*? An appealing alternative could have been *keri'as Yam Suf*, which also was performed לעיני כל ישראל and where we find close parallels to "הַיָּד הַחֲזָקָה וּלְכֹל הַמּוֹרָא" of *Devarim* 34:12 with the words "הַיָּד הַגְּדֹלָה... וַיִּירְאוּ הָעָם" found in reference to *keri'as Yam Suf* (*Shemos* 14:31).
2. If one were asked to select the singular greatest accomplishment of Moshe, the most likely response would be his bringing down of the sacred *luchos ha-rishonos*. That being the case, the *sheviras ha-luchos* by Moshe had to be the most horrific and tragic episode of his career. As we stand on the closing words of the Torah which revolve around the last day of Moshe's life, why would Rashi dredge up the incident that likely caused Moshe his greatest anguish?
3. It is hard to understand God's "יישר כחך". How can Moshe be commended for breaking His[18] *luchos*?!
4. Finally, it is astonishing that that Rashi chose to conclude his monumental *peirush al ha-Torah* with this episode!

The solution to these problems lies in understanding Moshe's justification for *sheviras ha-luchos*:

> דתניא, שלשה דברים עשה משה מדעתו והסכים הקדוש ברוך הוא עמו... שבר את הלוחות, מאי דריש? אמר, ומה פסח שהוא אחד מתרי"ג מצות, אמרה תורה "וכל בן נכר לא יאכל בו", התורה כולה [כאן] וישראל מומרים, על אחת כמה וכמה. ומנלן דהסכים הקדוש

18. As *Shemos* 32:16 attests: וְהַלֻּחֹת מַעֲשֵׂה אֱלֹקִים הֵמָּה וְהַמִּכְתָּב מִכְתַּב אֱלֹקִים.

ברוך הוא על ידו, שנאמר "אשר שברת", ואמר ריש לקיש, יישר כחך ששיברת (שבת פז.).

What was the justification for taking this unprecedented brash action? The *Gemara* relates that Moshe was *"doresh"* a *"kal va-chomer."* This is totally foreign and out of character! Moshe is the paragon of *Torah she-bichsav,*[19] while *kal va-chomer* is a mechanism associated with *Torah she-be'al peh* (the purview of his brother Aharon).[20] The Gemara (*Menachos* 99b) helps explain why Moshe now turned to the realm of Aharon:

שביטולה של תורה זהו יסודה דכתיב אשר שברת אמר לו הקב"ה למשה יישר כחך ששברת (מנחות צט:).

The *Gemara* asserts that the nullification of Torah can actually serve as its foundation. Moshe, the bastion of *Torah she-bichsav,* descends *Har Sinai* clutching the *luchos rishonos* and is confronted with the ghastly scene of the Golden Calf. He realizes that the people are incapable of maintaining the exalted state of *"bnei elyon"* requisite for the *luchos rishonos* (*Torah she-bichsav*). He also foresees the extended *galus* that will eventually engulf the Jewish people. He quickly grasps that the

19. See the *Sefas Emes, Likutim, Parashas Yisro,* quoted above in section E, number 4.

20. R. Gedalya Schorr, in *Or Gedalyahu,* explains the connection between Aharon and *Torah she-be'al peh*:

אהרן הכהן שייך במיוחד לענין תושבע"פ, ובאמת מצינו כי המקום הראשון אשר נאמר ענין של סברא בתורה הוא אצל אהרן הכהן, אצל שעיר ראש חדש שנשרף, דכ' ואת שעיר החטאת דרש דרש משה, ואהרן הכהן אמר סברא לחלק בין קדשי שעה לקדשי דורות, וכתיב וישמע משה וייטב בעיניו, וכל מקום שנכתב איזה ענין פעם הראשון בתורה סימן ששם הוא העיקר והיסוד, ולכן אם מצינו אצל אהרן הכהן ענין של סברא, זה סימן שזה שייך במיוחד למדת אהרן הכהן, כי אהרן הכהן הוא היסוד של תושבע"פ, כי שפתי כהן ישמרו דעת ותורה יבקשו מפיהו וכדכ' תורת אמת היתה בפיהו.

וכן מצינו שנאמר על אהרן הכהן (שמות ד:טז) והוא יהיה לך לפה, שאהרן הכהן הוא הפה להדיבור של משרע"ה, דוגמת תושבע"פ שהוא המבאר לתושב"כ, כן אהרן הכהן הוא המבאר להדבר ה' של משרע"ה, שמשה רבינו היה שכינה מדברת מתוך גרונו, ואהרן הכהן היה המבאר של הדבר ה' (אור גדליהו, תצוה, עמ' עא).

people's only salvation will come through total immersion in *Torah she-be'al peh,* as the *Bnei Yissaschar* and *Or Gedalyahu* explain:

> והנה אמרו רז"ל [ויק"ר ז:ג] אין הגליות מתכנסות אלא בזכות המשניות (סוד תושבע"פ אשר היא עמנו בגלות... וכשמדברין ושונין במו פינו התורה שבעל פה אזי נפתח הסתום) (בני יששכר, מאמרי חדשי תמוז ואב, מאמר ב).
>
> שבתוך הששה סדרי משנה גנוז זה האור אשר על ידה ביכולתינו להחזיק מעמד בגלות הזה, שע"י שכל אחד מקשר עצמו בתושבע"פ יכול לגלות הקץ, פי' לגלות האור הגנוז שיהיה מקושר לפנמיות הדבר, ובזה ביכולת כל אחד לסבול הגלות (אור גדליהו, ויחי, עמ' 148).

The shattering of the *luchos rishonos* (*Torah she-bichsav*) paves the way for the *luchos sheniyos* (*Torah she-be'al peh*). Moshe is acutely aware that he must abandon his traditional comfort zone and veer into foreign territory. So, he is *doresh* a *kal va-chomer,* which demands the bold and drastic action of shattering the *luchos* but concurrently unlocks the door to *Torah she-be'al peh.* The *Gemara* in *Menachos* can be understood to mean: שביטולה של תורה (שבכתב) זהו יסודה (של תושבע"פ) דכתיב אשר שברת. In acting against his personal proclivities, Moshe displays his greatness and renowned humility. His sole consideration is the greater welfare of the Jewish nation. Even God is impressed with Moshe's courageous act and applauds His *eved ne'eman* with a resounding יישר כחך.[21]

As *Torah she-bichsav* draws to a close and the world of *Torah she-be'al peh* begins to unfold, can one imagine a more appropriate manner for Rashi, the doyen of the *mefarshei Torah she-be'al peh,* to conclude his magnum opus than with this captivating and inspirational *midrash* of Moshe "releasing" the awesome powers *Torah she-be'al peh*?

---

21. The *Pri Tzaddik* explains how the second *luchos* usher in the era of *Mishneh Torah* and *Torah she-be'al peh*:

> ועל ידי החטא דשבירת לוחות, והוצרכו לוחות אחרונות בצנעא שנעלם זריחת האור בהתגלות, ונקבעו במשנה תורה שאמר משה מפי עצמו, שמזה היסוד לתורה שבעל פה, שביגיעת בשר יוכלו להשיג הנעלם...והאלקים חשבה לטובה, כי בזה יכולים להשיג הרבה יותר כנ"ל (פרי צדיק, מאמר קדושת שבת, מאמר ו).

## 1. *Malchus* Revisited

Let us return to the intersection of *malchus* and *yashrus* elucidated by the *Oznayim La-Torah*. R. Sorotzkin explains that David's propensity to over-perform *chesed* (*yashrus*) was the determining factor in being awarded the crown of kingship for himself and for his offspring. This assumption is confirmed by the Radak on *Shmuel* 1 16:7. The *pasuk* describes how Shmuel is dispatched to anoint one of the sons of Yishai to be the new king of Israel. Upon first noticing Eliav and being impressed by his attractive appearance, Shmuel assumes that Eliav is worthy of the crown. God reprimands Shmuel for seeing the superficial and for not seeing what lies in Eliav's heart:

> וַיֹּאמֶר ה׳ אֶל שְׁמוּאֵל אַל תַּבֵּט אֶל מַרְאֵהוּ וְאֶל גְּבֹהַּ קוֹמָתוֹ כִּי מְאַסְתִּיהוּ כִּי לֹא אֲשֶׁר יִרְאֶה הָאָדָם כִּי הָאָדָם יִרְאֶה לַעֵינַיִם וַה׳ יִרְאֶה לַלֵּבָב.

The Radak comments:

> אל תבט אל מראהו - בוחן לבות וכליות בני אדם ידע לבב אליאב כי איננו ישר, לפיכך אמר לשמואל אל תבט אל מראהו.

Where Eliav falters, David excels, and thereby receives crown of kingship.

Let us return to our original questions on the *Gemara* in *Avodah Zarah* 25a regarding the identity of *Sefer Ha-Yashar*. The first instance of "*Sefer Ha-Yashar*" quoted by the *Gemara* is found in *Sefer Yehoshua*:

> יהושע פרק י:
> (יב) אָז יְדַבֵּר יְהוֹשֻׁעַ לַה׳ בְּיוֹם תֵּת ה׳ אֶת הָאֱמֹרִי לִפְנֵי בְּנֵי יִשְׂרָאֵל וַיֹּאמֶר לְעֵינֵי יִשְׂרָאֵל שֶׁמֶשׁ בְּגִבְעוֹן דּוֹם וְיָרֵחַ בְּעֵמֶק אַיָּלוֹן.
> (יג) וַיִּדֹּם הַשֶּׁמֶשׁ וְיָרֵחַ עָמָד עַד יִקֹּם גּוֹי אֹיְבָיו, הֲלֹא הִיא כְתוּבָה עַל סֵפֶר הַיָּשָׁר, וַיַּעֲמֹד הַשֶּׁמֶשׁ בַּחֲצִי הַשָּׁמַיִם וְלֹא אָץ לָבוֹא כְּיוֹם תָּמִים.

*Pasuk* 12 records Yehoshua's request for the miracle, and *pasuk* 13 records the actual occurrence of the miracle. A close examination of the above *pesukim* raises the following issues:

1. Why does Yehoshua commence his request with "לְעֵינֵי יִשְׂרָאֵל" which appears superfluous and irrelevant to his request?

2. The word "דּוֹם" is strange and appears inappropriate, so much that the *mefarshim* grapple with this issue and suggest various *derashos*.

3. The word "דּוֹם" is out of place sandwiched between שֶׁמֶשׁ בְּגִבְעוֹן and וְיָרֵחַ בְּעֵמֶק אַיָּלוֹן. It should either precede שֶׁמֶשׁ בְּגִבְעוֹן or follow וְיָרֵחַ בְּעֵמֶק אַיָּלוֹן. Why is it placed in the middle?

4. *Pasuk* 13 records the occurrence of the miracle – "וַיִּדֹּם הַשֶּׁמֶשׁ וְיָרֵחַ עָמָד". Why does the word "עָמָד" suddenly appear after it was absent from Yehoshua's request in *pasuk* 12?

5. *Pasuk* 13 would have been fine if it concluded with the words הֲלֹא הִיא כְתוּבָה עַל סֵפֶר הַיָּשָׁר. Instead, following the words כְתוּבָה עַל סֵפֶר הַיָּשָׁר, why is there an "unnecessary" repetition of the miracle with the words וַיַּעֲמֹד הַשֶּׁמֶשׁ (which was not Yehoshua's original request)? And why is only the miracle of the sun repeated but not of the יָרֵחַ? As well, why the switch to וַיַּעֲמֹד from וַיִּדֹּם, which is found earlier in the *pasuk* and in *pasuk* 12?

The key to unlocking the miracle of שמש בגבעון and its association with *Sefer Ha-Yashar* is to understand the essence of Yehoshua. As discussed earlier, Moshe is instructed by God to pass the mantle of leadership to Yehoshua, his devoted disciple. This shift of leadership brings along with it dramatic changes on many fronts: from wandering in the desert to settlement in *Eretz Yisrael*; from a daily life replete with miracles, *nes*, to a more mundane existence, *teva*; from *Torah she-bichsav* to *Torah she be-al peh*. The contrast of Moshe and Yehoshua and all its relevant manifestations is captured in the *Gemara*, "פני משה כפני חמה ופני יהושע כפני לבנה" (*Bava Basra* 75a). Inherent in this *Gemara* is the understanding that everything noteworthy in Yehoshua flows directly from Moshe's "radiance." It is also important to note that Yehoshua, who leads the nation into *Eretz Yisrael*, enjoys the status of *melech*, and is de facto the first king of *Eretz Yisrael*. As Rashi explains on the *berachah* of Moshe to the tribe of Yosef, wherein Moshe describes Yosef as *"bechor shor"*:

בכור שורו - יש בכור שהוא לשון גדולה ומלכות, שנאמר (תהלים פט:כח) אף אני בכור אתנהו, וכן (שמות ד:כה) בני בכורי ישראל. בכור - מלך היוצא ממנו, והוא יהושע (רש"י, דברים לג:יז).

R. Yosef Bechor Shor adds that Yehoshua is referred to as *bechor* because he was chosen by God to be the first king:

בכור שורו הדר לו: המלך הראשון שבחר הקב"ה מזרעו של יוסף. זהו יהושע, שנבחר עתה ראשון למלך (ר' יוסף בכור שור, דברים לג:יז).

Let us return to the miracle of *שמש בגבעון*. The first thing which draws our attention is that Yehoshua's request for a *nes* would appear to be incompatible with the *teva* world-order that is now prevalent in *Eretz Yisrael*. The *Shem Mi-Shmuel* describes the difficult adjustment that Yehoshua's contemporaries had to make from a life of *nes* in the *midbar* to a life of *teva* in *Eretz Yisrael*:

וזקנים שבאותו הדור אמרו אוי לאותה בושה אוי לאותה כלימה, והיתה הנהגה אחרת, דמרע"ה הי' בבחי' מוח, והנהגתו היתה בדרך אחרת מיהושע, והדור ראו תמיד נסים ונפלאות השי"ת, משא"כ ביהושע שהדור באי הארץ היתה עבודתם להתחזק באמונה, ועוסקים בעניני עולם וחורשין וזורעין, ומאמינים בחיי עולם וזורעים (שם משמואל, נצבים, שנת תר"ע).

The second noteworthy item about this miracle is that it involves the sun and the moon, which are themselves the metaphors for Moshe and Yehoshua! The Radak (*Yehoshua* 10:12) offers insight into this miracle:

וזאת הפליאה כתובה על ספר הישר, והוא ספר תורת משה, והוא מה שאמר הקב"ה יתברך "נגד כל עמך אעשה נפלאות" וגו' (שמות לד:י), כמו שפירש אדוני אבי ז"ל, כי שתי אותות אמר לו בפסוק ההוא, קרינת פני משה, והוא מה שאמר "כי נורא הוא אשר אני עושה עמך" (שם), ועמידת השמש ליהושע, והוא מה שאמר נגד כל עמך אעשה נפלאות, ונתן לו אות קרוב להאמי' באות רחוק.

The Radak is linking the miracle of שמש בגבעון requested by Yehoshua with the miracle of "קרינת פני משה", the radiance of Moshe's face, פני

משה כפני חמה. The miracle of שמש בגבעון can only happen because its origin is grounded in the "radiance" of Moshe and because it was foretold by God to Moshe. Furthermore, the miracle of שמש בגבעון happens for Yehoshua because Moshe paves the way when he makes the sun "stand" during the battle with Amalek:

> שנאמר "יום ליום יביע אומר" (תהלים יט:ג), מה טיבן של שני ימים הללו? זה יומו של משה שבישר יומו של יהושע... אלא זה חמה שעמדה לו למשה. והיכן מצינו שעמדה לו חמה למשה? בשעה שעשה מלחמה עם עמלק, שנאמר "וידי משה כבדים" [וגו'] (שמות יז:יב), וכי עד אותה שעה לא באה השמש שאמר הכתוב "עד בא השמש" (שם)? אלא זה חמה שעמדה לו למשה. והיכן מצינו שבישר משה יומו של יהושע? שנאמר (שמות יז:יד) "ויאמר ה' אל משה כתוב זאת זכרון בספר ושים באזני יהושע", א"ל יהי רצון שתעמוד לך חמה כדרך שעמדה לי (תנא דבי אליהו רבה, פרק ב).

Although Yehoshua's primary role was to lead the nation into *Eretz Yisrael* where they could adopt a life of *teva* in the context of *Torah she-be'al peh,* he was also connected to the "world" of Moshe, the world of *nes* and *Torah she-bichsav*. He was part of the *dor ha-midbar* who experienced all the miracles that occurred then; he was present at *Har Sinai* and experienced the *luchos rishonos/Torah she-bichsav*. (Parenthetically, he and Moshe were the only individuals who were not present at and not tainted by the sin of the Golden Calf.) He imbibed *Toras Moshe* (*Torah she-bichsav*) from his *rebbe muvhak*. In reality, Yehoshua "danced" in both these distinct worlds of *Torah she-be'al peh* and *Torah she-bichsav*. And because of that, Yehoshua was what the Maharal often calls the "*memutza*," the "bridge" or the "transition," between these two disparate worlds. As the *Imrei Emes* explains, when Moshe appointed Yehoshua as his replacement in front of the entire nation, it also heralded the end of *Torah she-bichsav*, witnessed by the entire nation ("לעיני כל ישראל"), and the beginning of *Torah she-be'al peh*:

> ויקרא משה ליהושע ויאמר אליו לעיני כל ישראל חזק ואמץ, אי' בגמ' סוטה (יג:) אותה שבת של דיו זוגי היתה, זו היתה שבת של שותפות

וזה חיבור תורה שבכתב ותורה שבע״פ, התורה שבכתב מסיימת לעיני כל ישראל, וחזק ואמץ הוא תורה שבע״פ, שכל נפש יש לה חלק בתורה שבע״פ וצריך חיזוק ואימוץ לדעת שאין לו משלו כלום רק שמצפה להקב״ה, וזה היה יהושע, שכן אי׳ פני משה כפני חמה פני יהושע כפני לבנה, מקבל בלבד, ואי׳ משה קבל תורה מסיני ומסרה ליהושע וכו׳ שכוחו של משה הוא בכל הדורות (אמרי אמת, פרשת וילך).

With this introduction, let us return to the *pesukim* of שמש בגבעון and see how everything fits in perfectly.

Yehoshua commences with *"le-einei Yisrael,"* the code word for *Torah she-bichsav,* as the *Imrei Emes* has shown. Yehoshua is keenly aware that to introduce a *nes,* something that is not in his present world of *teva,* it must be drawn from the world of his rebbe Moshe, the realm of *Torah she-bichsav.* Next, Yehoshua invokes the *shemesh,* as Moshe is the *shemesh* and the originator of the miracle of arresting the sun. But Yehoshua cannot phrase his request using the clear and explicit root "עמד" (which the *Tanna De-Vei Eliyahu Rabbah* uses to describe the miracle) because he is not on the level of Moshe. Yehoshua can only draw from the "radiance" of Moshe and cannot originate anything on his own. His request is "דום", a more "muted" (as in דממה, silence) form of "עמד". The "דום" is sandwiched between the *shemesh* and the *yareiach* because "דום" also has the connotation of "דומה", similar. Yehoshua is *domeh* to both the *shemesh* and the *yareiach.* He is the *memutza* who "dances" in both worlds, which grants him the legitimacy to even request a miracle. In *pasuk* 13, which records the miracle, we find the words, וַיִּדֹּם הַשֶּׁמֶשׁ וְיָרֵחַ עָמָד. Here, the word *"amad"* is introduced to highlight the contrast between the *shemesh* and *yareiach; "amad"* is paired with the *yareiach* to underscore the moon's unique association with Yehoshua. Finally, in the closing of *pasuk* 13 we find the words וַיַּעֲמֹד הַשֶּׁמֶשׁ. Now the term וַיַּעֲמֹד is appropriate because it follows כְתוּבָה עַל סֵפֶר הַיָּשָׁר, which the Radak explains refers to "ספר תורת משה", where God informs Moshe of the coming miracles. In the "presence" of Moshe we can dispense with the "muted" דום and use the explicit and clear "עומד" as recorded in the *midrash.* As the focus is now on Moshe, the *shemesh,* there is no need to mention the *yareiach.*

Let us return to the *Gemara* in *Avodah Zarah* 25a where we find the two sources of "*Sefer Ha-Yashar*" – one related to Yehoshua and the second to David. As discussed earlier, Yehoshua is the first king in *Eretz Yisrael.*[22] *Malchus Beis David,* to be re-inaugurated by *Mashiach ben David,*[23] are the last kings who will occupy the throne in *Eretz Yisrael.*[24] The saga of *malchus* begins with Yehoshua and concludes with David. The *Pri Tzaddik* sees a parallel between the beginning of the *malchus* in *Eretz Yisrael* and end, the days of *Mashiach.* Each era features a ruler from the tribe of Yosef (Yehoshua and *Mashiach ben Yosef*) and a ruler from the tribe of Yehudah (David and *Mashiach ben David*):

> כאשר נזכה לשלימות הגאולה להתברר מכל וכל שיהיה הקומה שלימה יהיה על ידי תרין משיחין משיח בן יוסף ומשיח בן דוד... וכמו כן בהתחלת כניסת ישראל לארץ היה על ידי שני מלכים, על ידי יהושע שהיה מלך ראשון בישראל והיה משבט יוסף והיה כובש את הארץ, ועל ידי דוד המלך ע"ה שהיה משבט יהודה (פרי צדיק, ויגש, אות ג).[25]

Given the close connection between *malchus* and *yashrus,* it is fitting that the only two places where we find "*Sefer Ha-Yashar,*" the Book/History/Story[26] of *Yashar,* are in relation to the two kings, Yehoshua and David.

While both Yehoshua and David are associated with *yashrus,* the

---

22. Moshe also enjoyed the status of king, but he never reached *Eretz Yisrael.*

23. The fact that *Mashiach* (which by itself is not a person's name) is directly linked to David underscores the importance of David as the central figure.

24. See the comments of the *Mechilta* and the Rambam:

עד שלא נבחר דוד היו כל ישראל כשרים למלכות, משנבחר דוד יצאו כל ישראל שנאמר (דברי הימים ב׳ יג:ה) הלא לכם לדעת כי ה׳ אלקי ישראל נתן הממלכה לדוד וגו׳ (מכילתא, פרשת בא, מסכתא דפסחא פרשה א).

כיון שנמשח דוד, זכה בכתר מלכות, והרי המלכות לו ולבניו הזכרים הכשרים עד עולם, שנאמר (שמואל ב׳ ז:טז) "כסאך יהיה נכון עד עולם" (רמב"ם, הלכות מלכים א:ז).

25. Note that the *Pri Tzaddik* as well as earlier *mefarshim* do not formally include the reign of Shaul *ha-Melech.* A possible explanation could be Shaul's failure to perform his mandated duties, which resulted in the forfeiture of his crown. We are working within this position.

26. These are all connotations of the word "*sefer.*"

"source" of *yashrus* for each of these personalities differs. Yehoshua is of sterling moral character. He is steadfast and never falters. We never find him in difficult or compromising situations which require regret or demand explanation. His family life is stable and he does not engage in altercations. His authority is never questioned or challenged. He is truly one of the *"bnei elyon,"* cut from the same unblemished cloth as the *Avos* and Moshe.[27] And thus, Yehoshua possesses, as well, the untainted moral clarity and vision that allows him to define *yashrus* on his own terms without the aid of a "detailed manual." The *yashrus* of Yehoshua is a page out of the *sefer* of Avraham, Yitzchak and Yaakov. Thus, the only possible identification for the *Sefer Ha-Yashar* in *Sefer Yehoshua* is *Sefer Bereishis,* the *sefer* of Avraham, Yitzchak and Yaakov.

David, on the other hand, is a completely different personalty. He falters and has regrets. David becomes the poster child for *teshuvah,* as the *Gemara* in *Avodah Zarah* 4b–5a explains:

> ואמר רבי יהושע בן לוי לא עשו ישראל את העגל אלא ליתן פתחון פה לבעלי תשובה... והיינו דא"ר יוחנן משום רבי שמעון בן יוחאי, לא דוד ראוי לאותו מעשה ולא ישראל ראוין לאותו מעשה... אלא למה עשו לומר לך שאם חטא יחיד אומרים לו כלך אצל יחיד ואם חטאו צבור אומרים [להו לכו] אצל צבור... מאי דכתיב (שמואל ב' כג:א) "נאם דוד בן ישי ונאם הגבר הוקם על", נאם דוד בן ישי שהקים עולה של תשובה (עבודה זרה ד:-ה.).[28]

27. Yehoshua has an intermediary role. In relation to Moshe, he represents *Torah she-be'al peh.* But as a member of the *dor ha-midbar* he also shares in the *Torah she-bichsav* aspect of Moshe as well.

28. David has a genetic predisposition for *teshuvah* which he inherited from his ancestor Yehudah. The *Tzror Ha-Mor* explains Yehudah's association with *teshuvah,* beginning with Yehudah's name itself and carrying through to Yehudah's response to the sale of Yosef and still further to the *berachos* of Yaakov and Moshe to Yehudah, and finally to *shevet* Yehudah's status as leader of the nation:

> וזהו וירד יהודה מאת אחיו, לעשות תשובה שלימה ולהודות על חטאתו. כי יהודה שמו והודאה עמו, כמאמר אמו הפעם אודה את ה' (בראשית כט:לה), וכמאמר אביו יהודה אתה

David is forever shadowed by altercations with various characters: Shaul, Naval, Yoav, to name a few. His authority is constantly being challenged even by members of his own household. The complexity and difficulty of his life parallels the arduous path of *Torah she-be'al peh*. In fact, David's very existence came about on the basis of a *derashah*.[29] David as the paradigm of *teshuvah* is linked to *Torah she-be'al peh*,[30] and he is the author of *Tehillim*, the "song" (the *peh*) of *Torah she-bichsav*.[31] He requires the "detailed manual." His *yashrus* is grounded in the *Sefer Ha-Yashar* of *Mishneh Torah*.

The *Gemara* in *Avodah Zarah* 25a first deals with the mention of *Sefer Ha-Yashar* in *Sefer Yehoshua*, because Yehoshua is the first

---

יודוך אחיך (בראשית מט:ח), וכמאמר מרע"ה שמע ה' קול יהודה (דברים לג:ז), בהודאתו. ולפי שהודה על חטאתו וירד מעצמו מגדולתו, מדד לו השם מדה כנגד מדה. ואחרי מות יהושע היו ישראל רוצים לשים עליהם שר ומנהיג לצאת ולבא לפניהם, והיו מסופקים בזה. ואולי כל אחד מהשבטים היה מתנשא לאמר אני אמלוך, עד ששאלו (שופטים כ:יח) מי יעלה לנו בתחלה, ויאמר ה' יהודה יעלה. כלומר למה אתם מסופקים בדבר הברור. כי אחר שיהודה עשה הודאה והוא בעל הודאה וירד עצמו מגדולתו, כדכתיב וירד יהודה מאת אחיו ראויה לו העלייה מדה כנגד מדה, ולכן יהודה יעלה (צרור המור, בראשית לח:א).

29. *Sefer Ha-Toda'ah* explains that the *derashah* made with the power of *Torah she-be'al peh* that permits Moabite females, including David's ancestor Rus, to marry into the Jewish people, established the lineage of David:

תדע, שעל ידי שדרשו חכמים בכח התורה שבעל פה שנמסר להם: 'מואבי - ולא מואבית', על ידי כך הותרה רות לבוא בקהל ויצא ממנה דוד משיח ה' לכל הדורות, ועל מלכות בית דוד נשענת כל כנסת ישראל שהיא והתורה - אחת. והכל על ידי כחה של תורה שבעל פה (ספר התודעה, פרק כח).

30. It is important to understand the alignment of *teshuvah* and *Torah she-be'al peh*. *Torah she-be'al peh* is the outcome of "losing" the privileged status of *Torah she-bichsav*, and as the *Or Gedalyahu* states, it is the *avodas chutz* to regain entry into the *penim* of *Torah she-bichsav*. Similarly, *teshuvah* is the *avodas chutz* to regain one's unblemished *avodas penim* which existed prior to the act of sin. Both require exceptional hard work and diligence.

31. *Sefer Ha-Toda'ah* describes the five books of *Tehillim* as parallel to the five books of the Torah, and as the revelation of the song which is within the Torah:

חמשה ספרים בספר תהלים, כנגד חמשה חומשי תורה... כך אמרו חז"ל... ללמדך שכל שירתו של דוד היא התורה מסיני, וספר תהלים שאמר דוד הוא גילוי הפנים של שירה שיש בתורה זו, לכך אמר דוד (תהלים קיט) זְמִרוֹת הָיוּ לִי חֻקֶּיךָ (ספר התודעה, פרק כט).

king and because Yehoshua relates to the "first" *Sefer Ha-Yashar,* the *sefer* of Avraham, Yitzchak and Yaakov (as discussed above). The *Gemara* then discusses the second and only other *Sefer Ha-Yashar,* that of David, as he is the second (and "final") king. In the context of David's "*Sefer Ha-Yashar,*" the *Gemara* presents three responses to its question "what is *Sefer Ha-Yashar*?" which should be regarded not as disparate but as closely related positions. The first position is the same R. Yochanan encountered earlier who repeats that *Sefer Ha-Yashar* is *Bereishis.* I believe that R. Yochanan cannot dispute that the *Sefer Ha-Yashar* of David is *Mishneh Torah/Torah she-be'al peh.* Nevertheless, one can only get to *Mishneh Torah/Torah she-be'al peh* when one starts from its antecedent *Bereishis/Torah she-bichsav.* One has to then shatter the *luchos* of *Torah she-bichsav* to release the *Torah she-be'al peh.* So R. Yochanan first introduces the *Sefer Ha-Yashar* of *Bereishis,*[32] immediately followed by the position of R. Elazar that *Sefer Ha-Yashar* is *Mishneh Torah,* which is the primary opinion. What does R. Shmuel bar Nachmeni who holds *Sefer Ha-Yashar* is *Sefer Shoftim* (based on the *pasuk* אֵין מֶלֶךְ בְּיִשְׂרָאֵל אִישׁ הַיָּשָׁר בְּעֵינָיו יַעֲשֶׂה), the third position, add?

I believe that R. Shmuel bar Nachmeni is also not arguing with the other opinions, as their positions are based on *pesukim* from the Torah which are better proof-texts than *pesukim* from *Nevi'im.* In addition, the other positions are positive examples of *yashar* which are preferable to the position of R. Shmuel, which is a negative example. R. Shmuel bar Nachmeni is coming to explain the evolution that takes us from the *Torah she-bichsav yashrus* of Yehoshua to the *Torah she-be'al peh yashrus* of David. The answer lies in *Sefer Shoftim,* which is the bridge between *Sefer Yehoshua* and *Sefer Shmuel* (David). As

---

32. While it appears that R. Yochanan's explanation is identical to his explanation of "*Sefer Ha-Yashar*" in *Sefer Yehoshua,* there is a subtle difference. When commenting on the second *Sefer Ha-Yashar* and quoting the words of Bilam, the *Gemara* adds "ותהי אחריתי כמוהו", which does not appear in the prior statement of R. Yochanan. Maybe the "*acharisi*" *is* a *remez* that we are now dealing with the "other (*acher*)" *Sefer Ha-Yashar.*

discussed earlier, Yehoshua was of the *bnei elyon*. As such, Yehoshua did not see or comprehend the need for an official *melech be-Yisrael*. As Abarbanel explains:

> שישראל לא נצטוו בתורה על שאלת המלך, ושלא היה המלך צריך ולא הכרחי להנהגת קבוציהם... ומפני זה, כאשר שאלו המלך שהיה מנהיג מסוכן, וכל שכן בערכם שהיו בלתי צריכים אליו, לכן חרה אף ה׳ בעם, ואמר לשמואל (שמואל א ח:ז): "לא אותך מאסו כי אותי מאסו ממלוך עליהם". ומפני זה לא הקים יהושע מלך, גם לא שאר השופטים יראי ה׳ וחושבי שמו, להיותו דבר בלתי הגון אליהם (אברבנאל, דברים יז:יד).

But unfortunately, the lofty state demanded by *Torah she-bichsav* (preached and practiced by Yehoshua) could not be maintained by the *hamon am*. The *pasuk* "אֵין מֶלֶךְ בְּיִשְׂרָאֵל אִישׁ הַיָּשָׁר בְּעֵינָיו יַעֲשֶׂה" appears twice in *Sefer Shoftim*. The first appearance is *Shoftim* 17:6, in the context of *pesel Michah*, and the second time is *Shoftim* 21:25, at the conclusion of the *pilegesh be-Giv'ah* incident (reminiscent of *ma'aseh Sedom*).

*Pesel Michah* was a very public transgression of the prohibition of idolatry, a sin *bein adam la-Makom*, while *pilegesh be-Giv'ah* was a flagrant abuse of *hachnasas orchim* and *giluy arayos*, a sin *bein adam la-chavero*. The concluding *pasuk* of *Sefer Shoftim* is בַּיָּמִים הָהֵם אֵין מֶלֶךְ בְּיִשְׂרָאֵל אִישׁ הַיָּשָׁר בְּעֵינָיו יַעֲשֶׂה. Despite the multiple warnings against idolatry and numerous *mitzvos* regarding social harmony that Moshe delivered to the Jewish nation prior to their entry to *Eretz Yisrael*, the parting image of *Sefer Shoftim* is very disappointing – a nation in disarray, with their religious beliefs, social structures, and interpersonal relationships severely impaired. The two tablets of the *luchos* of *Torah she-bichsav*, the *bein adam la-Makom* and the *bein adam la-chavero*, are shattered once again. And again, the only solution is the *yashrus* of *Torah she-be'al peh*, the disciplined structured *yashrus* of וְעָשִׂיתָ הַיָּשָׁר וְהַטּוֹב בְּעֵינֵי ה׳ to counteract אִישׁ הַיָּשָׁר בְּעֵינָיו יַעֲשֶׂה. As we cross over from *Sefer Shoftim* into *Sefer Shmuel*, we are introduced to the *malchus/yashrus* of David[33] – the *ba'al chesed* extraordinaire, the

---

33. It is interesting to note that *Sefer Shoftim* is the only *sefer* in *Nach* that has

renowned *ba'al teshuvah*, the amazing *ba'al shirah* who mesmerizes all who listen – the figure who carries the "solution" and can unite the nation into the *lev echad* once again, now and forever.

The forces that shape and define David – *chesed, teshuvah, yibum, malchus,* and *Torah she-be'al peh* – are have their seeds in *Megillas Rus*. The *Megillah* opens with:

> וַיְהִי בִּימֵי שְׁפֹט הַשֹּׁפְטִים וַיְהִי רָעָב בָּאָרֶץ וַיֵּלֶךְ אִישׁ מִבֵּית לֶחֶם יְהוּדָה לָגוּר בִּשְׂדֵי מוֹאָב הוּא וְאִשְׁתּוֹ וּשְׁנֵי בָנָיו.

*Chazal* understand the words וַיְהִי בִּימֵי as having a negative connotation:

> ויהי בימי שפט וגו׳. א״ר לוי ואיתימא ר׳ יונתן, דבר זה מסורת בידינו מאנשי כנסת הגדולה, כל מקום שנאמר ויהי בימי אינו אלא לשון צער, ודכותה ויהי בימי שפוט השופטים כתיב בתריה ויהי רעב בארץ (מגילה י:, מובא בתורה תמימה, רות א:א).

Why was the time of "*shefot ha-shoftim*" marked by such great pain? R. Shmuel Yerushalmi, author of *Me'am Loez* on *Rus*, elaborates:

> ועוד כיון שהיה בזמן שפוט השופטים, שהיו השופטים מעקשים דרכם, וממילא גם הנשפטים היו רעים, כמו שנאמר "ויהיו מאשרי העם הזה מתעים ומאשריו מבולעים" (ישעי׳ ט:טו), וכל זה מפני שלא היה מלך בישראל ואיש הישר בעיניו יעשה, לפיכך חפץ הקב״ה לתת מלך בישראל שישפוט תבל בצדק, הוא דוד מלך ישראל, וגילגל הסיבות שיצא אלימלך לחוץ לארץ והביאה נעמי משם את רות המואביה.
>
> ועוד בא הכתוב לתאר את מצבם הקשה של בני ישראל בימי שפוט השופטים לפני מלוך מלך לבני ישראל, שהיו משועבדים לגוים אשר סביבותיהם זמן רב, ובכל עת ורגע היו לוחצים אותם, והסיבה לכך, הן מפני שלא היה להם מלך אשר יצא לפניהם ואשר יבא לפניהם ללחום מלחמותיהם. והיו גם במצב רוחני ירוד, שלא היה להם מלך

---

an identical parallel in Torah, *Parashas Shoftim*. It is only in *Parashas Shoftim* of *Mishneh Torah* that we find the subject of שׂוֹם תָּשִׂים עָלֶיךָ מֶלֶךְ (*Devarim* 17:15). It would appear that the solution to the major problems present in *Sefer Shoftim* is the proper *Torah she-be'al peh melech*.

> שיכריחם לשמור התורה, ואז היה הקב"ה מרחם עליהם להפיל פחדם על כל העמים ולא היו נמכרים בידי אדונים קשים כאשר נמכרו עתה. ולכן היה הרעב קשה מאד. שאילו היה מלך היה מכריח את העשירים לפרנס את העניים, והיה קוצב להם השער ומחלק מזונות לנצרכים. אבל עכשיו שהיה בימי שפוט השופטים שמתפרנסים על ידם לא היה מי שיוכיחם. ועוד אילו היה מלך לא היה אלימלך יכול לצאת מארץ ישראל לחוץ לארץ, אבל עכשיו שלא היה מלך אלא שופטים, "וילך איש מבית לחם יהודה" ואין דובר אליו דבר. ולכן נרמז בכולם בלשון "וי" - ויהי בימי שפוט השופטים, ויהי רעב, וילך. שלא היו יכולים לעכבו. ואילו היה מלך לא היה יוצא (ילקוט מעם לועז, רות א:א).

The source for all the troubles – Elimelech's abandonment of his community, the oppression of the Jewish people by other nations, the Jewish people's poor spiritual state, even the intensity of the famine – is אֵין מֶלֶךְ בְּיִשְׂרָאֵל אִישׁ הַיָּשָׁר בְּעֵינָיו יַעֲשֶׂה.

## J. *Yibum*

The *mitzvah* of *yibum* found in *Mishneh Torah* (*Devarim* 25:5–10) demands our attention, as *yibum* lies at the intersection of *chesed* (*yashrus*), *malchus*, and *Mashiach*.

Rabbeinu Bechaye establishes (through the parallel language of *Tehillim* 89:3, עוֹלָם חֶסֶד יִבָּנֶה) that the *mitzvah* of *yibum* is clearly a *chesed*. This associates *yibum* with *ma'aseh Bereishis*:

> אשר לא יבנה - מכאן רמז שמצות היבום חסד הוא מאת ה' יתברך, וזה לשון יבנה כלשון עולם חסד יבנה (תהלים פט:ג), וזהו שאמר קהלת (ח:י) ובכן ראיתי רשעים קבורים ובאו, והנה זה חסד לבלתי ידח ממנו נדח, וכן מלת בכן בגימטריא חסד (רבנו בחיי, דברים כה:ט).

It is important to note that the *"chesed"* being done is strictly for the benefit of the *nishmas ha-mes* and not to be confused with compassion for the widow, as R. Samon Raphael Hirsch emphatically declares:

> שכן מצות ייבום וחליצה האמורה כאן מתפרשת בלא ספק כמצוה לגמול חסד עם האח המת, ואי אפשר לומר בשום פנים שמטרתה העיקרית היא לדאוג לאלמנה הנשארת. שהרי מצות ייבום תלויה רק

בנסיבות הקשורות למת ואין היא תלויה במצבה של האלמנה הנשארת (רש"ר הירש, דברים כה:ה).

*Yibum* established *malchus,* through the *yibum* of Yehudah with Tamar. The *Ya'aros Devash* explains that prior to *matan Torah,* the *mitzvah* of *yibum* could be perfomed by the father of the *mes.* Only after *matan Torah* was *yibum* limited to the brother of the deceased:

אז היתה מצות יבום נוהגת באבי המת קודם שניתנה תורה ונתחדשה הלכה שיהיה דוקא האח מיבם (יערות דבש, חלק ראשון, דרוש טו).

R. Yaakov Medan posits, based on textual parallels between *Bereishis* chapter 19 and *Devarim* chapter 25, that the first incident of *yibum* found in the Torah is when the daughters of Lot seduce their father, albeit with noble intentions, following the destruction of Sodom:

לא נתפרש בחז"ל מה מצווה עשו בנות לוט. אם נאמר פריה ורביה - הרי אין האישה מצווה על כך. ועוד יש להקשות, מדוע לא ביקשו בנות לוט חתן שאינו אביהן כדי לחיות ממנו זרע. וכי חשבו שחרב כל העולם כולו (ולא סדום ועמורה לבדן), ולא נותרו בעולם כולו אלא הן ואביהן? וכי חשבו שחרב אף ביתם של אברהם ושרה? וכי לא שמעו את דברי המלאך, שהעונש אינו אלא לסדום ובנותיה, והרי על ההר ישבו (פס׳ ל), ובוודאי ראו יישובים במרחק! דומה שהאמור "ואיש אין בארץ **לבוא עלינו**" (בראשית יט:לא) מפרש את התעלומה. "יבמה **יבא עליה** ולקחה לו לאשה ויבמה" (דברים כה:ה). דוק ותשכח: בכל מקום אחר בתורה נאמר ׳לבוא אל׳ ולא ׳לבוא על׳. הווי אומר, הפרשה כולה אינה אלא פרשת ייבום.[34]

The first time any phenomenon appears in the Torah is definitional. The Ramban connects the *pasuk* "עוֹלָם חֶסֶד יִבָּנֶה", the same *pasuk* that Rabbeinu Bechaye associates with *yibum,* with the motivations of the daughters of Lot:

וטעם ונחיה מאבינו זרע באולי כי אמרו נעשה אנחנו המעשה הראוי לנו, כי ירחם האלקים ונוליד זכר ונקבה ויתקיים העולם מהם, כי עולם

34. R. Yaakov Medan, *Megadim* 1 (1986), p. 42, available at: http://www.hatanakh.com/sites/herzog/files/herzog/imported/mega4_medan.pdf.

חסד יבנה (תהלים פט:ג), ולא לחנם הצילנו ה׳. והנה היו צנועות ולא רצו לאמר לאביהם שישא אותן, כי בן נח מותר בבתו (סנהדרין נח:), או שהיה הדבר מכוער מאד בעיני הדורות ההם ולא נעשה כן מעולם, וכן רבותינו בהגדות מגנים את לוט מאד (רמב״ן, בראשית יט:לב).

The *yibum* of Boaz with Rus – each the offspring of one of the two *ma'asei yibum* above – ultimately results in the birth of David *ha-Melech* and *Mashiach*, because both the offspring of Lot and the offspring of Yehudah hold the light of *Mashiach*:

אחרי אברהם, נחלק האור הזה, אורו של משיח, לשנים. חציו נטמן בתחתיות ארץ, בזרע עמון ומואב; וחציו השני נשאר גלוי, ועבר ליצחק, וממנו ליעקב, וביהודה בן יעקב כבר החל האור הזה להיות מבהיק, וראו הכל כי ראוי הוא למלכות. והיה האור הזה הולך ומבהיק בזרעו של יהודה שמבני פרץ, ונכסה במצרים, ונגלה שוב בנחשון בן עמינדב שהיה מיוצאי מצרים, ונשאר גלוי בבניו, עד שנכסה שוב בימי אלימלך בן נחשון, שאז אמרו הכל: זה האיש שקוינו לו שישב על כסא מלכות בישראל - אינו ראוי למלוכה. ברח לו למואב.

אז גלה הקב״ה את האור שהיה טמון בשדה מואב, והיתה עצה עמוקה ל׳השיב׳ את רות לבית לחם, ויגלה אורו של משיח משני חלקיו בבת אחת. בועז בן שלמון בן נחשון הוא שיולידו מרות בת... עגלון, השבה משדה מואב לשרשה הראשון: תורת חסד של אברהם (ספר התודעה, פרק כט).

As the *Sefer Ha-Toda'ah* explains, after the era of Avraham, the light of *Mashiach* was divided. One part of the light remained revealed, and was transmitted through Yitzchak, Yaakov, Yehudah, Nachshon and ultimately Boaz. The other part of the light was hidden in the depths and recesses of the Moabite nation, only revealed when Rus "returned from the fields of Moab" (*Rus* 1:22) to take her rightful place as an ancestor of *Mashiach*.

R. Hirsch offers an invaluable insight into *yibum* by linking the *mitzvah* of *yibum* with the first *mitzvah* of *peru u-revu*. The deceased brother was unable to fulfill the *mitzvah* to have children, even though he married with the intention to fulfill *peru u-revu*. The *banim* are what form the *binyan ha-bayis*. The Torah mandates that the living brother take on the role of the deceased in an "ethical and spiritual" act:

המצוה הראשונה שניתנה לאדם היא "פרו ורבו" ולצורך זה - "וכבשֻׁה" (בראשית א:כח), והרי זו המצוה להוליד בנים ולחנך בנים ולקנות רכוש לצורך שני אלה. קיום המצוה הזאת הוא הייעוד הארצי הראשון של האיש ומילוי הייעוד הזה כלול במושג הבית שה"בנים" הם אבני ה"בניין" שלו... הפרשה שלנו דנה באיש ששאף למלא את הייעוד הזה של חייו הארציים, ולשם כך הוא הקים בית ובא בברית הנישואים. הוא קיווה למלא את התפקיד הזה בבית אשר בנה, ואילו זכה, היתה אשתו יולדת לו בנים שיחיו אחריו, ובעבודה חינוכית משותפת היו מעצבים את בניהם כצלמם וכדמותם הרוחנית והמוסרית... אולם הוא לא זכה להשיג את המטרה הזאת... הוא נפטר לעולמו ובלבו המחשבה המעציבה: עם מותו לא יהיה מי שמחויב להמשיך את זכרו עלי אדמות; האשה שהיתה שלו תעבור לחוגי משפחה זרים והרכוש החומרי שהוא צבר לשם המשך בניין דמותו הרוחנית והמוסרית יתחלק בין אחיו או צאצאיהם - אלמלא יצרה התורה במקרה מסויים אפשרות של תחליף רוחני־מוסרי באמצעות מצות ייבום (רש"ר הירש, דברים כה:ה).

Every *neshamah* that descends to earth has its unique mission. The *yibum* process is a *chesed shel emes* for the *mes* that allows him to complete his "unfinished work" of building a *bayis* and establishing a family through the proxy of the living family member. *Yibum* provides the the soul of the *mes* with a "foothold"[35] in the living physical world, and allows for the preservation of the brother's property to be used for the support of the child who, in essence, continues the life of the deceased brother. The removal of the shoe at *chalitzah* represents the mourning that takes place if this opportunity is denied, as Rabbeinu Bechaye explains:

ועל דרך הפשט בטעם מצות היבום כדי שישאר בבית המת ולא ימשול זר על אשתו ועל נכסיו, כענין שכתוב לא תהיה אשת המת החוצה לאיש

35. Thus, the living brother who denies his deceased brother the opportunity for this foothold has his shoe removed. Rabbeinu Bechaye explains the symbolism of each term and action in the *chalitzah* ceremony:

והדין הראוי בזה שתחלוץ לו היבמה נעלו מעל רגלו לסימן ורמז שהוא מסתלק ונשמט מן האחוה, וזהו לשון וחלצה, מלשון חלץ מהם (הושע ה:ו), ולשון נעלו כי הוא נועל דלת בפני נפש אחיו המת. אמר מעל רגלו לפי שהרגל הוא סיבת ההליכה, וכן זה סיבה שתלך נפש אחיו למשפחה אחרת (רבנו בחיי, דברים כה:ט).

זר, כי בזה אומדין דעתו של מת כי הוא רוצה שימשול אחיו על נכסיו ועל אשתו יותר מאחר כיון שאין לו זרע שירשנו, זה טעם היבום. וטעם החליצה, כי כל זמן שהיבם רוצה ליבם הנה הוא מקיים זרע לאחיו ונראה כאילו אחיו חי, וכשאינו מיבם ואינו מקיים זרע לאחיו נראה שאחיו מת וצריך הוא שיתאבל עליו, ולכך היבמה תחלוץ המנעל שהוא סימן אבלות כאילו מתאבל על אחיו המת (רבנו בחיי, דברים כה:ט).

The primary objective of *yibum* is to produce offspring to whom the *shem/neshamah* of the *mes* can be attached, as *Devarim* 25:6 states: "וְהָיָה הַבְּכוֹר אֲשֶׁר תֵּלֵד יָקוּם עַל שֵׁם אָחִיו הַמֵּת וְלֹא יִמָּחֶה שְׁמוֹ מִיִּשְׂרָאֵל". (The numerical value of בן is 52, which is the same numerical value as יבם.) As *Ha-Kesav Ve-Ha-Kabbalah* elaborates:

בא במקרא זה להודיע התכלית המכוון ביבום זה, ואמר והיה הבכור אשר תלד יקום על שם אחיו המת, ולא ימחה שמו וגו׳... למען אשר תלד היבמה, והתכלית המכוון בהולדתה שיהיה בן לאחיו המת (הכתב והקבלה, דברים כה:ו).

R. Yaakov Yosef of Ostrow writes that the spiritual purpose of *yibum* is to give a new birth to the soul of the departed brother:

ואז כשבאה הנשמה אל תוך הגוף נותנים לה שם משמות האדם כי השם הוא לנשמה ולא לגוף וזהו מצות יבום להוליד נשמת אחיו וכתוב להקים שם המת (רב ייבי על התורה, מטות).

For all intents and purposes, *yibum* is a human spiritual effort, אתערותא דלתתא; it is the *Torah she-be'al peh* counterpart of *techiyas ha-mesim*, the אתערותא דלעילא, Divine action. It is a Divinely granted opportunity for *chesed* whereby a living person, by exercising his choice of *yibum* over *chalitzah*, can bring life to a *nishmas mes* by attaching a *shem* to the offspring of the *yibum* union. The *neshamah*, the soul, the inner part, of the word "נשמה" is "שם". This connection to *techiyas ha-mesim* would explain why the *yibum* process is so integral to *Mashiach* and why the *yavam* and *Mashiach* share the title of *go'el*.[36] Thus, it is appropriate

---

36. In *Megillas Rus*, Boaz is identified as the *go'el* (see e.g., 2:20, 3:12, 4:14). The role of the *go'el* lies at the heart of the dispute between Boaz and Ploni Almoni, where Ploni intended to be *go'el* only the land, thereby redeeming Elimelech's

that the *mitzvah* of *yibum* is found in *Mishneh Torah/Sefer Ha-Yashar,* where it is an eloquent expression of וְעָשִׂיתָ הַיָּשָׁר וְהַטּוֹב, and not in *Sefer Vayikra* with other *arayos* and *ishus* matters.

The above insights can help us to understand the complex relationship between Esav and Yaakov and resolve the noted problem of how Yaakov could marry two sisters, Leah and Rachel, which is a serious *ervah* transgression. In order to do so, we must go further back and ask what Yitzchak's calculation was in initially wishing to grant the *berachos* to Esav.

R. Chaim Yaakov Goldvicht, in his *Asufas Ma'arachos,* lays out Yaakov's and Esav's respective missions as envisioned by their father Yitzchak. Rav Goldvicht differentiates between *avodas penim,* pure spirituality, and *avodas chutz,* elevating and harnessing the physical, material world for spiritual purposes. Yaakov, the "*yoshev ohalim*" was destined for *avodas penim,* and Esav, the "*ish sadeh*" was destined for *avodas chutz*:

> **עבודת פנים**... השאיפה הנשמתית הבסיסית, כוספת לעולם בעל מימד רוחני טהור. עורגת לבית מדרש, שכולו זוך וטוהר, להיכל ה׳, הספון מלגו ומלבר מעטה של קדושה. לאותו עולם בו היה האדם שרוי עובר לחטא הקדמוני...
>
> **עבודת חוץ**... יעדה, חתום אף הוא בחותמת ברית קודש. אבל צורתה מגובלת בעיסוק בדברים של חומר, ברבדים של גשם. והמשימה היא, להעלות את העשיה הגשמית, לרתום אותה ולשעבדה לקדושה... וגם כשנופו נוטה ל׳חוץ׳, יהיו שרשיו נטועים ויונקים מקרקעו של משכן...
>
> התורה מעיקרה, היתה מיועדת לשני התאומים כאחד. ליעקב ועשיו בהדי הדדי... ושותפות רוח זו שהיתה אמורה להירקם בין יעקב לעשיו צריכה היתה להיארג מתוך מיזוג שתי דרכי העבודה האמורים...
>
> נועדו איפוא שני האחים, להשלים זה לעבודתו של זה, ולרקום תיקון עולם מתוך שותפות הדדית פורה ומפרה. ואילו נטפל עשיו

---

ancestral property. Boaz countered that the *ge'ulah* of Elimelech's property and the *yibum*/marriage of Rus must be in unison. Ploni adamantly refused to undertake the marriage of Rus, the Moabite, for fear of "contaminating" his lineage, and therefore walked away, paving the path for Boaz.

ליעקב, כן היה זוכה עמו בחלקו, כשם שזבולון זוכה לחלוק בשוה בתורתו של יששכר (אסופת מערכות, בראשית, כרך א, דף שיב-שיד).

The true ideal was a mutually fruitful partnership between Yaakov and Esav, in which Esav recognized his auxiliary role and reaped the rewards of facilitating Yaakov's spiritual achievements.

How did Yitzchak and Rivka see themselves and their task of guiding their children to their respective spiritual destinies? Yitzchak was of the *bnei elyon*, an *olah temimah*, in the *Torah she-bichsav* model, whereas Rivka was a down-to-earth model of *Torah she-be'al peh*:

סוד ויהי בארבעים שנה בקחתו את רבקה, ר"ת באר. יצחק, סוד תורה שבכתב. רבקה, שבעל פה (מגלה עמוקות, ואתחנן, אופן רמו).

Given the union of the natures of this couple, it is understandable that Yitzchak would envision the destiny of the twins with one child dedicated to *avodas pemim*/*Torah she-bichsav*/Yitzchak, and the other to *avodas chutz*/*Torah she-be'al peh*/Rivka. And as the twins grew up, Yitzchak witnessed their individual destinies unfolding, as *Bereishis* 25:27 recounts:[37]

וַיִּגְדְּלוּ הַנְּעָרִים וַיְהִי עֵשָׂו אִישׁ יֹדֵעַ צַיִד אִישׁ שָׂדֶה וְיַעֲקֹב אִישׁ תָּם יֹשֵׁב אֹהָלִים.

But as time progressed and Yitzchak got older, וַתִּכְהֶיןָ עֵינָיו, his vision dimmed (*Bereishis* 27:1). Yitzchak, being the saintly member of the *bnei elyon* that he was, saw the world through the prism of Divine light, as it should be, not as it was.[38] Only Rivka, the pragmatist (having been raised in a hard-knock household that taught her about the "real

---

37. It is interesting to note, as per *Bereishis* 25:28, וַיֶּאֱהַב יִצְחָק אֶת עֵשָׂו כִּי צַיִד בְּפִיו וְרִבְקָה אֹהֶבֶת אֶת יַעֲקֹב, that each parent gravitated to the child who was his or her opposite. Yitzchak, the *Torah she-bichsav* person, loved Esav, the *Torah she-be'al peh*-destiny child, while Rivka, the *Torah she-be'al peh* person, loved Yaakov the *Torah she-bichsav*-destiny child. As is often the case, people are attracted to what they lack.

38. The *Pri Tzaddik* explains that Esav had an intellectual connection to *Torah she-be'al peh*, but it was superficial and not rooted in the depths of his heart:

world") saw the world for what it was and, more importantly, saw what had become of Esav.[39] Acting under heavenly instructions, she hatched a scheme to ensure that Yaakov would receive the *berachos* that Yitzchak was planning to bestow upon Esav.

While Esav was ejected from *Knesses Yisrael,* we are compelled to inquire – what happened to his *neshamah* that was הרתו ולידתו בקדושה? To the *neshamah* that had the specific mission of *avodas chutz/Torah she-be'al peh*? *Yibum* demonstrates that through *keri'as shem,* one can grant a departed *neshamah* a "foothold" in the world of the living. Esav was spiritually dead.[40] When Yaakov proclaims, in *Bereishis* 27:19, "אָנֹכִי עֵשָׂו בְּכֹרֶךָ", he is effectively performing a *ma'aseh yibum* through *keri'as shem.* Critically, Yaakov does not employ the more colloquial *"ani"* but instead the formal *"anochi."*[41] This *anochi* carries the paramount

---

ויאהב יצחק את עשו כי ציד בפיו. וידוע מהאר"י ז"ל שהוא מצד נשמת ר' עקיבא ור' מאיר יסודי תורה שבעל פה. דעל כן רישיה בעטפיה דיצחק (תרגום יונתן, ויחי) שבהשגת המוח שבראשו היה שואל השאלות בדברי תורה שהיה שואל מיצחק. אלא שהיה רק מהשפה ולחוץ ולא ממעמקי הלב, כי לבו מלא רע והוא ברשות לבו לימשך אחר שרירות הלב נגד עצת השכל. ועקר עצמו ממעט שורש קדושה הנעלם שהיה במוחו ובפיו ונשתמד להיות נעקר וניטל משורש ישראל לגמרי, לא כזרע יעקב החוטאים, ונעשה לראש גוים שהוא שורש הרע לבריות ושנאת ישראל הנטוע בכל העמים, וללגלג על דברי חכמים בתורה שבעל פה שהוא שורש הכנסת ישראל (פרי צדיק, מאמר קדושת שבת, מאמר ה).

39. As the *Hadar Zekenim* notes, Rivka loved Yaakov because she saw both his behavior and Esav's:

ורבקה אוהבת את יעקב. לפי שמכרת היא מעשיהם של יעקב ושל עשו (הדר זקנים, בראשית כה:כח).

40. As the *Sefer Benayahu ben Yehoyada* explains:

והא דמפיק לה מן ותכהינה עיניו מראות נראה לי בס"ד דתיבת מראות לשון יתר, ולכך דריש לה מראות אותיות ראו מת, כי עשו בחייו היה קרוי מת, וזהו ותכהינה עיניו בשביל כי ראו מת זה עשו (ספר בניהו בן יהוידע, מגילה כח.).

41. Compare the two responses of Yaakov to Yitzchak's questions about his identity: In *pasuk* 18, Yitzchak asks?מי אתה בני. The word *"beni"* is superfluous. In Yitzchak's grand plan, there were two sets of *berachos* to be allocated – the *berachah* of *gashmiyus/Torah she-be'al peh,* which was reserved for Esav; and the *birkas Avraham/Torah she-bichsav,* which was reserved for Yaakov. When Yitzchak asks ?מי אתה בני, he wants to ensure that the correct *"ben"* receives his respective *berachah.* Therefore, Yaakov's emphatic *"anochi"* is appropriate,

gravitas of "*Anochi Hashem Elokecha.*" It would be grossly insulting to Yaakov's intelligence to assume he is a mindless player being "manipulated" by his scheming mother in this high-stakes drama. When Yaakov utters "*anochi* Esav," it is not necessarily to deceive Yitzchak, but rather he is declaring and affirming with the utmost *kavanah* – *I am Esav.* Appreciating all that is at stake, he willfully assumes the persona of Esav and all the responsibilities that it encompasses.[42] The *neshamah* of Esav and the "mission" it entails became attached to Yaakov.[43] As a *yavam*, he is legally entitled to marry Leah, the "*almanah*" of Esav.[44] We see from the incident of Yehudah and Tamar, which *Chazal* clearly

---

as Yaakov is defining his identity as the correct *ben* to receive this *berachah.* In *pasuk* 24, in Yitzchak's question אתה זה בני עשו?, the name "Esav" is now added as the question follows the granting of the *berachos* in *pasuk* 23. Yitzchak is seeking only confirmation that the rightful "*ben*" has received his allocated *berachah.* Thus Yaakov's reply with the informal "*ani*" is sufficient, since the identity-defining "*anochi*" was previously provided and is no longer necessary.

42. When Yitzchak remarks in *Bereishis* 27:22 הַקֹּל קוֹל יַעֲקֹב וְהַיָּדַיִם יְדֵי עֵשָׂו, he is not only acknowledging the factual physical appearance, but also that the person standing before him is now entrusted with the dual missions. The *kol Yaakov* is the "נשמע" (*avodas penim/Torah she-bichsav*) and the ידי עשו is the newly acquired "נעשה" (*avodas chutz/Torah she-be'al peh*).

43. This approach resolves the question of how Yaakov, being the paragon of *emes*, could engage in such duplicitous activities – a part of him truly became Esav, and as such there was no *sheker.*

44. When one scrutinizes *parashas yibum* (*Devarim* 25:5–10), one will notice many hints to the "*ma'aseh yibum*" between Yaakov and Esav: (1) "כי ישבו אחים יחדו" – are not twins the best illustration of "ישבו אחים יחדיו"? (2) "ומת" – Esav spiritually dies. (3) "והיה הבכור" – so much of the Esav/Yaakov narrative revolves around the *bechorah.* Note that Yaakov added the word "*bechorecha,*" which is superfluous, when responding to Yitzchak's question, מי אתה בני. (4) "ולא ימחה שמו מישראל" – the word "*mi-Yisrael*" is superfluous and is an allusion to Yaakov/Yisrael who assumes the persona of Esav. In addition, the *yibum* performed by Boaz in *Rus* 4:10 uses the root כרת instead of מחה, as the *pasuk* states, לְהָקִים שֵׁם הַמֵּת עַל נַחֲלָתוֹ וְלֹא יִכָּרֵת שֵׁם הַמֵּת מֵעִם אֶחָיו. The word "ימחה" used here alludes to the obliteration of Amalek/Esav in *Devarim* 25:19 – תמחה את זכר עמלק. Parenthetically, *parashas mechiyas Amalek* is only seven *pesukim* after *parashas yibum.* The possible message here is that after

interpret as a *yibum*, that prior to *Matan Torah*, *yibum* overrides the serious *issur ervah* involved. Here as well, the *yibum* performed by Yaakov overrides the *issur ervah* of marrying two sisters.[45]

That two personas were latent in Yaakov is attested by the unusual fact that he possessed two **שמות**, names (Yaakov and Yisrael),[46] which is a clear allusion to **נשמות**, the integral objective of *yibum*. Yaakov acquires his second name, Yisrael, after defeating the *sar* of Esav.[47] Victory in battle entitles the victor to all the possessions of the vanquished, including his wife. The *Zohar* links the two names, Yaakov and Yisrael, to his two wives:

> כגוונא דאית בישראל ארבע אנפין, יעקב ישראל, רחל לאה, ישראל עם לאה, יעקב עם רחל (זוהר, חלק ג, דף רפא ע״ב).

Yaakov, his birth name, is coupled with Rachel, his original *bashert* (the younger brother to the younger sister). The second name, **ישראל**

---

the *yibum* process "extracted" the *neshamah* of Esav/Amalek, only the *kelipah* remained, for which מחה תמחה is appropriate.

45. An alternative halachic justification for Yaakov marrying two sisters is given by the Maharal of Prague:

כמו שהיו יודעים לקיים התורה ברוח הקודש - יודעים גם כן להתיר ברוח הקודש, ואין זה סותר התורה, כי נותן התורה אוסר ונותן התורה מתיר, כמו שבארנו. וכן הטעם מה שנשא יעקב שתי אחיות, אף על גב שהאבות היו מקיימים את התורה, כי כמו שידע יעקב התורה ברוח הקודש כך היה יודע שיש לו לישא שתי אחיות, והם הגונים לו להעמיד י״ב שבטים עמודי עולם מב׳ אחיות (גור אריה, בראשית מו:י).

46. The two names have opposite connotations – **יעקב** implies "crookedness," whereas **ישראל** (ישר־אל) implies "straightness." The second name is divinely conferred.

47. It is interesting to note the frequency of "שם" in the dialogue between Yaakov and the *sar* of Esav in *Bereishis* chapter 32:

(כח) וַיֹּאמֶר אֵלָיו מַה שְּׁמֶךָ וַיֹּאמֶר יַעֲקֹב.
(כט) וַיֹּאמֶר לֹא יַעֲקֹב יֵאָמֵר עוֹד שִׁמְךָ כִּי אִם יִשְׂרָאֵל כִּי שָׂרִיתָ עִם אֱלֹהִים וְעִם אֲנָשִׁים וַתּוּכָל.
(ל) וַיִּשְׁאַל יַעֲקֹב וַיֹּאמֶר הַגִּידָה נָּא שְׁמֶךָ וַיֹּאמֶר לָמָּה זֶּה תִּשְׁאַל לִשְׁמִי וַיְבָרֶךְ אֹתוֹ שָׁם.
(לא) וַיִּקְרָא יַעֲקֹב שֵׁם הַמָּקוֹם פְּנִיאֵל כִּי רָאִיתִי אֱלֹהִים פָּנִים אֶל פָּנִים וַתִּנָּצֵל נַפְשִׁי.

Maybe the "*nafshi*" is an allusion to the new *neshamah* he acquired.

(ישר־אל), which is earned, is coupled with Leah, the *bashert* of Esav (the older brother to the older sister), whom he acquires through the *ma'aseh chesed* (וְעָשִׂיתָ הַיָּשָׁר וְהַטּוֹב), the *yibum* he chooses to perform.

Accepting the premise that the leitmotif running through the episode of Yaakov acquiring the *berachos* from his father is *yibum*, it behooves us to compare the *berachos* passage in *Bereishis* chapter 27 to the passage in *Megillas Rus* chapter 3, which establishes the *yibum* between Boaz and Rus:

1. Both events are orchestrated by a strong female (mother/mother-in-law) with a clear and determined agenda:

| מגילת רות | בראשית |
|---|---|
| "כל אשר תאמרי אלי אעשה" (ג:ה) | "שמע בקלי" (כז:יג) |

2. Both events include eating and drinking:

| מגילת רות | בראשית |
|---|---|
| "ויאכל...וישת" (ג:ז) | "ויאכל...וישת" (כז:כה) |

3. In both events *"beged"* plays an important role:

| מגילת רות | בראשית |
|---|---|
| "ושמת שמלתיך עליך" (ג:ג) | "ותקח רבקה...בגדי עשו...ותלבש את יעקב" (כז:טו) |

4. Both characters are asked to identify themselves:

| מגילת רות | בראשית |
|---|---|
| "ויאמר מי את" (ג:ט) | "ויאמר ...מי אתה בני" (כז:יח) |

5. Both responses are virtually identical, as they both contain the formal *"anochi,"* followed by proper name and relationship to the questioner:

| מגילת רות | בראשית |
|---|---|
| "אנכי רות אמתך" (ג:ט) | "אנכי עשו בכרך" (כז:יט) |

6. Both events contain trembling:

| מגילת רות | בראשית |
|---|---|
| "ויחרד" (ג:ח) | "ויחרד" (כז:לג) |

7. A *berachah* is an integral part of both events:

| מגילת רות | בראשית |
|---|---|
| "ברוכה את" (ג:י) | "ויברכהו" (כז:כז) |

The above comparison clearly establishes the link between Yaakov obtaining the *berachos* and Rus interceding with Boaz; according to our thesis, these parallels are due to the fact that both of these were episodes of *yibum*.

The metamorphosis that Yaakov undergoes (into Esav) is very real and perceptible. He is no longer the unassertive "אִישׁ תָּם יֹשֵׁב אֹהָלִים" (*Bereishis* 25:27). Soon after declaring אנכי עשו, Yaakov demonstrates great strength, removing the stone covering the well (*Bereishis* 29:10), on which Rashi comments "להודיעך שכחו גדול". One must assume that Rashi is coming to intimate something more important than the obvious fact that the removal of the stone required great strength. Yaakov becomes a hard-working laborer, striving to earn a livelihood, and even becomes proficiently savvy and street-smart, confident that he can best Lavan at his own game – אני אחיו ברמאות (Rashi, *Bereishis* 29:12).

It is interesting to note that the well to which both Yaakov and Eliezer (in search of a *shidduch* for Yitzchak) come is identified differently for each party. In the case of Eliezer, the body of water is exclusively referred to as "*ein ha-mayim*,"[48] while in regard to Yaakov we exclusively find "*be'er*."[49] What is the difference between עין המים

48. I am referring to *Bereishis* 24:34–52, which is Eliezer's repetition of the events. *Chazal* consider Eliezer's repetition to be the critical version (as opposed to the Torah's narrative of the events, in *Bereishis* 24:11–33, where *be'er* is indeed used) – ... יפה שיחתן של עבדי אבות. In Eliezer's repetition, we find the well referred to as: *ha-ayin*, *ein ha-mayim* or *ha-aynah*, never as *be'er*.
49. I am referring to *Bereishis* 29:1–10, where we find the well referred to only

and באר? *Ein ha-mayim* is a fountain, surface water, readily visible to the eye (*ayin*). The *ayin* is the limb that enables sight and reading. *Ein ha-mayim* thus represents *Torah she-bichsav,*[50] the primary text, and is fittingly applied to Yitzchak. The *be'er,* on the other hand, is subterranean water, not visible to the eye, which is accessible only through *chafirah,* digging. So too, *Torah she-be'al peh,* the באור (oral explanation) of *Torah she-bichsav,* is only accessible through laborious *chafirah.* Based on the *Megaleh Amukos* (quoted above in reference to Yitzchak and Rivka), who associates *be'er* with *Torah she-be'al peh,* we see that Yaakov has now added the dimension of *Torah she-be'al peh* to his existing repertoire.[51]

Rivka (herself being *be'er/Torah she-be'al peh*) foresees the long and bitter *galus* that lies in store for the Jewish nation. She recognizes the only hope of survival[52] is for Yaakov to have sole possession of *Torah she-be'al peh,* and thus engineers her plan. Yaakov, the embodiment

---

as *ha-be'er,* never *ayin* or *ein ha-mayim.*

50. אין מים אלא תורה.

51. We know עין תחת עין – that *tachas,* "under" the *ayin,* the surface *mayim* which is Yitzchak/*Torah she-bichsav,* there exists another *ayin,* a subterranean body of water, a *be'er,* which represents Yaakov/*Torah she-be'al peh.* Thus, the two *ayin*'s respectively represent *Torah she-bichsav* and *Torah she-be'al peh.* Let us look at the following *midrash,* which describes the fatal blow that Chushim ben Dan struck Esav at Yaakov's burial in *Me'aras Ha-Machpelah*:

"נפתלי אילה שלוחה" - מלמד שקפץ למצרים כאייל והביא שטר המערה לקבור את אביו, עד שהוא הולך בא חושים בן דן והיה חרש, וכשראה עשו מונען מלקבור את אבינו יעקב, דקרו בידו על צוארו, והתיז את ראשו, ונפלו שתי עיניו על מיטתו של יעקב אבינו, ופתח עיניו וראה נקמה ושמח שנ' ישמח צדיק כי חזה נקם (תהלים נח:יא), ונתקיימה נבואת רבקה שאמ' למה אשכל גם שניכם יום אחד (בראשית כז:מה) (בראשית רבה [תיאודור־אלבק], ויחי, פרשה צז).

Why does the Midrash mention "שתי עיניו" and not merely say עיניו, which implies two? The two *ayin*'s are *Torah she-bichsav* and *Torah she-be'al peh.* The head is the domicile of the *neshamah,* and thus the head of Esav was worthy of burial in the *Me'aras Ha-Machpelah.* But Esav's head, the place of the *neshamah,* was bereft of any vestige of Torah, both *she-bichsav* and *she-be'al peh.* Where did the "two" *ayin*'s fall? Onto the "lap" of Yaakov!

52. See the *Bnei Yissaschar* and *Or Gedalyahu,* quoted above, end of Section H.

of *Knesses Yisrael,* is forced to make the Esav persona dominant in his character and suppress his genuine nature until the Day arrives when all "names" and "*Toros*" will meld into one – והיה ביום ההוא יהיה ה׳ אחד ושמו אחד. Based on this idea that Yaakov is the embodiment of both *Torah she-bichsav* and *Torah she-be'al peh,* the *Toldos Aharon* explains the symbolism of the *pasuk* וַיָּבֹא יַעֲקֹב שָׁלֵם עִיר שְׁכֶם:

> והנה תורה שבכתב הוא תורה נביאים כתובים, ותלת ווי״ן הוא שי״ן, ותורה שבעל פה הוא שיתין מסכתות הוא סמ״ך, ומילוי של שי״ן י״ן עולה סמ״ך, נמצא תורה שבעל פה הוא מילוי ופירוש לתורה שבכתב, והמילוי שעולה ששים נחלק לאותיות כ״ף מ״ם אותיות אלו עולה ששים, רק לכך נחלקו להורות כ׳ כתר, מ׳ מלכות, שהוא כתר מלכות של תורה שבכתב, נמצא הצירוף של תורה שבכתב ותורה שעל פה שכם, שי״ן הוא תורה בכתב, כ״מ, הוא תורה על פה. וזהו ויבוא יעקב שלם עיר שכם (בראשית לג:יח), מידת יעקב תכלית בריאת עולם, התכללות אור ישר ואור חוזר, ״בא״ בשלימות ״עיר״ היינו התעוררות שכ״ם היינו תורה שבכתב ועל פה, והבן (תולדות אהרן, חיי שרה).

### K. Bilam and Lavan

As noted in our original questions relating to *Sefer Ha-Yashar,* the phrase תָּמֹת נַפְשִׁי מוֹת יְשָׁרִים (*Bamidbar* 23:10), uttered by Bilam, is very troubling: What is the "death of *yesharim*" that Bilam envies? If it is the afterlife of the *yesharim,* why is his emphasis on their death? Why does his prayer use the singular "וּתְהִי אַחֲרִיתִי כָּמֹהוּ", if it is referring to the plural *yesharim*? And finally, why doesn't he recognize that earning an afterlife depends on living a virtuous life? To address these problems, it is imperative to understand who Bilam is and what his agenda was. R. Yaakov Abuchatzeira explains that the key to understanding Bilam and his agenda is through Bilam's relationship to Lavan:

> והנה רבנו האר״י זכרונו לברכה כתב דבלעם הוא גלגול לבן, והנה לבן בקש לעקר את ישראל כמו שכתוב ארמי אבד אבי ולא הועיל כלום, וכמו כן היה חושב בלעם לעשות. עד שעמד על האמת וידע והכיר שאין לו שום כח כלל במה לכנס בתחום ישראל. וזהו שאמר ״נאם בלעם בנו בעור״, בעור רומז על לבן שבקש לבער כל ישראל ולא הועיל. וכיון

שהוא גלגולו אמר "בנו בעור", דהיינו שמעו מה שאומר גלגול אותו שרצה לבער את ישראל ולא הועיל, וגם גלגולו רצה לעשות כמותו ולא הועיל. ומי גרם שלא הועיל? "ונאם הגבר שתום העין", לפי שידיעתו גרועה מאד ומחסרון דעתו אומר שהשיג בידיעה העליונה והוא לא השיג. שהרי הוא סתום העין, דהיינו העין העליונה של הקדושה המשגחת על האדם ומראה לו הדרך **הישרה** ומשרה עליו רוח הקדש כראוי, הוא סתומה ונעלמה ממנו (פתוחי חותם, בלק).

While the opinions vary as to the exact nature of the relationship between Bilam and Lavan,[53] the Arizal makes clear that they were kindred spirits who shared the identical agenda – "לעקור את ישראל", to destroy the Jewish nation.[54]

The word *kol* is inextricably linked to the *Avos,* as *Bava Basra* 17a declares:

אלו הן אברהם יצחק ויעקב, אברהם דכתיב ביה בכל, יצחק דכתיב ביה מכל, יעקב דכתיב ביה כל.

The word *kol* is very relevant to the *av-ben* relationship. The *av* tries to instill *kol,* everything, into his *ben.* The *ben* carries the full, *kol,* responsibility to continue the legacy of the *av.* The *gematria* of *kol* is fifty, which in Judaism is very significant as it represents the completion, the fullness, as in *yovel,* the fiftieth year where everything returns to its original source. All of the three *Avos* are deeply connected to *kol.* But Avraham and Yitzchak each have qualifiers on their *kol.* Avraham is בכל while Yitzchak is מכל; only Yaakov is pure כל, without any limitations.[55] Why?

The *Likkutei Halachos* writes that the the incompleteness of the

53. In addition to the view of the Arizal, that Bilam was the *gilgul* of Lavan, we also find the views that Bilam and Lavan were the same person (*Tanchuma, Vayetzei* 13); Bilam was the son of Lavan (*Sanhedrin* 105a); or Bilam was the grandson of Lavan (*Zohar, Vayishlach* 166b).

54. For a fuller treatment of the conflict between Lavan and Yaakov, see the next chapter.

55. The *Chasam Sofer* believes that only the *berachah* of Yaakov was complete, because Yaakov's *kol* did not have a qualifier:

*kol* of Avraham and Yitzchak relates to the incompleteness of their offspring, Yishmael and Esav, respectively. Yaakov, on the other hand, was complete, *mitaso sheleimah,* and harmonized and incorporated the *middos* of Avraham and Yitzchak into his *middah* of *emes*:

> ועל כן אברהם יצא ממנו ישמעאל, ויצחק יצא ממנו עשו שהם ענניך דמכסין על עינין, שהם עיקר השקר המכסה את האמת שהוא תיקון העינים... כי אברהם גילה והמשיך אלוקותו יתברך מעילא לתתא בבחינת אור ישר בבחינת חסד, ויצחק אור חוזר מתתא לעילא, שזה בחינת גבורה, אבל עיקר הקשר והחיבור שבין קודם הבריאה לאחר הבריאה הוא על ידי בחינת יעקב, שהוא בחינת חוט המשולש, בחינת הבריח התיכון המבריח מן הקצה אל הקצה, כי הוא מחבר וכולל יחד בשלמות בחינת אברהם ויצחק שהם בחינת חסד ודין, אור ישר ואור חוזר, בחינת קודם הבריאה ואחר הבריאה, כי יעקב זכה למדת האמת בשלמות... ועל כן יעקב זכה שהיה מטתו שלימה בלי פסולת, כי ההולדה הוא בחינת בריאה חדשה, שמוציאין בחינת הבן מכח אל הפעל (ליקוטי הלכות יו״ד, הלכות רבית, הלכה ה).

If Yaakov's children fall to the wayside, then Yaakov is deemed childless and he loses his status of *"Av."* If Yaakov is no longer an *"Av,"* then the foundation of the Jewish people, the three *Avos,* disintegrates. The Jewish nation can only evolve if the three *Avos* remain intact, with the full definition of an *Av*.

Lavan's nefarious plan of destroying the Jewish nation is encoded in the *pasuk* אֲרַמִּי אֹבֵד אָבִי. His target is Yaakov ("אָבִי"), the embodiment of *Knesses Yisrael.* By means of "לעקור את הכל", the *"kol"* with which all the *Avos* are associated (*ba-kol, mi-kol, kol*), Lavan attempted to uproot the Jewish people from its foundation. By attempting to remove the children of Yaakov, Lavan wishes to uproot ("לעקור") the *ha-kol,* the *bechir* of the *Avos,* by deeming him "barren" ("לעקור\עקר"). As previously stated, the name of a person contains his *neshamah* and intimates his mission in this world. The name Lavan can be parsed into ל(א)־בן with the "א" silent, which succinctly describes his mission and raison d'etre.

---

כי האבות נתברכו רק בכל מכל אבל יעקב כל, כי ברכתם הי׳ בהם קצת חסרון (תורת משה לחת״ס, בראשית לג:כ).

After all of the drama between Yaakov and Lavan, as they finally part ways, Lavan offers to make a *bris* with Yaakov. *Bereishis* 31:45 describes Yaakov's response:

וַיִּקַּח יַעֲקֹב אָבֶן וַיְרִימֶהָ מַצֵּבָה.

Yaakov does not verbally acknowledge Lavan's offer of a *bris,* nor does the Torah record any action executed by Yaakov confirming such a *bris,* as for example we find in relation to Avraham and Avimelech (*Bereishis* 21:32: "*va-yichresu bris*"). Furthermore, Yaakov constructs a *matzevah,* and his "brothers"[56] a "*gal,*" with no further mention of *bris* or its execution. The "*even*" is the intended thrust of Yaakov's reply to Lavan.

When Yaakov blesses Yosef at the end of his life, Yaakov uses the phrase "*even Yisrael*" in the *berachah* (*Bereishis* 49:24):

וַתֵּשֶׁב בְּאֵיתָן קַשְׁתּוֹ וַיָּפֹזּוּ זְרֹעֵי יָדָיו מִידֵי אֲבִיר יַעֲקֹב מִשָּׁם רֹעֶה אֶבֶן יִשְׂרָאֵל.

Rashi comments that the word אבן is an acronym אב־בן:

אבן ישראל - לשון נוטריקון אב ובן, אבהן ובנין, יעקב ובניו.

The *Chasam Sofer* elaborates that the continuity between *av* and *ben* is fundamental to the Jewish people:

והנה כתיב [פ' ויחי] משם רועה אבן ישראל פירש"י אבן אב ובן, כי אלף מאב נמשכה לבן ונעשה ממנו אב"ן פנה יסוד מוסד, והיינו אבן ישראל, וא"כ ההמשכה מאב לבן הוא ממש כמו ההמשכה משמים לארץ, ע"כ יוצדק למען ירבו ימיכם וימי בניכם כימי השמים על הארץ (חתם סופר, בראשית טו:ה).

The *even* captures the entire *av/ben* paradigm so critical to Yaakov. He is the essential stone that completes the *yesod,* the cornerstone of the "three *Avos,*" which upholds the foundational structure of the Jewish nation.

Let us now turn our attention to Bilam. While Bilam may claim to

---

56. As *Bereishis* 35:46 recounts: וַיֹּאמֶר יַעֲקֹב לְאֶחָיו לִקְטוּ אֲבָנִים וַיִּקְחוּ אֲבָנִים וַיַּעֲשׂוּ גָל. The *mefarshim* discuss who "his brothers" are.

be the protégé of Lavan, the disciple falls far from his master. Bilam lacks the finesse, subtlety, and even the characteristic of valuing family that Lavan displayed to some extent. Lavan, true to his name, "white-washes" his unscrupulous activities under a patina of respectability. Bilam, in stark contrast, does not make the slightest effort to project any air of respectability. He is unrefined, avaricious, and amoral, with his allegiance for sale to the highest bidder for his services. His vocational speciality, which appears to be in high demand, is summoning up the dark forces of death and destruction. He squanders his God-given talents on anti-social pursuits strictly in the hope of personal gain. He stands as the polar opposite of the *Avos* who dedicated their lives to altruistic acts of *chesed* that enhanced *yishuv ha-olam* and peaceful co-existence, in a word, *yashrus*. The *Panim Yafos* notes the contrast drawn by *Pirkei Avos* between Bilam and Avraham, and expands the contrast to Yitzchak and Yaakov as well:

> ויוסף מלאך ה׳ עבור וגו׳, פירוש רש״י סימני אבות הראהו, נראה להבין ענינו כי אמרו חז״ל (אבות ד:כא) הקנאה והתאוה והכבוד מוציאין את האדם מן העולם וכולם היו בבלעם, כמ״ש (שם ה:יט) תלמידיו של בלעם הרשע עין רעה, הוא קנאה שעינו רעה בשל אחרים, ורוח גבוהה, הוא הכבוד והגאוה, ונפש רחבה, הוא התאוה, והיפוכם בתלמידיו של אברהם אבינו, ולפי שהדרך הזה בשביל תאות כבוד והממון להטיל עין הרע בישראל, ע״כ הראה לו סימני אבות שהם היו מתוקנים באלו הדברים, כי אברהם הוא בחינת חסד הוא תיקון התאוה, ויצחק בחינת גבורה תיקן את הקנאה, ויעקב תפארת ישראל בחינת הכבוד, כדכתיב (ישעיה מט:ג) ישראל אשר בך אתפאר (פנים יפות, במדבר כב:כו).

Bilam did inherit Lavan's destructive agenda. The Netziv describes Lavan's destructive goals in his commentary to *Devarim* 26:5, and Bilam's merciless attitude in his commentary to *Bamidbar* 23:10:

> ובהגדה ידוע הלשון לבן בקש לעקור את הכל, פירוש כל עיקר היהדות, וזהו לשון אובד, שלא ישאר זכר למו (העמק דבר, דברים כו:ה).
>
> וידוע כמה נצטערו נביאי ישראל בשעה שראו חרבן אוה״ע, ולא כן עשה בלעם שביקש לעקור את ישראל, ואינה מדה ישרה אפילו למי ששונא אותם (העמק דבר, במדבר כג:י).

While Bilam and Lavan shared the identical agenda, their approaches differed. As previously discussed, Lavan's overall strategy was to dismantle the *av/ben* paradigm which defined the *Avos*, while specifically targeting Yaakov as an individual, since Yaakov was the *bechir* of the *Avos* who exemplified the *av* and *ben* components. Lavan's modus operandi is implied in his name: לבן\ל(א)־בן.

Bilam's approach was much broader, as he set his sights on the entire nation. Here too, it is implied in his name: בלעם\בל־עם, the eradication of the עם.[57]

Bilam's first foray against the Jewish nation was in his capacity as an advisor to Pharaoh, advising him in how to deal with the "Jewish problem," an issue that remains for many, even today, unresolved. He next appears as a hired gun retained by Balak, to perform his "magic" against the encroaching Jewish nation, which threatens Moav.

Let us return to the *pasuk* which establishes the identity of *Sefer Ha-Yashar* as the *sefer* of Avraham, Yitzchak and Yaakov (*Bamidbar* 23:10):

> מִי מָנָה עֲפַר יַעֲקֹב וּמִסְפָּר אֶת רֹבַע יִשְׂרָאֵל תָּמֹת נַפְשִׁי מוֹת יְשָׁרִים וּתְהִי אַחֲרִיתִי כָּמֹהוּ.

The following questions arise:

1. What is the connection of the first part of the *pasuk* – מִי מָנָה עֲפַר יַעֲקֹב וּמִסְפָּר אֶת רֹבַע יִשְׂרָאֵל – to the second part – תָּמֹת נַפְשִׁי מוֹת יְשָׁרִים וּתְהִי אַחֲרִיתִי כָּמֹהוּ? They appear to be unrelated.
2. What exactly is מוֹת יְשָׁרִים?
3. Why כָּמֹהוּ in the singular, and not כמוהם, as it modifies the plural ישרים?

---

57. As *Sanhedrin* 105a states: בלעם בלא עם. Rashi explains, "בלא עם" – שאין לו חלק עם עם. I would assert that Rashi's explanation supports our *drasha* of בל עם because a person who has no affinity with a social group lacks key social connections and has little compunction about causing serious harm to people. Parenthetically, the *Gemara*'s *drasha* of בלעם into בלא־עם (by adding a silent "א") strongly supports our *drasha* of לבן into לא־בן (also adding a silent "א").

To unlock the meaning of this *pasuk*, we must first understand that its dominant subject is Yaakov, the embodiment of *Knesses Yisrael* and the preferred target of the pernicious attackers (Lavan and Bilam). Thus, the כמהו alludes to Yaakov even though *yesharim* is plural, as Yaakov is the *even Yisrael*, the cornerstone of the three *yesharim* (*Avos*) and the only *Av* who has the word "ישר" in his very name (ישר־אל), a name affirmed by God himself.

What is עפר יעקב? In *Bereishis* 13:16, God promises Avraham:

> וְשַׂמְתִּי אֶת זַרְעֲךָ כַּעֲפַר הָאָרֶץ אֲשֶׁר אִם יוּכַל אִישׁ לִמְנוֹת אֶת עֲפַר הָאָרֶץ גַּם זַרְעֲךָ יִמָּנֶה.

Note the direct association of "לִמְנוֹת אֶת עֲפַר" with "מָנָה עֲפַר".

What is וּמִסְפָּר אֶת רֹבַע יִשְׂרָאֵל? Rashi to *Bamidbar* 23:10 explains:

> ומספר את רבע ישראל – רביעותיהן, זרע היוצא מן התשמיש שלהם.

Rashi's explanation evokes Yaakov's prayer before meeting Esav (*Bereishis* 32:13):

> וְאַתָּה אָמַרְתָּ הֵיטֵב אֵיטִיב עִמָּךְ וְשַׂמְתִּי אֶת זַרְעֲךָ כְּחוֹל הַיָּם אֲשֶׁר לֹא יִסָּפֵר מֵרֹב.

Note the association "זַרְעֲךָ... אֲשֶׁר לֹא יִסָּפֵר" with "וּמִסְפָּר אֶת רֹבַע יִשְׂרָאֵל". It is obvious that the first part of the *pasuk*, מִי מָנָה עֲפַר יַעֲקֹב וּמִסְפָּר אֶת רֹבַע יִשְׂרָאֵל, is emphasizing *zera*, the children. Bilam's genuine intention was definitely not to graciously applaud and to bless the *zera* of Yisrael but rather to eradicate them by cursing them to oblivion. As *Sanhedrin* 105b tells us, "מברכתו של אותו רשע אתה למד מה היה בלבו". Bilam acquired this tactic of pursuing the children from Lavan's playbook. Fortunately, God intervened to save the day – וַיַּהֲפֹךְ ה׳ אֱלֹקֶיךָ לְּךָ אֶת הַקְּלָלָה לִבְרָכָה (*Devarim* 23:6).

Nevertheless, although Bilam's efforts to curse the Jewish nation were futile, he does proffer advice to Balak which proves to be devastatingly effective, as *Bamidbar* 31:16 describes:

> הֵן הֵנָּה הָיוּ לִבְנֵי יִשְׂרָאֵל בִּדְבַר בִּלְעָם לִמְסָר מַעַל בַּה׳ עַל דְּבַר פְּעוֹר וַתְּהִי הַמַּגֵּפָה בַּעֲדַת ה׳.

Bilam's advice was to have non-Jewish women seduce Jewish men and lead them to sin. Rav Yaakov Medan suggests the following insight into Bilam's advice, that Bilam did not merely attempt to attract the men of *Bnei Yisrael* to the momentary sin of *arayos*, but also had a long-term destructive goal:

> לבן, הבא בהצהרת "הבנות בנתי והבנים בני", רוצה להמשיך אליו את זרעו של יעקב. וכן בלעם בעצת הזנות, שהרי בנו של ישראל מנכרייה נכרי הוא.[58]

Just as Lavan targeted the children of Yaakov, so to did Bilam with his advice, since any child born to the non-Jewish women would not be Jewish. The ultimate target of Bilam is the *zera Yisrael*.

What is the "*mos yesharim*" that Bilam aspires to in the second part of *Bamdibar* 23:10? And how does it differ from a common death? As previously noted, the thrust of Bilam's "attack" is Yaakov, as the symbol of *Knesses Yisrael*. The death of Yaakov is unique. *Ta'anis* 5b asserts that "יעקב אבינו לא מת". The *Gemara* asks, was Yaakov not eulogized, embalmed and buried? The answer is that just as Yaakov's *zera* survives, so too does Yaakov:

> הכי אמר רבי יוחנן יעקב אבינו לא מת. אמר ליה וכי בכדי ספדו ספדנייא וחנטו חנטייא וקברו קברייא? אמר ליה, מקרא אני דורש שנאמר (ירמיהו ל:י) "ואתה אל תירא עבדי יעקב נאם ה' ואל תחת ישראל כי הנני מושיעך מרחוק ואת זרעך מארץ שבים", מקיש הוא לזרעו, מה זרעו בחיים אף הוא בחיים (תענית ה:).

The *Gemara* intentionally employs the term *zera* to describe the progeny of Yaakov, which aligns with the above *pesukim* which speak about the eternity of the *zera* of the Jewish nation (*Bereishis* 13:16 and 32:13). The logical question on the above *Gemara* is: if the reason that יעקב אבינו לא מת is because *zar'o ba-chaim*, why shouldn't Avraham and Yitzchak also qualify, as their *zera* is also *ba-chaim*?[59] The Abarbanel explains:

---

58. R. Yaakov Medan, *Megadim* 1 (1986), p. 49.

59. The *Ben Yehoyada* suggests that "יעקב אבינו לא מת" because he is the only one of the *Avos* with only righteous children (*mitaso shelemah*).

לפי שהאומה בכללה, עם היות שנקראה זרע אברהם ויצחק, לא נקראה האומה עצמה בשם אברהם ולא בשם יצחק ולא בשם משה, אבל נקראה האומה בשם יעקב וישראל. ומזה הצד...יעקב לא מת, כי עדיין לא מת והיא האומה בכללה (אברבנאל, בראשית מט:כט).

The Abarbanel asserts that only יעקב אבינו לא מת, because the nation is called Yaakov, but not Avraham or Yitzchak. Only Yaakov represents the nation as a whole. I believe that we can extend this insight of the Abarbanel. The title of the Jewish nation is *Bnei Yisrael,* literally, the "sons of Yisrael/Yaakov," whereby every individual member of the nation must assume that identifying name to be included as a member of the people. As previously discussed, the *kerias shem* which is grounded in the *yibum* process allows the departed *neshamah* to attach itself to a person residing in the "living" world. As long as there exists even one Jew on this planet who identifies himself as one of *Bnei Yisrael,* then יעקב אבינו לא מת. The fact that Yaakov merits this unique privilege of the *kerias shem/yibum* and the *nitzchiyus* that follows can possibly be a *middah ke-neged middah.* As *Devarim* 25:6 states about *yibum*:

וְהָיָה הַבְּכוֹר אֲשֶׁר תֵּלֵד יָקוּם עַל שֵׁם אָחִיו הַמֵּת וְלֹא יִמָּחֶה שְׁמוֹ מִיִּשְׂרָאֵל.

Chazal explain that Yaakov's name, Yisrael, and Yisrael's status as the *ben bechor* of *Hashem,* counteracts Esav:

כתיב "ויקראו שמו עשו" הא שוא שבראתי בעולמי, אמר רב יצחק אמר הקב"ה אתון קריתון לחזירתכון שם, אף אני קורא לבני בכורי שם שנאמר "כה אמר ה' בני בכורי ישראל". כתיב לא יעקב יאמר עוד שמך לא שיעקר שם יעקב אלא יעקב עיקר וישראל מוסף עליו (ילקוט שמעוני, דברי הימים א, פרק א, רמז תתרעג).

It is Yaakov who rises to the demands of the occasion and through *kerias shem/yibum* assumes the name of Esav and all the responsibilities that it entails.

I believe that this approach can be supported by a *hekesh* utilizing the word *zera* which we find in the *Gemara* discussing יעקב אבינו לא מת and the various *pesukim* discussed earlier, which speak of the eternity of the Jewish nation.

The first time a concept appears in the Torah is always definitional. The first time we confront the concept of *yibum* in the Torah is the incident of Lot and his daughters:

בראשית פרק יט:
(לא) וַתֹּאמֶר הַבְּכִירָה אֶל הַצְּעִירָה אָבִינוּ זָקֵן וְאִישׁ אֵין בָּאָרֶץ לָבוֹא עָלֵינוּ כְּדֶרֶךְ כָּל הָאָרֶץ.
(לב) לְכָה נַשְׁקֶה אֶת אָבִינוּ יַיִן וְנִשְׁכְּבָה עִמּוֹ וּנְחַיֶּה מֵאָבִינוּ זָרַע.

Radak comments:

ונחיה מאבינו זרע – כי מי שלא ישאיר זרע הרי הוא מת אם לא ישאיר אחריו דבר שיזכור שמו בו (רד"ק, בראשית יט:לב).

Here too, we find that the *yibum* act is framed by the word *zera,* which then ties the concepts of *mos yesharim/Yaakov Avinu lo mes,* the eternity of the Jewish nation, and *yibum* all together. And this is what enrages Bilam – the acute awareness that he will never have an *acharis.*

Returning to our beginning, we can now understand why, in the *Gemara* in *Avodah Zarah* 25a, R. Yochanan repeats his opinion that *Sefer Ha-Yashar* is the *sefer* of Avraham, Yitzchak and Yaakov ("זה ספר אברהם יצחק ויעקב שנקראו ישרים שנאמר תמות נפשי מות ישרים") about *Sefer Ha-Yashar* in both *Sefer Yehoshua* and *Sefer Shmuel.* The first time *Sefer Ha-Yashar* is mentioned (in *Sefer Yehoshua*) it is referring strictly to the *Avos,* the *yesharim* as individuals that we find in *Bereishis.* Their nemesis is Lavan, the predecessor of Bilam, who serves as the classic antithesis to *yashrus.* The second time *Sefer Ha-Yashar* is mentioned (in *Sefer Shmuel*), which relates to *Mishneh Torah,* it is referring to *am Yisrael,* which is embodied in Yaakov. Thus, R. Yochanan lists all the *Avos* only to arrive at the last one, Yaakov, the *acharis,* who represents *Knesses Yisrael.* This could possibly explain the very subtle difference when he repeats his opinion on the second reference to *Sefer Ha-Yashar* – זה ספר אברהם יצחק ויעקב שנקראו ישרים דכתיב בהו תמות נפשי מות ישרים ותהי אחריתי כמוהו – now he adds the words אחריתי כמוהו. The nemesis of *am Yisrael* as a people is Bilam, who craves the *acharis* unique to the Jewish nation.

## L. Conclusion – *Shirah*

Following the example of Torah – let us conclude with the proverbial *shirah*, "song." The final *mitzvah* in the Torah is (*Devarim* 31:19):

> וְעַתָּה כִּתְבוּ לָכֶם אֶת הַשִּׁירָה הַזֹּאת וְלַמְּדָהּ אֶת בְּנֵי יִשְׂרָאֵל שִׂימָהּ בְּפִיהֶם לְמַעַן תִּהְיֶה לִּי הַשִּׁירָה הַזֹּאת לְעֵד בִּבְנֵי יִשְׂרָאֵל.

The *mitzvah* in this *pasuk* is to write a *sefer Torah*:

> ועתה כתבו לכם את השירה הזאת. מכאן למדו חז"ל [סנהדרין כא:] מצות כתיבת ס"ת (ע' רמב"ם [ה' ס"ת פ"ז ה"א]) (ספר אפריון, דברים לא:יט).

The obvious question is – why use the term *shirah* to describe a *sefer Torah*? *Ha-Kesav Ve-Ha-Kabbalah* associates *shirah* with *yashar*:

> ששם שיר הוא מסתעף משם ישר על שם היושר והשווי שבהם, הנה לפ"ז יסוד האמיתי נכון לכנות את התורה בשם שירה, כי התורה בכללה נקראת ג"כ ספר הישר (יהושע פרק י) הלא היא כתובה על ספר הישר (ש"ב פרק א) דתרגומם ספרא דאורייתא. והמצות בכללן נקראו ישרים ככתוב פקודי ה' ישרים; ודאמרי' (עבודה זרה כה.) דספר בראשית ומשנה תורה נקראו ספר הישר, יראה דלאו לאפוקי אינך חומשי תורה בזה, וכולן נקראו ספר הישר, ולזה חל ג"כ שם שירה על כל חמשה חומשי תורה. ובמהדורא קדמאה כתבנו בדרך אחרת לאמת דעת רבותינו בזה לקרוא את התורה בשם שירה (הכתב והקבלה, דברים לא:יט).

If you rearrange the letters of ש־י־ר you come up with י־ש־ר, as the *Shem Mi-Shmuel* points out, and *yashrus*/*shirah* is necessary for mankind to be a vehicle for *Hashem* in this world:

> הענין השני שמורה עליו שם ישראל נוטריקון ישר אל או שיר אל, כי האדם נברא ישר וכמו שהגיד כ"ק אבי אדמו"ר זצללה"ה שלכן צורת האדם לעמוד בקומה זקופה כי צורתו להיות מרכבה להשי"ת שכתוב בו צדיק וישר הוא, עכ"ד, היינו להיות כל מדותיו על קו הישר, ואז הוא מרכבה למדת ישר, והוא בעצמו אותיות שיר ששיר הוא דביקות העלול בעילה, וכל עוד שאין מדותיו ישרות אי אפשר להדבק באמת (שם משמואל, פרשת שמות, שנת תרע"ז).

And so, the final *mitzvah* of the Torah – "כתבו לכם את השירה\ישר" takes us to the last word of the Torah – ישראל\ישר א־ל, which takes us back to the first words of the Torah – בראשית ברא\באת ישר ברא and בראשית\ ישר אבת, and to the final end, the purpose of it all – "וכל שאין מדותיו ישרות אי אפשר להדבק באמת".

*Emes* is the seal of God:

> ומהו חותמו של הקב"ה אמת. ולמה אמת? אמת יש בו שלש אותיות, אל"ף ראשון של אותיות מ"ם אמצעית תי"ו סופן, לומר (ישעיה מד:ו) אני ראשון ואני אחרון ומבלעדי אין אלקים (דברים רבה, א:י).

Yaakov *Avinu* bears that seal, as the *Gur Aryeh* and the *Tzror Ha-Mor* both explain:

> ומפני שיעקב יש לו חותם של הקב"ה, שנאמר (מיכה ז:כ) "תתן אמת ליעקב" וחותמו של הקב"ה אמת (גור אריה, בראשית לג:כ).
>
> לפי שאברהם נתדבק במדת החסד... ויצחק במדת הדין... ויעקב הוא יושב בין שני אהלים אלו... שהוא המיצוע, כמו האמת, וזהו "תתן אמת ליעקב" (צרור המור, בראשית ל:מג).

Beyond the last *mitzvah* of *Torah she-bichsav,* lies the beautiful *shirah,* song/poetry of *Torah she-be'al peh*:

> שימה בפיהם נ"ל הכוונה על תורה שבע"פ שהיא פי' התורה, זאת ישים בפיהם (עיין בעל הטורים [שכתב, שימה בפיהם, בגימטריא זה תלמוד]) (ספר אפריון, דברים לא:יט).

*Shirah/Torah she-be'al peh* is the stirrings of the soul, heightened passion that seeks to soar, the meaning that often fails to be captured by words etched on paper, as the *Asufas Ma'arachos* describes:

> השירות שבתורה כתובות בציור של "אריח על גבי לבנה". ה"אש הלבנה" של הקלף החלק, אינה פחותה מן ה"אש השחורה" של הכתוב. כי שירה שבתורה, משמעה, השגות של רוח הקודש: "רננו צדיקים בה' - בזמן שהם רואים אותו" (תהלים לג:א וילקו"ש שם). היא ביטוי לרינת הנשמה, העורגת כוספת בכמיהה עזה אל דודה, ומבקשת לפרוץ את גבולות הגוף. ועל כן אין דבריה יכולים להיערות לתוך מצוקי תיבות ומילים, כי צר להן המקום בתיבה המצומקה. ואין המתפרש להדיא, אלא משל ורמיזה דקה, לרום השגות דאיית הנפש. דוקא

ההארות שאינן ניתנות להתפרש עד גמירא, הן הן תמצית התגבהותה ורוממותה. ועל כן בהכרח היא פורשת אברותיה, ופורצת לגבולי החלל שבין המילים ושברי המשפטים. החלל הריק שבין דיבור לדיבור, הוא איפוא זה המביע את עיקרה...

אכן אנו משיגים, שהתורה כולה - דברי שירה היא! "כי אי אפשר להזכיר בתורה כל הנהגות האדם עם שכניו ורעיו, וכל משאו ומתנו ותקוני היישוב והמדינות כולם" (מגיד משנה סוף הל' שכנים)! אבל הכתוב בתורה אינו אלא תמרור וסימניות, למה שלא נכתב.

הקורא בתורה צריך איפוא להפנים את המסרים הפנימיים שבה, להבליע את שלא נאמר בפירוש, על מנת שיוכל לקבל השגת מה, במה שכן נכתב. כי רק משעיכלנו לקרבנו את המסר הנוקב, שהתורה כולה אינה אלא סימניות למי שלבו ישר, שהדברים המפורשים הם תמרור למה שלא נתפרש, רק אז עולים בידינו דברי התורה על מתכונתם! (אסופת מערכות, דברים, דף יב-יג)

The words on the page are mere hints and signals to the vast meaning that lies enshrouded within it. Thus, as the Ramban explains on *Devarim* 6:18, the Torah itself is a *shirah*. The Torah cannot delineate each and every behavior and interaction *bein adam la-chavero*. וְעָשִׂיתָ הַיָּשָׁר וְהַטּוֹב signals us to find the unspoken, unarticulated *yashrus* which is demanded in every interaction.

The Torah as *shirah* was discovered by David *Ha-Melech* and it is this aspect of Torah that will be heard by all:

אלא שלתורה פנים הרבה, אברהם גילה בה הפנים של מצוה, שאדון החסד מצוה על הנהנים מחסדיו... משה רבינו וכל דורו גילו בה הפנים של מורא על ידי גילוי שכינה והמוראים הגדולים אשר עשה ה' לעיני כל העולם... דוד המלך גילה בה הפנים של שירה; ולכשיבוא בן דוד באחרית הימים - כל עמי תבל ינהרו אליו ויתנו לה' כתר מלוכה.

התורה ניתנה לעוסקיה וללומדיה בלבד, לעם ישראל בלבד. אבל השיר והשבח ניתנו לכל מי שבוראו כרה לו אזנים לשמוע שירה, אפילו לא למד. דוד המלך כשהוא מנעים זמירותיו, הכל מקלסים עמו, מן הירוד שבירודים עד המעולה שבמעולים.... כך הוא גדול כח השירה, שממעמקים היא עולה ומגעת עד רום שמים, וגורפת עמה כל הנמצאים בתוך (ספר התודעה, פרק כט).

May it be His will that we hear this song soon.

# *Arami Oved Avi*: The Story of Yaakov and Lavan

On reading the passages in *Sefer Bereishis* that relate to Lavan, one is hard-pressed to find an explicit example of his destructive intentions. However, *Devarim* 26:5 states, "אֲרַמִּי אֹבֵד אָבִי", on which Rashi comments – ארמי אבד אבי, לבן בקש לעקור את הכל כשרדף אחר יעקב.[1] Rashi implies that Lavan was chasing Yaakov in order to kill him, which is not clear from the text of *Bereishis*. If so, why use the strange expression לעקור את הכל (to uproot everything) instead of להרוג יעקב? Is there a deeper association of "*ha-kol*" with Yaakov?

The Malbim offers an insight:

> ארמי אובד אבי. כמ"ש חז"ל מתחיל בגנות ומסיים בשבח, פי' שיספר התחלת הגלות שאמר ה' לאברהם בברית בין הבתרים כי גר יהיה זרעך בארץ לא להם ועבדום וענו אותם (בראשית טו:יג), והנה גר יהיה זרעך התחיל מיד שנולד יצחק כי אברהם ויצחק היו גרים בארץ פלשתים... אבל ועבדום, התחיל מיעקב שעבד את לבן, וזהו גנות... וא"כ הל"ל אבי עבד ארמי, אך דא"כ היה משמעו דיעקב היה עבד לבן, כינה הדבר בשם אובד שפירושו נודד, כמ"ש "צאן אובדות היו עמי" (ירמיה נ:ו), "תעיתי כשה אובד" (תהלים קיט:קעו), והיה ראוי לומר "אבי אובד

1. The *mefarshim* grapple with the interpretation of each of these three words – *Arami, oved* and *avi*. For the moment we will follow the position of Rashi that *Arami* is Lavan, *oved* means sought to destroy, and *avi* is Yaakov.

בארם", רק בא הכתוב ללמד שלבן בקש לאבד את יעקב, וזה שאמרו בספרי מלמד שלא ירד יעקב לארם אלא להאבד [ויותר היה נכון לגרוס להעבד], ומעלה על לבן הארמי כאילו אבדו (מלבי"ם, דברים כו:ה).

The Malbim states that the "destruction" (אבד) was achieved through servitude (עבדות).[2] *Avdus* features prominently over the twenty-year Lavan/Yaakov interaction. What was Lavan hoping to achieve through the *avdus* of Yaakov? The unfailing way to erase the identity of a person is to brand him as an *eved*. *Avdus* is not limited to outright slavery, forced labor without compensation. It can even apply to someone being paid, if the wages are meager; the working conditions are deplorable; the laborer is a displaced foreigner, unfamiliar with the local language and customs; and the employer enjoys considerable leverage over his employee due to wealth and power. This was the harsh reality that overwhelmed Yaakov. *Avdus* is all about control. As *Pesachim* 88b states, כל מה שקנה עבד קנה רבו. In addition to his possessions, the *eved* forfeits his identity, his time, and even the right to be heard and acknowledged. *Shemos* 21:4 states: אִם אֲדֹנָיו יִתֶּן לוֹ אִשָּׁה וְיָלְדָה לוֹ בָנִים אוֹ בָנוֹת הָאִשָּׁה וִילָדֶיהָ תִּהְיֶה לַאדֹנֶיהָ. The *eved* cannot not even make claim to his offspring, a person's most cherished possession. Bereft of any of the distinguishing qualities that define a free human being, the *eved* is reduced to being mere chattel, subject to the whims of his master.

From the outset, despite the initial veneer of social etiquette and family niceties,[3] the power imbalance between Lavan and Yaakov is quickly established and tilted very much in Lavan's favor. Yaakov arrives in Aram penniless (see Rashi, *Bereishis* 29:11) seeking a *shidduch* with Lavan, who fondly recalls the expensive gifts and treasures

---

2. It should be noted that the letters "א" and "ע" are sometimes interchangeable. Thus ארמי אבד אבי was achieved through ארמי עבד אבי.

3. For example, Lavan's deceptively hearty greeting of Yaakov in *Bereishis* chapter 29.

(יג) וַיְהִי כִשְׁמֹעַ לָבָן אֶת שֵׁמַע יַעֲקֹב בֶּן אֲחֹתוֹ וַיָּרָץ לִקְרָאתוֹ וַיְחַבֶּק לוֹ וַיְנַשֶּׁק לוֹ וַיְבִיאֵהוּ אֶל בֵּיתוֹ וַיְסַפֵּר לְלָבָן אֵת כָּל הַדְּבָרִים הָאֵלֶּה.

(יד) וַיֹּאמֶר לוֹ לָבָן אַךְ עַצְמִי וּבְשָׂרִי אָתָּה וַיֵּשֶׁב עִמּוֹ חֹדֶשׁ יָמִים.

that were distributed upon the engagement of his sister Rivkah to Yaakov's father (*Bereishis* 24:53). The impecunious Yaakov is not an attractive suitor for Lavan's daughter's hand in marriage. Rather than simply reject this suitor, Lavan proceeds to capitalize on Yaakov's impoverished state and makes what appears to be a very reasonable offer in *Bereishis* 29:15:

וַיֹּאמֶר לָבָן לְיַעֲקֹב הֲכִי אָחִי אַתָּה וַעֲבַדְתַּנִי חִנָּם הַגִּידָה לִּי מַה מַּשְׂכֻּרְתֶּךָ.

Lavan has set a trap into which Yaakov falls. Yaakov is eager to obtain Rachel's hand in marriage. As the "purchaser" with a very strong desire for the "commodity," Yaakov should not have agreed to initiate an offer to Lavan, because his desire for Rachel would cause him to suggest a price higher than Lavan would have asked. Nevertheless, Lavan adeptly coaxes Yaakov to submit an offer, and Yaakov proceeds to offer an exceptionally generous price, probably exceeding what Lavan anticipated. This is likely the case, as Lavan readily accepts without any haggling. Given Lavan's nature, one can safely assume that he was always planning to switch the sisters on the wedding night. He knew full well that this ploy would result in him receiving double whatever Yaakov offered, as this charade would be repeated in seven years' time.

In hindsight, from Lavan's opening words – הֲכִי אָחִי אַתָּה וַעֲבַדְתַּנִי חִנָּם – we see that his true intention is to obtain exactly that – *avodas chinam* from his relative. Cunningly, Lavan masks his intentions with civil, formal business parlance like מַשְׂכֻּרְתֶּךָ, which implies honest and fair wages, when nothing could be further from his mind. The only "currency" that Yaakov could muster to consummate this marriage transaction was his sweat labor –אֶעֱבָדְךָ שֶׁבַע שָׁנִים (*Bereishis* 29:18). And Lavan readily accepts with the foreknowledge that he will push Yaakov to his physical limit and beyond.

Lavan does not allow the marriage to proceed immediately, but instead demands that Yaakov fulfill his pledge to work the seven years. At the end of the seven years, it is Yaakov who approaches Lavan (*Bereishis* 29:21):

וַיֹּאמֶר יַעֲקֹב אֶל לָבָן הָבָה אֶת אִשְׁתִּי כִּי מָלְאוּ יָמָי וְאָבוֹאָה אֵלֶיהָ.

Unlike equitable employers who monitor and communicate with their employees, Lavan remains silent, and it is Yaakov, the employee, who must demand his remuneration at the termination of the contract.

*Bereishis* 29:22–24 describes Lavan's devious "fulfillment" of his contract with Yaakov:

(כב) וַיֶּאֱסֹף לָבָן אֶת כָּל אַנְשֵׁי הַמָּקוֹם וַיַּעַשׂ מִשְׁתֶּה.
(כג) וַיְהִי בָעֶרֶב וַיִּקַּח אֶת לֵאָה בִתּוֹ וַיָּבֵא אֹתָהּ אֵלָיו וַיָּבֹא אֵלֶיהָ.
(כד) וַיִּתֵּן לָבָן לָהּ אֶת זִלְפָּה שִׁפְחָתוֹ לְלֵאָה בִתּוֹ שִׁפְחָה.

The above *pesukim* depict how firmly in control Lavan is. ...וַיֶּאֱסֹף לָבָן וַיַּעַשׂ מִשְׁתֶּה – it is Lavan who makes and pays for the wedding party and who decides on the guest list. The bride's mother is intentionally absent from the entire narrative in order to underscore Lavan's being solely in charge. In the above *pesukim* "לֵאָה בִתּוֹ" is mentioned twice. The word "בִתּוֹ" is completely superfluous and is only present to emphasize that she is "*his* daughter," as in his chattel. We do not hear the slightest protest from either Leah or Rachel, because they are too intimidated to defy their domineering father. וַיִּקַּח אֶת לֵאָה בִתּוֹ וַיָּבֵא אֹתָהּ אֵלָיו וַיָּבֹא אֵלֶיהָ. In normal marriage ceremonies the father-in-law "gives away" the bride, with the groom "taking" the bride from the father-in-law and then "bringing" her into his *reshus*. Here Lavan is doing all of the "taking," "bringing," and "giving." It is amazing that on their wedding night, the *chasan* and *kallah*, who are treated as royalty for that special moment, do not merit to be identified by name, but instead are demoted to impersonal pronouns – אותה, אליו, אליה. The underlying message is that Yaakov, Leah and Rachel are lowly pawns being shuffled around the board by Lavan, the only player of consequence.

Lavan's "switching" of the sisters on the wedding night is not merely an instance of a charlatan resorting to chicanery, but part of a premeditated and diabolical plot by Lavan to destroy Yaakov. Upon discovering that the sisters were switched, what is Yaakov to do? The switch has not diminished his affection for Rachel and his love for her, but she remains beyond his reach, completely under the control of her father. Given the meager wages he has earned over the seven years, he still has nothing of value to offer to procure Rachel's hand in marriage. Frustrated and browbeaten, Yaakov cries out in anguish מַה זֹּאת עָשִׂיתָ לִּי הֲלֹא בְרָחֵל עָבַדְתִּי עִמָּךְ וְלָמָּה רִמִּיתָנִי (*Bereishis* 29:25). To which Lavan smugly replies לֹא יֵעָשֶׂה כֵן בִּמְקוֹמֵנוּ לָתֵת הַצְּעִירָה לִפְנֵי הַבְּכִירָה (*Bereishis* 29:26). Secure in the knowledge that he enjoys the upper hand, Lavan does not have the slightest compunction, and so does not defend his outrageous behavior or respond to Yaakov's very legitimate question – וְלָמָּה רִמִּיתָנִי. Instead Lavan lectures, in line with all conniving manipulators, who when questioned about reconciling their unsavory behavior, reverse the tables and begin moralizing to the very party they have just harmed:

> לא יעשה כן במקומנו לתת הצעירה לפני הבכירה. רמז לו דברי חדודים, במקומכם המנהג להקדים הקטן לפני הבכור, כמו שקבלת הברכות לפני אחיך הבכור, אבל במקומנו לא יעשה כן (חתם סופר, בראשית כט:כו).

The *Chasam Sofer* explains that Lavan subtly rebukes Yaakov, saying that perhaps in Yaakov's homeland, the younger can precede the elder, just as Yaakov usurped his older brother, but in "our place" the elder is always given precedence. Yaakov knows he has been bested. He is confused and speechless. He accepts Lavan's rebuke and offers no further proposals. But Lavan again seizes the moment; he has Yaakov exactly where he wants him (*Bereishis* 29:27):

> מַלֵּא שְׁבֻעַ זֹאת וְנִתְּנָה לְךָ גַּם אֶת זֹאת בַּעֲבֹדָה אֲשֶׁר תַּעֲבֹד עִמָּדִי עוֹד שֶׁבַע שָׁנִים אֲחֵרוֹת.

"Generously," Lavan offers, or better yet, demands, the same terms that Yaakov originally proposed. Lavan dispenses with the civil מַשְׂכֻּרְתֶּךָ, wages (*Bereishis* 29:15), and speaks only of *avodah* (which is mentioned twice – בַּעֲבֹדָה אֲשֶׁר תַּעֲבֹד). Lavan uses the words וְנִתְּנָה לְךָ to emphasize that he is the one in control; likewise, אֲשֶׁר תַּעֲבֹד עִמָּדִי highlights that Lavan will be Yaakov's master. The word "*malei*, fulfill," in the imperative form, as well, emphasizes that Yaakov is in Lavan's debt. Yaakov has no alternative but to accept Lavan's punitive offer. He is too downtrodden even to verbally accept and instead silently proceeds to return to work – וַיַּעַשׂ יַעֲקֹב כֵּן וַיְמַלֵּא שְׁבֻעַ זֹאת (*Bereishis* 29:28). More than scoring fourteen years of "cheap" labor, Lavan has gained fourteen long years to dictate every aspect of Yaakov's life and to repeatedly impress upon him who is the *adon* and who is the *eved*.

The next verbal exchange between Yaakov and Lavan recorded in the Torah takes place thirteen years later! In Lavan's eyes Yaakov is an *eved* and has no voice. What is the content of this verbal exchange? Yaakov pleads for "permission" to return to his parents' home and for Lavan to "give" him his wives and children.

בראשית פרק ל:
(כה) וַיְהִי כַּאֲשֶׁר יָלְדָה רָחֵל אֶת יוֹסֵף וַיֹּאמֶר יַעֲקֹב אֶל לָבָן שַׁלְּחֵנִי וְאֵלְכָה אֶל מְקוֹמִי וּלְאַרְצִי.
(כו) תְּנָה אֶת נָשַׁי וְאֶת יְלָדַי אֲשֶׁר עָבַדְתִּי אֹתְךָ בָּהֵן וְאֵלֵכָה כִּי אַתָּה יָדַעְתָּ אֶת עֲבֹדָתִי אֲשֶׁר עֲבַדְתִּיךָ.

It may escape our notice that this takes place six years after paying off Lavan's imposed price for Rachel's hand in marriage! Is there any mention that Yaakov and his family were being held captive, restrained from picking up and leaving? Why must Yaakov request "permission" to leave and take his own family with him? Yaakov has become what he did, day in and day out (עֲבֹדָתִי אֲשֶׁר עֲבַדְתִּיךָ).[4] Lavan planned from day one to cast Yaakov as an *eved* in every sense of the word. Even Yaakov's children were "owned" by Lavan, as the Riva explains:

וא"ת והרי הולידן יעקב ואיך אמר לבן הבנים בני ופי' ר"י מאורליינ"ס שיעקב היה עבד עברי וכתוב האשה וילדיה תהיה לאדוניה (ריב"א, בראשית לא:מג).

4. Note the *kefel lashon,* as the *pasuk* could have stated either עֲבֹדָתִי or אֲשֶׁר עֲבַדְתִּיךָ but instead the expression takes the *avodah* to a more intense level, work within work.

Ultimately, Yaakov galvanizes and proceeds to outfox Lavan in regard to his compensation and succeeds in amassing great wealth (*Bereishis* 30:43):

> וַיִּפְרֹץ הָאִישׁ מְאֹד מְאֹד וַיְהִי לוֹ צֹאן רַבּוֹת וּשְׁפָחוֹת וַעֲבָדִים וּגְמַלִּים וַחֲמֹרִים

But Yaakov still does not get up and leave!

Next, his brothers-in-law circulate rumors that Yaakov's newly minted wealth was finagled by ripping-off their "poor and trusting" father (*Bereishis* 31:1):

> וַיִּשְׁמַע אֶת דִּבְרֵי בְנֵי לָבָן לֵאמֹר לָקַח יַעֲקֹב אֵת כָּל אֲשֶׁר לְאָבִינוּ וּמֵאֲשֶׁר לְאָבִינוּ עָשָׂה אֵת כָּל הַכָּבֹד הַזֶּה.

But Yaakov still does not get up and leave!

Lavan becomes agitated and hostile (*Bereishis* 31:2):

> וַיַּרְא יַעֲקֹב אֶת פְּנֵי לָבָן וְהִנֵּה אֵינֶנּוּ עִמּוֹ כִּתְמוֹל שִׁלְשׁוֹם.

But Yaakov still does not get up and leave!

Although he has attained the security and comfort that wealth affords, and although in Lavan's house he must contend with hostile relatives, Yaakov is still reluctant to leave and stays put. God grows impatient and fears that if He does not directly intervene to jolt Yaakov out of his *eved* mentality, he may never leave (*Bereishis* 31:3):[5]

> וַיֹּאמֶר ה׳ אֶל יַעֲקֹב שׁוּב אֶל אֶרֶץ אֲבוֹתֶיךָ וּלְמוֹלַדְתֶּךָ וְאֶהְיֶה עִמָּךְ.

Only after hearing God's clear and direct command, "*shuv*," does Yaakov gather the strength and confidence to abandon Lavan. One would imagine that after all that has transpired, Yaakov should now have no problem walking out the door in broad daylight, giving Lavan a kiss and wave good-bye. But twenty years of abuse and power imbalance has taken its toll. Yaakov is still unable to confront and

---

5. It should be noted that the fact that the four *pesukim* (*Bereishis* 30:43–31:3) appear somewhat disjointed pushes us to suggest that the common subject here is Yaakov's reluctance to leave and God's reaction.

publicly defy Lavan by brazenly walking away. He opts not to leave through the front door, but to flee through the back door, with no kiss or good-bye,[6] like a thief under the cover of darkness:

בראשית פרק לא:
(כ) וַיִּגְנֹב יַעֲקֹב אֶת לֵב לָבָן הָאֲרַמִּי עַל בְּלִי הִגִּיד לוֹ כִּי בֹרֵחַ הוּא.
(כא) וַיִּבְרַח הוּא וְכָל אֲשֶׁר לוֹ וַיָּקָם וַיַּעֲבֹר אֶת הַנָּהָר וַיָּשֶׂם אֶת פָּנָיו הַר הַגִּלְעָד.

Why does Lavan bother to chase Yaakov? Was this about a slighted father-in-law who missed the opportunity to give a boisterous farewell to his family? Or is there something far more sinister to this pursuit, something more complex than Lavan's distress over the disappearance of his replaceable idols? Yaakov's departure should elicit no surprise from Lavan. First, Yaakov had expressed his desire to leave directly to Lavan. Second, one cannot transport dozens, possibly hundreds of people, and pack up all the recently acquired possessions – "צֹאן רַבּוֹת וּשְׁפָחוֹת וַעֲבָדִים וּגְמַלִּים וַחֲמֹרִים" (*Bereishis* 30:43), as well as prepare copious provisions for a long journey, without arousing attention.

Let us scrutinize this epic and final meeting between Lavan and Yaakov to uncover Lavan's real agenda. Lavan overtakes Yaakov and begins his tirade:

בראשית פרק לא:
(כו) וַיֹּאמֶר לָבָן לְיַעֲקֹב מֶה עָשִׂיתָ וַתִּגְנֹב אֶת לְבָבִי וַתְּנַהֵג אֶת בְּנֹתַי כִּשְׁבֻיוֹת חָרֶב.
(כז) לָמָּה נַחְבֵּאתָ לִבְרֹחַ וַתִּגְנֹב אֹתִי וְלֹא הִגַּדְתָּ לִּי וָאֲשַׁלֵּחֲךָ בְּשִׂמְחָה וּבְשִׁרִים בְּתֹף וּבְכִנּוֹר....[7]
(ל) וְעַתָּה הָלֹךְ הָלַכְתָּ כִּי נִכְסֹף נִכְסַפְתָּה לְבֵית אָבִיךָ לָמָּה גָנַבְתָּ אֶת אֱלֹהָי.

---

6. Lavan does not miss the opportunity to harp on this (*Bereishis* 31:28): וְלֹא נְטַשְׁתַּנִי לְנַשֵּׁק לְבָנַי וְלִבְנֹתָי

7. Note the irony – for a mere good-bye party Lavan claims he would have had pulled all stops and brought in the full orchestra, but for his daughter's wedding it was simply ויעש משתה (*Bereishis* 29:22), without any extras at all.

What is the message Lavan wishes to convey by calling Yaakov an outright *ganav* three times?

כי תקנה [עבד עברי] - מיד בית דין שמכרוהו בגנבתו (רש"י, שמות כא:ב).

A person can become an *eved* by committing an act of theft. Lavan is insinuating that from the moment he and Yaakov met, Lavan pegged Yaakov correctly. Yaakov is a *ganav* who stole his brother's *berachos* and ran away, as he has done now again:

כי גם שאתה למוד לגנוב ולברוח כי גנבת ברכות אחיך וברחת, שם גנבת מה שחוץ ממנו, אך עתה ותגנוב אותי ממש כי גנבת לבי שהוא מגופי ולמה תגנוב לבי ולא הגדת לי (אלשיך, בראשית לא:כה).

Lavan feels completely justified in treating Yaakov as an *eved*, the just reward of a *ganav*. Lavan accuses Yaakov of stealing his gods – למה גנבת את אלהי? – yet how can Lavan blatantly accuse Yaakov of this crime when he has not a shred of evidence incriminating Yaakov? "Once a *ganav* always a *ganav*" is all the proof that Lavan needs. In Lavan's assessment, Yaakov is a serial thief – in the words of the Alshich, "*lamud lignov u-livroach*" – and is always the guilty party.

Yaakov demands no proof from Lavan to substaniate his accusation and permits Lavan to conduct a search, which fails to uncover the idols. What follows is one of the most gripping and dramatic soliloquies found in *Tanach*. It could easily be a grievance manifesto for every disgruntled workers' union:

בראשית פרק לא:

(לו) וַיִּחַר לְיַעֲקֹב וַיָּרֶב בְּלָבָן וַיַּעַן יַעֲקֹב וַיֹּאמֶר לְלָבָן מַה פִּשְׁעִי מַה חַטָּאתִי כִּי דָלַקְתָּ אַחֲרָי.

(לז) כִּי מִשַּׁשְׁתָּ אֶת כָּל כֵּלַי מַה מָּצָאתָ מִכֹּל כְּלֵי בֵיתֶךָ שִׂים כֹּה נֶגֶד אַחַי וְאַחֶיךָ וְיוֹכִיחוּ בֵּין שְׁנֵינוּ.

(לח) זֶה עֶשְׂרִים שָׁנָה אָנֹכִי עִמָּךְ רְחֵלֶיךָ וְעִזֶּיךָ לֹא שִׁכֵּלוּ וְאֵילֵי צֹאנְךָ לֹא אָכָלְתִּי.

(לט) טְרֵפָה לֹא הֵבֵאתִי אֵלֶיךָ אָנֹכִי אֲחַטֶּנָּה מִיָּדִי תְּבַקְשֶׁנָּה גְּנֻבְתִי יוֹם וּגְנֻבְתִי לָיְלָה.

(מ) הָיִיתִי בַיּוֹם אֲכָלַנִי חֹרֶב וְקֶרַח בַּלָּיְלָה וַתִּדַּד שְׁנָתִי מֵעֵינָי.
(מא) זֶה לִּי עֶשְׂרִים שָׁנָה בְּבֵיתֶךָ עֲבַדְתִּיךָ אַרְבַּע עֶשְׂרֵה שָׁנָה בִּשְׁתֵּי בְנֹתֶיךָ וְשֵׁשׁ שָׁנִים בְּצֹאנֶךָ וַתַּחֲלֵף אֶת מַשְׂכֻּרְתִּי עֲשֶׂרֶת מֹנִים.
(מב) לוּלֵי אֱלֹקֵי אָבִי אֱלֹקֵי אַבְרָהָם וּפַחַד יִצְחָק הָיָה לִי כִּי עַתָּה רֵיקָם שִׁלַּחְתָּנִי אֶת עָנְיִי וְאֶת יְגִיעַ כַּפַּי רָאָה אֱלֹקִים וַיּוֹכַח אָמֶשׁ.

Like a volcano erupting, Yaakov now emits all the anguish and hurt that has been festering inside for twenty long, painful years. He holds nothing back, noting every humiliating grievance meted out by his insensitive and oppressive employer – the chase; the invasive search that yielded nothing; the deplorable working conditions; the unreasonable degree of accountability that he was held to for any losses; the never-ending shifting terms of his meager remuneration.

The question that begs to be asked is: why does Yaakov have this outburst at this particular moment, after Lavan's fruitless search? There were other "trigger" moments which could have ignited Yaakov's wrath – when Lavan overtakes Yaakov or after Lavan calls Yaakov a *ganav*. What happens in this search that radically changes Yaakov's attitude?

בראשית פרק לא:
(לג) וַיָּבֹא לָבָן בְּאֹהֶל יַעֲקֹב וּבְאֹהֶל לֵאָה וּבְאֹהֶל שְׁתֵּי הָאֲמָהֹת וְלֹא מָצָא וַיֵּצֵא מֵאֹהֶל לֵאָה וַיָּבֹא בְּאֹהֶל רָחֵל.
(לד) וְרָחֵל לָקְחָה אֶת הַתְּרָפִים וַתְּשִׂמֵם בְּכַר הַגָּמָל וַתֵּשֶׁב עֲלֵיהֶם וַיְמַשֵּׁשׁ לָבָן אֶת כָּל הָאֹהֶל וְלֹא מָצָא.
(לה) וַתֹּאמֶר אֶל אָבִיהָ אַל יִחַר בְּעֵינֵי אֲדֹנִי כִּי לוֹא אוּכַל לָקוּם מִפָּנֶיךָ כִּי דֶרֶךְ נָשִׁים לִי וַיְחַפֵּשׂ וְלֹא מָצָא אֶת הַתְּרָפִים.

Why does the Torah bother to detail how Lavan came and went into every tent?[8] Why not go straight to the conclusion, which is all that matters – "וַיְחַפֵּשׂ וְלֹא מָצָא אֶת הַתְּרָפִים"?

The answer, and the key to understanding Yaakov's eruption, lies in his depiction of Lavan's fruitless search – כִּי מִשַּׁשְׁתָּ אֶת כָּל כֵּלַי מַה מָּצָאתָ. What is the connotation of the word מִשַּׁשְׁתָּ in the Torah? To

8. אהל is mentioned six times.

fully grasp the implications of the word "מִשַּׁשְׁתָּ" let us turn to *Devarim* 28:29, where we again find the word משש – "וְהָיִיתָ מְמַשֵּׁשׁ בַּצָּהֳרַיִם כַּאֲשֶׁר יְמַשֵּׁשׁ הַעִוֵּר". Through its association with "עור", a blind person trying to find his way, משש conveys a very intensive groping and touching. By employing משש in the Lavan-Yaakov narrative, the Torah relates that Lavan's search was not a civil, polite affair, an innocuous search. Rather, he meticulously groped everyone's personal items as he proceeded from tent to tent.[9] People who have been ransacked and discover their personal belongings strewn about painfully describe that the sense of violation and invasion they experience far exceeds any monetary loss. Yaakov could stomach being chased and even maligned, but this intentional violation and abuse of his and his family members' private and intimate space was the breaking point.

What immediately follows is possibly more shocking than Yaakov's emotional outpouring. One would imagine that upon hearing this incredibly powerful fusillade, it would elicit some kind of response from the perpetrator of these dastardly deeds. Possibly acknowledgement, remorse, apology, or at the very least empathy for the battered victim. No such luck:

> וַיַּעַן לָבָן וַיֹּאמֶר אֶל יַעֲקֹב הַבָּנוֹת בְּנֹתַי וְהַבָּנִים בָּנַי וְהַצֹּאן צֹאנִי וְכֹל אֲשֶׁר אַתָּה רֹאֶה לִי הוּא וְלִבְנֹתַי מָה אֶעֱשֶׂה לָאֵלֶּה הַיּוֹם אוֹ לִבְנֵיהֶן אֲשֶׁר יָלָדוּ (בראשית לא:מג).

No acknowledgement. No remorse, no apology, no empathy. Nothing at all. Lavan – unfazed, unrepentant, oblivious to his son-in-law's long-simmering pain – lashes out in response. Everything you see is mine – everything:

> "הבנות בנתי", ומה זה יראת פן אגזול אותם מעמך וכי גזילה היא אם אקח מה שהוא שלי? "והצאן צאני", ומה אתה מתרעם בהחליפי משכרתך הלא כל הצאן שתחת ידיך הם שלי, ורק בהשתדלות תחבולות מרמה השגתם ולא מן הדין, וההחלפת התנאים שביני לבינך שנה שנה, אין זו חליפת משכורת שנתחייבתי בו רק חליפת מתנה אשר מטוב לבבי

---

9. I would venture to say that Lavan did not replace the things the way he found them.

נתתי לך. "וכל אשר אתה רואה לי הוא", ובאמת משמושי וחפושי את כליך למצוא בתוכם מה שאינו שלך היה ללא צורך, כי כולם שלי, ולזה לא היה לך לדאוג פן אשלחך ריקם כי אם הייתי עושה זאת לא היתה עולתה בידי, כי כביאתך כן יציאתך, בידים ריקנים באת אלי ובידים ריקנים תצא ממני (הכתב והקבלה, בראשית לא:מג).

Lavan was not going to permit Yaakov to quietly sneak away, never to return, without delivering this final message to his face. Lavan would have chased Yaakov to the end of the earth to guarantee that Yaakov heard those words, loud and clear, so he would never forget them.

But what is Lavan really after? Is it simply hubris in wanting to denigrate Yaakov by telling him, likely for the hundredth time, that I am the master and you are forever the slave?

The truth is, there is a high-stakes drama unfolding here; the future of the Jewish nation is on the line. The destruction of the Jewish nation, embodied by Yaakov and his children, is Lavan's true agenda. How does one destroy a nation? It is a two-pronged process. One starts by attacking the present, by erasing its identity through *avdus*. Then one sets his sights on the children, the future. אין העולם מתקיים אלא בשביל הבל תינוקות של בית רבן (*Shabbos* 119b). Why did *Chazal* choose the word *hevel*? Because *hevel*, breath, is an allusion to *neshamah*.[10] The children, the *Yiddishe kinder*, are the *neshamah* of the nation.[11] If one can manage somehow to seize the children, as Lavan attempted to do (הַבָּנוֹת בְּנֹתַי וְהַבָּנִים בָּנַי), one controls the future. A nation without its children is extinct.

*Bereishis* 24:1 states:

וְאַבְרָהָם זָקֵן בָּא בַּיָּמִים וַה׳ בֵּרַךְ אֶת אַבְרָהָם בַּכֹּל.

Rashi explains that this *pasuk* alludes to Avraham's son, Yitzchak, since the word "*ba-kol*" has the same *gematria* as the word "*ben*":

10. As the *Pardes Rimonim* explains:

ופי׳ מלשון הבל פה שפי׳ נשמה כד"א וברוח פיו כל צבאם (פרדס רמונים, שער כג, פרק ה).

11. Note that the הבל (הפה) תינוקות של בית רבן is a reference to *Torah she-be'al peh*.

בכל עולה בגימ׳ בן ומאחר שהיה לו בן היה צריך להשיאו אשה.

The *Be'er Yosef* wonders why the Torah hints to the birth of Yitzchak with the *gematria* of *ba-kol,* when the Torah had already explicitly recounted the birth of Yitzchak:

> הדברים תמוהים, למה צריך על זה גימטריא שהיה לו בן לאברהם, וכי לא ידענו עד כה שהיה לו בן לאברהם ויצחק שמו, הלא כל הפרשיות מפורשות כבר על אודות יצחק, גם הרי כל הספור כאן מדבר על ענין זיווגו של יצחק, א״כ גימטריא זו למה היא באה? (באר יוסף, חלק א, עמ׳ נט).

I would like to suggest that Rashi is relaying a fundamental concept in the development of the Jewish nation. God dictated that the unfolding of the Jewish nation commence with the three *Avos*. In addition to exceptional high moral standards, there are other qualifications required to be an *Av*. An *Av* must have a wife, an *ezer ke-negdo*. A bachelor does not qualify. The power of the *Av* emanates from the unity of the couple.[12] The other qualification to be an *Av* is that the *Av* must beget a son, a *ben*. When Sarah passes away, the "couple" no longer exists and subsequently Avraham forfeits his status as an *Av*. And so, following the burial of Sarah, the only order of business remaining for Avraham is to find a *shidduch* for Yitzchak to create the new royal couple which will then allow Yitzchak to claim his *Av* status.[13] Then Yitzchak, as an *Av*, will have to beget a *ben* until the three *Avos* and their *banim* are a reality. R. Nasan Sternhartz of Nemirov, in his *Likkutei Halachos,* explains the relationship between *Avos* and *banim*:

---

12. This idea forces Rashi to say ״היה צריך להשיאו״ – there was a sense of necessity and urgency.

13. From this point on, Avraham fades from the Torah stage despite being alive for almost another forty years. Avraham discharges Eliezer on the *shidduch* mission, but when Eliezer returns, it is Yitzchak he reports to and not Avraham, as Avraham is no longer the dominant figure. Although Avraham remarries he does not regain his "*Av*" status, as Yitzchak has replaced Avraham and אין מלכות נוגע בחברתה.

כי אין קורין אבות אלא לשלשה, כי הם אבות העולם, כי קודם הבריאה בבחינת אב כנ"ל, כי זכו לכלול הכל בה' יתברך בבחינת קודם הבריאה ששם אב ובן כחדא... ושם נקרא הכל על שם האב, כי הבן טפל לאב ונכלל בו (ליקוטי הלכות יו"ד, הלכות רבית, הלכה ה).

Rashi ties the word *ba-kol* to *ben* through the *gematria* to underscore the unique relationship between *av* and *ben* and the paramount responsibilities that this relationship entails. The word *kol,* which contains important connotations, is inextricably linked to the *Avos,* as *Bava Basra* 17a declares:

אלו הן אברהם יצחק ויעקב, אברהם דכתיב ביה בכל, יצחק דכתיב ביה מכל, יעקב דכתיב ביה כל.

The word *kol* is very relevant to the *av-ben* relationship. The *av* tries to instill *kol,* everything, into his *ben*. The *ben* carries the full, *kol,* responsibility to continue the legacy of the *av*. The *gematria* of *kol* is fifty, which in Judaism is very significant as it represents the completion, the fullness, as in *yovel,* the fiftieth year where everything returns to its original source. All of the three *Avos* are deeply connected to *kol.*[14] But Avraham and Yitzchak each have qualifiers on their *kol*. Avraham is בכל while Yitzchak is מכל; only Yaakov is pure כל, without any limitations.[15] Why?

---

14. The *Sefas Emes* explains that the letters of the Hebrew alphabet are the foundation stone of all creation:

כמ"ש שהאותיות נקראו אבנים. והטעם כי הכל נברא בכ"ב אתוון דאורייתא. ואבן נקרא היסוד של הבנין (שפת אמת, ויצא, שנת תרנ"ז).

It is interesting that the word *av,* father, contains the first two letters of the Hebrew alphabet, which consists of 22 letters. The "א", the first letter, always represents the beginning, whereas "ב", the second letter, represents the continuity. Thus, the two letters are a description of *kol,* all, things of value and worth pursuing. The letter "כ" is the 11th letter of the alphabet, which represents the first part of the alphabet, the א. The letter "ל" is the 12th letter and represents the "ב", the continuity of the second part. These connections are further confirmation of the connection between *av* and *kol.*

15. The *Chasam Sofer* believes that only the *berachah* of Yaakov was complete, because Yaakov's *kol* did not have a qualifier:

The *Likkutei Halachos* writes that the the incompleteness of the *kol* of Avraham and Yitzchak relates to the incompleteness of their offspring, Yishmael and Esav, respectively. Yaakov, on the other hand, was complete, *mitaso sheleimah,* and harmonized and incorporated the *middos* of Avraham and Yitzchak into his *middah* of *emes*:

> ועל כן אברהם יצא ממנו ישמעאל, ויצחק יצא ממנו עשו שהם ענניז דמכסין על עינין, שהם עיקר השקר המכסה את האמת שהוא תיקון העינים... כי אברהם גילה והמשיך אלוקותו יתברך מעילא לתתא בבחינת אור ישר בבחינת חסד, ויצחק אור חוזר מתתא לעילא, שזה בחינת גבורה, אבל עיקר הקשר והחיבור שבין קודם הבריאה לאחר הבריאה הוא על ידי בחינת יעקב, שהוא בחינת חוט המשולש, בחינת הבריח התיכון המבריח מן הקצה אל הקצה, כי הוא מחבר וכולל יחד בשלמות בחינת אברהם ויצחק שהם בחינת חסד ודין, אור ישר ואור חוזר, בחינת קודם הבריאה ואחר הבריאה, כי יעקב זכה למדת האמת בשלמות... ועל כן יעקב זכה שהיה מטתו שלימה בלי פסולת, כי ההולדה הוא בחינת בריאה חדשה, שמוציאין בחינת הבן מכח אל הפעל (ליקוטי הלכות יו״ד, הלכות רבית, הלכה ה).

Now we can understand Lavan's obsession with the children – וְהַבָּנִים בָּנַי. If Yaakov's children fall to the wayside, then Yaakov is deemed childless. If Yaakov is childless, then he loses his status of "*Av*." If Yaakov is no longer an "*Av*," then the foundation of the three *Avos* disintegrates. The Jewish nation can only evolve if the three *Avos* remain intact, with the full definition of an *Av*. As *Koheles* 4:12 states, וְהַחוּט הַמְשֻׁלָּשׁ לֹא בִמְהֵרָה יִנָּתֵק.

Lavan's nefarious plan of destroying the Jewish nation is encoded in the *pasuk* אֲרַמִּי אֹבֵד אָבִי. His target is Yaakov ("אָבִי"), the embodiment of *Knesses Yisrael.* Through *avdus* ("א\ע־בד"), Lavan hopes to destroy ("אֹבֵד") Yaakov's identity and self-worth. An integral part of his plan is to dismantle ("אֹבֵד") the institution of the three *Avos* ("אָבִי"), by means of "לעקור את הכל", the "*kol*" with which all the *Avos* are associated (*ba-kol, mi-kol, kol*), with special emphasis on Yaakov

---

כי האבות נתברכו רק בכל מכל אבל יעקב כל, כי ברכתם הי׳ בהם קצת חסרון (תורת משה לחת״ס, בראשית לג:כ).

(the "pure" *kol*). By attempting to remove the children of Yaakov, Lavan wishes to uproot ("לעקור") the *ha-kol*, the *bechir* of the *Avos*, by deeming him "barren" ("לעקור\עקר") thus destroying the *chut ha-meshulash*. As previously stated, the name of a person contains his *neshamah* and intimates his mission in this world. The name Lavan can be parsed into ל(א)־בן with the "א" silent, which succinctly describes his mission and raison d'etre.

In the end, it is always about the children. The *sar* of Esav struck Yaakov on his thigh (וַיִּגַּע בְּכַף יְרֵכוֹ, *Bereishis* 32:26).

The *sar* of Esav (identified with Amalek)[16] cannot overcome Yaakov, but in his retreat wishes to inflict a blow that will cause maximum long-term damage. So, he judiciously targets the *yerech* because ברא כרעיה דאבהו, the son is the legs that allow the father to "walk" even after he is gone.[17]

Let us return to the second part of the *pasuk* of *Arami oved Avi* (*Devarim* 26:5):

וְעָנִיתָ וְאָמַרְתָּ לִפְנֵי ה׳ אֱלֹקֶיךָ אֲרַמִּי אֹבֵד אָבִי וַיֵּרֶד מִצְרַיְמָה וַיָּגָר שָׁם
בִּמְתֵי מְעָט וַיְהִי שָׁם לְגוֹי גָּדוֹל עָצוּם וָרָב.

The *mefarshim* grapple with the connection between the first and second halves of the *pasuk*. Based on what we have seen, the connection is that the second part of the *pasuk* is a manifestation of Lavan's diabolical plan of destruction, noted earlier in the *pasuk*: It starts with the *avdus*. Lavan, according to the *Chasam Sofer*, is connected to Pharaoh's plan to enslave the Jewish people. According to the *midrash*, Bilam, who is identified with Lavan, was one of Pharaoh's advisors:

---

16. *Yalkut Reuveni, Parashas Beshalach*: ויבא עמלק הוא סוד שרו של עשו. The *Sefes Emes*, based on the *Zohar*, associates Lavan, Amalek and Bilam with one another:

ולבן ובלעם ועמלק הוא קליפה אחת כנזכר בזוה"ק (שפת אמת, וארא, שנת תרל"ה).

17. The Ramban connects the *yerech* with Yaakov's progeny:

ואמרו בבראשית רבה (עז ג) נגע בכל הצדיקים שעתידין להיות ממנו, זה דורו של שמד. והענין כי המאורע כולו רמז לדורותיו, שיהיה דור בזרעו של יעקב יתגבר עשו עליהם עד שיהיה קרוב לקעקע ביצתן (רמב"ן, בראשית לב:כו).

ארמי אובד אבי וירד מצרימה, י"ל עפ"י מדרשי חז"ל דלבן היינו בלעם, ואפשר בגלגול, עכ"פ אמרו שלבן הוא בלעם, והנה בלעם הי' גם בעצת פרעה להרע לישראל, ע"כ רמז פה ארמי אובד פירש"י חישב לאבד ולא יכול לו, ולבסוף ירד הארמי הזה מצרימה, ויהי אבי שם לגוי גדול, וע"י הארמי וירעו אותנו המצרים וגו' (חתם סופר, דברים כו:ה).

Like the original plan of Lavan, Pharaoh begins with *avodas perech* (*Shemos* 1:13), and culminates with the *banim*: כָּל־הַבֵּן הַיִּלּוֹד הַיְאֹרָה תַּשְׁלִיכֻהוּ (*Shemos* 1:22). The *Gemara* in *Sanhedrin* 106a notes that Pharaoh's three advisors at the time of the *shi'bud* were Bilam, Iyov and Yisro:

אמר רבי סימאי שלשה היו באותה עצה אלו הן בלעם איוב ויתרו.

Rashi identifies the "plot" that Bilam masterminded as the decree of כָּל־הַבֵּן הַיִּלּוֹד הַיְאֹרָה תַּשְׁלִיכֻהוּ.

This was the lowest point of *shi'bud Mitzrayim* because when you eradicate the *banim*, the future quickly evaporates which leads to the imminent death of the nation. At this nadir ("ממעמקים קראתיך") the *ge'ulah* must and does arrive, as the very next *pesukim* describe:

שמות פרק ב:

(א) וַיֵּלֶךְ אִישׁ מִבֵּית לֵוִי וַיִּקַּח אֶת בַּת לֵוִי.

(ב) וַתַּהַר הָאִשָּׁה וַתֵּלֶד בֵּן וַתֵּרֶא אֹתוֹ כִּי טוֹב הוּא וַתִּצְפְּנֵהוּ שְׁלֹשָׁה יְרָחִים....

(י) ותִּקְרָא שְׁמוֹ מֹשֶׁה וַתֹּאמֶר כִּי מִן הַמַּיִם מְשִׁיתִהוּ.

The story of the birth of Moshe, *moshi'an shel Yisrael*, immediately follows the *pasuk* כָּל־הַבֵּן הַיִּלּוֹד הַיְאֹרָה תַּשְׁלִיכֻהוּ. As the *banim* are being "put into" the *Ye'or*, the *moshi'a* is being drawn out of the water. Moshe, his name and the core of his power, literally and figuratively is drawn from the water, מִן הַמַּיִם מְשִׁיתִהוּ. He is the antidote to כָּל־הַבֵּן הַיִּלּוֹד הַיְאֹרָה תַּשְׁלִיכֻהוּ. The tragic curtain call of the *shi'bud* ushers in the glorious birthing cry of the *ge'ulah*. Now we can better understand the significance of *makkas bechoros*, the last *makkah*, which was the final impetus for the exodus from Egypt. The death of the Egyptian *bechorim* terminated the incredible "might and strength"[18] of the Egyptian nation and released its stranglehold on the Jewish nation. The death of the *bechorim* paved the way for the revival of the Jewish *ben, beni bechori Yisrael* (*Shemos* 4:22), and the re-emergence of a future. Thus, the *seder* night, the night of *zeman cherusenu*, is appropriately a celebration of the children. It is their night and they are the center of attention. This is the *mitzvah* of והגדת לבנך. And when we say וכל המרבה לספר ביציאת מצרים הרי זה משובח, we should bear in mind the "wider implications" (המרבה) of "*kol*" – the *kol* that is linked to the *Avos* with special emphasis on the כל that Lavan/Bilam sought to destroy. Instead, through the grace of God, in loud defiance, כלנו מסובים, we are all still here, seated at the table, celebrating our freedom.[19]

---

18. The *bechor* is associated with strength, as in *Bereishis* 49:3 ("בכרי אתה כחי וראשית אוני").

19. I am indebted to Rav Alexander Mandelbaum for the following insightful comment linking the exodus from Egypt with Yaakov's exodus from the house of Lavan – and to contemporary times:

לענ"ד כדאי להוסיף את דברי הגר"א שהבאתי בספרי "ממעמקים" שמשווה יציאת מצרים ליציאת מבית לבן והגניבת דעת של לבן כמו הגניבת דעת של מצרים. והמצרים רצו אחרי בני ישראל שבע ימים כמו ביעקב.

ויש להוסיף שפרעה נהג בערמה ברמאות בדיוק כמו לבן שהוא בהתחלה עשה כאילו שהיהודים רוצים לשלם בעבור שהם תושבים זרים וכולם התנדבו מרצונם ואחר כך הצריכו אותם לעבוד בפרך. וקריעת ים סוף שהרים את המים למעלה, היה כמו "גל" עד שזה הבדיל את ישראל והמצרים.

כי פרעה ולבן מתנגדים לאומה לא לאב אלא לבנים. וכאשר היו בנים היה שתי מתנגדים לבן ופרעה. ולכן לבן הוא מוזכר בסיפור ההגדה צא ולמד. וגם אצל פרעה היה דין עבדות ולכן נחשב היציאה פדיון מעבדות כמו בלבן. כמו שכותב הגר"ח הלוי. ולכן לבן מוזכר גם בפרשת ביכורים - שמדבר על יציאת מצרים "ארמי אובד אבי."

וגם בזמן הזה אומר הפרי צדיק שהדור המבול חזר לדור הפלגה ואחר כך בדור היוצאים ממצרים, ואחר כך דור עקבתא דמשיחא, שגם עכשיו יש לבן ופרעה ומנסים להבדיל את האבות מהבנים כמו שנאמר "בָּנִים לֹא־אֵמֻן בָּם," בשירת האזינו (דברים לב:כ), וגם כתוב "וַיַּרְא ה׳ וַיִּנְאָץ מִכַּעַס בָּנָיו וּבְנֹתָיו" (שם לב:יט). וגם אנשים בדור שלנו עבדים לגמרי - אין להם ישוב הדעת. ולכן כתוב בגאולה אצל אליהו "והשיב לב אבות על בנים"(מלאכי ג:כד).

ואפשר שלבן היה כנגד דור הפלגה שהוא היה חטא ע"ז ופרעה היה כנגד דור המבול שהוא היה חטא התאוה.

Let us return to Lavan's response to Yaakov's outburst, and focus on the last part of the *pasuk* (*Bereishis* 31:43):

> וַיַּעַן לָבָן וַיֹּאמֶר אֶל יַעֲקֹב הַבָּנוֹת בְּנֹתַי וְהַבָּנִים בָּנַי וְהַצֹּאן צֹאנִי וְכֹל אֲשֶׁר אַתָּה רֹאֶה לִי הוּא וְלִבְנֹתַי מָה אֶעֱשֶׂה לָאֵלֶּה הַיּוֹם אוֹ לִבְנֵיהֶן אֲשֶׁר יָלָדוּ.

When Lavan says "וְלִבְנֹתַי מָה אֶעֱשֶׂה לָאֵלֶּה הַיּוֹם אוֹ לִבְנֵיהֶן אֲשֶׁר יָלָדוּ", is he displaying uncharacteristic remorse or compassion? If so, how do we reconcile this with his opening strident, defiant words? And why does he add the "*ha-yom*"? Why the emphasis on לִבְנֵיהֶן אֲשֶׁר יָלָדוּ? *Ha-Kesav Ve-Ha-Kabbalah* explains the word "*ha-yom*" as an implied threat:

> וטעמו מה אוכל לעשות להם היום אחרי אשר הוזהרתי לבל נגוע בהם לרעה (והתבונן בדברי הבליעל... שבמלת "היום" הראה שבלבו טמון אורבו עליהם, היום לא אוכל אבל למחרתו עברתו שמורה עליהם, כאשר באמת הטמין אחר זה רשת השנאה ללכוד אותם בו, בשלחו לעשו לעוררו עליהם למלחמה (הכתב והקבלה, בראשית לא:מג).

There was never any remorse on the part of Lavan, and the second part of the *pasuk* parallels the malevolent intentions of the first part. Lavan had earlier claimed (*Bereishis* 31:29) that if God had not warned him against harming Yaakov, he would have indeed harmed Yaakov right then.

> יֶשׁ לְאֵל יָדִי לַעֲשׂוֹת עִמָּכֶם רָע וֵאלֹקֵי אֲבִיכֶם אֶמֶשׁ אָמַר אֵלַי לֵאמֹר הִשָּׁמֶר לְךָ מִדַּבֵּר עִם יַעֲקֹב מִטּוֹב עַד רָע.

In *Bereishis* 31:43, therefore, Lavan issues a veiled threat. Today I did no harm, in deference to your God, but tomorrow and the day after is a different story. Wherever you are, I will be there crouching, waiting for the opportune time to strike and to destroy. As Lavan was a conjurer,[20] somewhat of a *navi*, I believe that in his words וְלִבְנֹתַי מָה אֶעֱשֶׂה לָאֵלֶּה הַיּוֹם אוֹ לִבְנֵיהֶן אֲשֶׁר יָלָדוּ, Lavan is making an ominous prediction of the future evil he will perpetrate through Bilam, his future iteration as adviser to Pharaoh:

---

20. Creating another parallel with Bilam. As the Ramban describes him:
והנה לבן היה קוסם ומנחש (רמב"ן, בראשית לא:יט).

שמות פרק א:

(טו) וַיֹּאמֶר מֶלֶךְ מִצְרַיִם לַמְיַלְּדֹת הָעִבְרִיֹּת אֲשֶׁר שֵׁם הָאַחַת שִׁפְרָה וְשֵׁם הַשֵּׁנִית פּוּעָה

(טז) וַיֹּאמֶר בְּיַלֶּדְכֶן אֶת הָעִבְרִיּוֹת וּרְאִיתֶן עַל הָאָבְנָיִם אִם בֵּן הוּא וַהֲמִתֶּן אֹתוֹ וְאִם בַּת הִוא וָחָיָה

Each phrase Lavan uses in *Bereishis* 31:43 corresponds to a phrase in the decsciption of Pharaoh's plan to murder the Jewish boys through the *meyaldos*. "*Benosai*" parallels "*ha-Ivriyos*," "*asher yaladu*" parallels "*be-yaledchen*," "*li-vneihen*" parallels "*im ben hu*," and "*mah e'eseh*" parallels "*va-hamiten oso*."

What is truly amazing is Lavan's immediate follow up to his harsh response and dire predictions. He asks to make a *bris* with Yaakov (*Bereishis* 31:44)!

וְעַתָּה לְכָה נִכְרְתָה בְרִית אֲנִי וָאָתָּה וְהָיָה לְעֵד בֵּינִי וּבֵינֶךָ.

What is really behind this complete reversal of attitude? *Ha-Kesav Ve-Ha-Kabbalah* explains that Lavan acted like many *resha'im*, who hypocritically attempt to cloak themselves in the mantle of peace in order to deceive others into overlooking their evil deeds:

> ועתה לכה נכרתה ברית. אחרי אשר העיז איש הרשע בפניו לצדק נפשו בכל תועבותיו אשר עשה, חזר לאחוז בדרך הרשעים הדוברים שלום עם רעיהם ורעה בלבבם ומתאמצים להלביש תועבותיהם בבגד תפארה למען התכבד בעיני הרואים להצטדק בפניהם. ככה הבליעל הזה אחרי הראותו לעיני אחיו בדברי כזביו שהוא נקי וחף מכל פשע והאשמה תלויה בראשו של יעקב, עשה את עצמו כמרדף אחר השלום לאמר, מה שהיה עד הנה ביני ובינך כבר חלף הלך ולא יזכרו עוד, אבל מהיום ולהלאה בל תרשיע עוד נגדי ולא תוסיף עוד חטא על פשע, ותתנהג עם בנותי כראוי בין איש לאשתו (הכתב והקבלה, בראשית לא:מד).

What is Yaakov's response to Lavan's "generous" offer to execute a *bris* of friendship and goodwill? *Bereishis* 31:45 describes:

וַיִּקַּח יַעֲקֹב אָבֶן וַיְרִימֶהָ מַצֵּבָה.

Yaakov does not verbally acknowledge Lavan's offer of a *bris*, nor does the Torah record any action executed by Yaakov confirming such, as for example we find in relation to Avraham and Avimelech (*Bereishis* 21:32: "*va-yichresu bris*"). Furthermore, Yaakov constructs a *matzevah*, and his "brothers"[21] a "*gal*," with no further mention of *bris* or its execution. As well, the Torah, for some reason, is placing the "*even*," the stone, first in the *pasuk*, underscoring the material used, rather than the *matzevah*, the end product, which should have had precedence. In addition, the word "*va-yerimeha*" is out of place, as it connotes elevating (in a spiritual sense) and is never found elsewhere in the Torah together with *matzevah*.[22]

The "*even*" is the intended thrust of Yaakov's reply to Lavan. The taking of an *even* and constructing a *matzevah* are the bookends of his twenty-year stay in Aram.[23] At the start of his journey to Aram, Yaakov takes the *even* upon which he had slept and makes a *matzevah* (*Bereishis* 28:18):

> וַיַּשְׁכֵּם יַעֲקֹב בַּבֹּקֶר וַיִּקַּח אֶת הָאֶבֶן אֲשֶׁר שָׂם מְרַאֲשֹׁתָיו וַיָּשֶׂם אֹתָהּ מַצֵּבָה וַיִּצֹק שֶׁמֶן עַל רֹאשָׁהּ.

After twenty years in Aram on his journey back to Canaan, we again find (*Bereishis* 31:45):

> וַיִּקַּח יַעֲקֹב אָבֶן וַיְרִימֶהָ מַצֵּבָה.

Why is the *even* so important?

When Yaakov blesses Yosef at the end of his life, Yaakov uses the phrase "*even Yisrael*" in the *berachah* (*Bereishis* 49:24):

> וַתֵּשֶׁב בְּאֵיתָן קַשְׁתּוֹ וַיָּפֹזּוּ זְרֹעֵי יָדָיו מִידֵי אֲבִיר יַעֲקֹב מִשָּׁם רֹעֶה אֶבֶן יִשְׂרָאֵל.

21. As *Bereishis* 35:46 recounts: וַיֹּאמֶר יַעֲקֹב לְאֶחָיו לִקְטוּ אֲבָנִים וַיִּקְחוּ אֲבָנִים וַיַּעֲשׂוּ גָל. The *mefarshim* discuss who "his brothers" are.

22. *Matzevah* appears in eight contexts in Torah, and never with the *shoresh* רום.

23. The word *matzevah/ha-matzevah* appears nine times in *Sefer Bereishis*, and all are related to Yaakov. In three of those places you find "*even*" associated with the *matzevah* – (1) prior to coming to Aram; (2) when departing from Aram/Lavan; (3) after God confirms the name Yisrael and promises גּוֹי וּקְהַל גּוֹיִם יִהְיֶה מִמֶּךָּ וּמְלָכִים מֵחֲלָצֶיךָ יֵצֵאוּ (*Bereishis* 35:11).

Rashi comments that the word אבן is an acronym אב־בן:

> אבן ישראל - לשון נוטריקון אב ובן, אבהן ובנין, יעקב ובניו.

The *Chasam Sofer* elaborates that the continuity between *av* and *ben* is fundamental to the Jewish people:

> והנה כתיב [פ׳ ויחי] משם רועה אבן ישראל פירש״י אבן אב ובן, כי אלף מאב נמשכה לבן ונעשה ממנו אב״ן פנה יסוד מוסד, והיינו אבן ישראל, וא״כ ההמשכה מאב לבן הוא ממש כמו ההמשכה משמים לארץ, ע״כ יוצדק למען ירבו ימיכם וימי בניכם כימי השמים על הארץ (חתם סופר, בראשית טו:ה).

The *even* captures the entire *av/ben* paradigm so critical to Yaakov. He is the essential stone that completes the *yesod,* the cornerstone of the "three *Avos,*" which upholds the foundational structure of the Jewish nation.

The Chizkuni, on the other hand, believes the word *even* is related only to the word *av,* and offers a grammatical explanation for the *nun* at the end:

> אבן - לשון אב ומשפחה והנו״ן יתירה בו כמו נו״ן שבשגעון, עורון, רצון, חרון, רעבון, ערבון (חזקוני, בראשית מט:כד).

I would dare to say the *nun* is not extra as the Chizkuni claims, but is an incredible *remez.* The *gematria* of "נ" = כל = 50. אב־ן, who is the אב that is the pure כל? Yaakov.

Yaakov understood his mission and the difficult challenges that lay ahead as he was fleeing from the clutches of his brother who vowed to kill him. He had no sugar-coated illusions about Lavan and the lurking dangers that waited for him in Aram. Under strict orders from both his parents, he recognized that his mission of finding a wife and building of a family to fulfill his *av/ben* requirements had to run its course through Aram. As he lay there on the evening prior to his entry to Aram, frightened and apprehensive about his future mission,[24] Yaakov sought comfort and reassurance from God (*Bereishis* 28:20–22):

24. The *Torah Temimah* describes Yaakov's expectation of suffering and

וַיִּדַּר יַעֲקֹב נֶדֶר לֵאמֹר אִם יִהְיֶה אֱלֹקִים עִמָּדִי וּשְׁמָרַנִי בַּדֶּרֶךְ הַזֶּה אֲשֶׁר אָנֹכִי הוֹלֵךְ....
וְשַׁבְתִּי בְשָׁלוֹם אֶל בֵּית אָבִי וְהָיָה ה׳ לִי לֵאלֹקִים....
וְהָאֶבֶן הַזֹּאת אֲשֶׁר שַׂמְתִּי מַצֵּבָה יִהְיֶה בֵּית אֱלֹקִים...

At this juncture the (אבן) אב\בן mission is merely a concept, a far cry from reality. All that Yaakov can offer at this moment is prayer to God to facilitate his mission. And so, the *matzeves even* becomes a *beis Elokim,* a place of prayer and hope.[25] Twenty years later, the mission has been completed. Yaakov has married and produced offspring, fulfilling his responsibilities. Departing from Aram, he engages in his final tête-à-tête with Lavan, who attempts to reassert his claim of ownership over Yaakov and his family. He seeks to discredit Yaakov and all that Yaakov has done and owns. But Yaakov has broken free of his father's-in-law oppressive tyranny and no longer marches to his tune. Yaakov has come full circle. He realizes that his prayers of twenty years ago have not gone unheeded, as he has always been always under God's watchful eye. So Yaakov "raises" the *even* as a tribute to God[26] for the successful completion of the critical *av/ben* mission, as

---

wandering during his exile in Aram, and Lavan's culpability for Yaakov's suffering:

מלמד שלא ירד יעקב לארם אלא להאבד, כלומר לגלות ולטלטול וטרדת הגוף כנודע שברח אז מפני עשו וכמו שאמרה רבקה ברח לך, וכל הבורח הוא מטולטל ונטרד, ומעלה הכתוב על לבן כאלו אבדו מפני שטרדו בזמנו ומצבו (תורה תמימה, הערות, דברים, פרק כו, הערה כז).

25. The Radak notes that the place of the *matzevah* was destined to become a permanent *beis tefillah,* the *Beis Ha-Mikdash.*

עוד נדר שהמקום ההוא ששם בו האבן מצבה יהיה בית האלקים, כלומר שיבנה שם בית ומזבח לבוא שם כל עובד אלקים ולהתפלל ולעבוד שם לאלקים ולא לזולתו (רד״ק, בראשית כח:כב).

26. The *Tzror Ha-Mor* explains that Yaakov was worried that Lavan would try to dedicate the *even* to his idols, so Yaakov hastened to erect the *even* first to make sure it was dedicated to God.

ועתה נכרתה ברית אני ואתה. וכשראה יעקב כוונתו, נתיירא שמא ירים לבן אבן לשם ע״ז. ולא דיבר לו כלום, אלא הקדים הוא והרים אבן מצבה לשם ה׳. ואז אמר בזריזות

a monument for eternity (*matzevah*) that he has prevailed over Lavan and all the evil intentions he stands for.[27]

It should be noted that Yaakov constructs two other *matzevos* following this one, one after *Hashem* confirms Yaakov's name change to Yisrael, and the other at *kever Rachel,* both in *Bereishis perek* 35:

> בראשית פרק לה:
> (י) וַיֹּאמֶר לוֹ אֱלֹקִים שִׁמְךָ יַעֲקֹב לֹא יִקָּרֵא שִׁמְךָ עוֹד יַעֲקֹב כִּי אִם יִשְׂרָאֵל יִהְיֶה שְׁמֶךָ וַיִּקְרָא אֶת שְׁמוֹ יִשְׂרָאֵל.
> (יד) וַיַּצֵּב יַעֲקֹב מַצֵּבָה בַּמָּקוֹם אֲשֶׁר דִּבֶּר אִתּוֹ מַצֶּבֶת אָבֶן וַיַּסֵּךְ עָלֶיהָ נֶסֶךְ וַיִּצֹק עָלֶיהָ שָׁמֶן....
> (כ) וַיַּצֵּב יַעֲקֹב מַצֵּבָה עַל קְבֻרָתָהּ הִוא מַצֶּבֶת קְבֻרַת רָחֵל עַד הַיּוֹם.

*Pasuk* 14 follows God's affirmation of the name Yisrael. At this point Yaakov truly becomes "אבן ישראל". Thus, it is appropriate that this *matzevah* is called "מצבת אבן", where *matzeves* modifies and thus places the emphasis on *even*. Parenthetically, this is the only place in Tanach where we find the expression מצבת אבן, which, according to the *Tzror Ha-Mor,* is testament to Yaakov's uniqueness and lofty spiritual stature:

> ולכן אמרו שופריה דיעקב כעין שופריה דמשה. ואמרו שראוי היה יעקב שתנתן התורה על ידו אלא שלא הגיע הזמן. ולכן תמצא שכתב בכאן ויצב יעקב מצבה במקום אשר דבר אתו מצבת אבן, מה שלא כתב במקום אחר, להורות לשם על השגתו ומעלתו (צרור המור, בראשית לה:יג).

All of the *matzevos* that Yaakov builds at critical moments show that he has overcome Lavan's attempt to destroy him.

---

לאחיו שהם בניו, לקטו אבנים ויעשו גל, כדי שלא יעשו הגל לבן ואחיו עובדי ע״ז (צרור המור, בראשית לא:מד).

27. לבן is לא־בן, a negation of the "בן", whereas אבן is א־בן (אליף־בן) a triumph of the בן.

# *Chashuv Ke-Mes*: Yaakov and Elifaz

וַיִּשַּׁק יַעֲקֹב לְרָחֵל וַיִּשָּׂא אֶת קֹלוֹ וַיֵּבְךְּ (בראשית כט:יא).

ויבך. לפי שצפה ברוח הקודש שאינה נכנסת עמו לקבורה. ד"א לפי שבא בידים ריקניות. אמר: אליעזר עבד אבי אבא היו בידיו נזמים וצמידים ומגדנות ואני אין בידי כלום. לפי שרדף אליפז בן עשו במצות אביו אחריו להורגו והשיגו. ולפי שגדל אליפז בחיקו של יצחק משך ידו. א"ל: מה אעשה לציווי של אבא? אמר לו יעקב: טול מה שבידי והעני חשוב כמת (רש"י, בראשית כט:יא).

## A. Questions

1. In this well-known *midrash* cited by Rashi, Elifaz, son of Esav, was instructed by his father to kill Yaakov. Yet why did Esav entrust Elifaz with the mission to kill Yaakov? As an accomplished hunter – *"yode'a tzayid"* (*Bereishis* 25:27) – he was certainly proficient and capable of performing the task on his own.[28]

2. The dilemma confronting Elifaz, whether to heed his father's command and kill Yaakov or to spare his life, appears misguided. How does one casually dismiss the prohibition against murder, one of the *sheva mitzvos Bnei Noach*, which were widely accepted and adhered to at that time? This question was raised by *Maskil le-David*, a supercommentary on Rashi by R. David Pardo:

---

28. The descriptor *"ish sadeh"* assocates Esav with murder according to the Rosh:

ויהי עשו איש יודע איש שד"ה - נוטריקון שופך דם האדם. (פירוש הרא"ש על בראשית כה:כז)

ומ״ש רש״י שא״ל אליפז מה אעשה לציווי של אבא, קשה דכיון שאליפז היה מתיירא מן העבירה ולפי׳ משך ידו לקיים מצות הבורא, מהו זה שהיה חושש לציווי אביו? הרי אפילו בישראל שנצטוה על כיבוד אב ואם אמרינן: יכול אמר לו אביו הטמא וכו׳ יכול ישמע לו? ת״ל אני ה׳ אלקיכם, כלכם חייבים בכבודי. וכ״ש בבן נח שלא נצטוה על כבוד או״א דפשיטא שאין לו להשגיח בזה על ציווי אביו. (מכשיל לדוד, בראשית כט:יא)

3. Rashi states that Elifaz spared the life of Yaakov because Elifaz grew up בחיקו של יצחק, in the bosom of Yitzchak. Why is this justification needed, instead of simply adherence to the basic societal norm against murder? Why insert the added gravitas of Yitzchak? In addition, why בחיקו, such an intimate and unusual expression, and not, for example, simply בביתו?

4. The Torah tells us that Esav was not willing to kill Yaakov in their father's lifetime:

וַיִּשְׂטֹם עֵשָׂו אֶת יַעֲקֹב עַל הַבְּרָכָה אֲשֶׁר בֵּרְכוֹ אָבִיו וַיֹּאמֶר עֵשָׂו בְּלִבּוֹ יִקְרְבוּ יְמֵי אֵבֶל אָבִי וְאַהַרְגָה אֶת יַעֲקֹב (בראשית כז:מא).

אע״פ שהיה [עשו] רשע, את זה לא עשה, שיהא מצער את אביו, כי היה נוהג בו כבוד באביו (שפתי חכמים, בראשית כז:מא).

ימי אבל אבי, כלומר שימות אבי, כי קרוב הוא למיתה ונאבל עליו, ואחר כן אהרוג יעקב אחי, כי בחיי אבי לא אעשה כדי שלא אגרום לאבי שיבה רעה (רד״ק, בראשית כז:מא).

How do we reconcile the undertaking of Esav not kill Yaakov during his father's lifetime with his sending his son Elifaz to kill Yaakov while Yitzchak was still alive? This question was raised by R. Yonasan Eibeshuetz in his *Ya'aros Devash*:

אבל איך יתכן כיבוד ששלח אליפז אחרי יעקב להורגו, והלא היה צער גדול ויגון ליצחק במיתת בנו אשר ברכו טרם ששלחו, וא״כ איך היה לבבו לכבד אביו ולא חס על צערו ואבלו ויגונו לחשוב מחשבות להרוג אחיו? (יערות דבש, חלק שני, דרוש ב).

5. Esav's orders to Elifaz were simple and direct – to kill Yaakov. To resolve the pressing dilemma confronting Elifaz, Yaakov hatched an ingenious scheme – transfer to Elifaz all of his material wealth

and presto, *ani chashuv ke-mes*. While Yaakov succeeded in convincing and disarming Elifaz, what assured Yaakov that Esav, the real power player here, would tolerate this *yeshivish lomdus* (Talmudic sophistry)?

6. The *Gemara* (*Nedarim* 62b) states that four categories of people are considered "*ke-mes*": ותניא ארבעה חשובין כמת: עני ומצורע וסומא ומי שאין לו בנים.

   What is the common characteristic that binds these four disparate afflictions? While these hardships are certainly tragic and elicit sympathy, nevertheless, the bearers are very much alive and would undoubtedly prefer to continue living over the alternative.[1] Why employ the morbid expression *chashuv ke-mes* to describe their plight?

7. A careful reading of the narrative in Rashi on *Bereishis* 29:11 yields the "superfluous" usage of the word יד (five times):[2] "בידים ריקניות... בידיו נזמים... בידי כלום... משך ידו... טול מה שבידי". Can we glean any meaning from the graphic imagery of *yad*?

8. Elifaz is the progenitor of Amalek, the eternal nemesis of the Jewish nation whom we are sworn to annihilate. In light of the scarcity of source material related to Elifaz, how does this particular incident fit into our collective understanding of Amalek? As R. Chaim Shmuelevitz notes:

   > והנה עמלק, שהוא שרש הרע שבעולם, נולד מאליפז בן עשו. ויש להתבונן על שום מה נולד מאליפז שהיה גדל בחיקו של יצחק, ולא משאר בניו (שיחות מוסר, עמ׳ מח).

---

1. R. Chaim Shmuelevitz explains:

   שהרי אפילו כל יסורים שבעולם אינם כמיתה, כמו שאמר הכתוב: ׳יסור יסרני י־ה ולמות לא נתנני׳ (תהלים קיח:יח), ונאמר: ׳מה יתאונן אדם חי׳ (איכה ג:לט), ופירשו חז״ל (קידושין פ ע״ב): ׳דיו שהוא חי׳, ופירש״י: ׳למה יתרעם אדם על הקורות הבאות עליו אחר כל החסד שאני עושה עמו, שנתתי לו חיים ולא הבאתי עליו מיתה.׳ (שיחות מוסר, עמ׳ רסח)

2. Corresponding to the five fingers of the *yad*.

Can this incident shed light on the question of why we are obligated to eradicate Amalek more so than any other nation which has harmed us?

## B. *Ha-Kol Bara Lichvodo*

> כָּל מַה שֶּׁבָּרָא הַקָּדוֹשׁ בָּרוּךְ הוּא בְּעוֹלָמוֹ, לֹא בְרָאוֹ אֶלָּא לִכְבוֹדוֹ, שֶׁנֶּאֱמַר, "כֹּל הַנִּקְרָא בִשְׁמִי וְלִכְבוֹדִי בְּרָאתִיו יְצַרְתִּיו אַף עֲשִׂיתִיו" (אבות ו:יב).

Explaining this concept, R. Chaim Yaakov Goldvicht commented:

> וה'כבוד' המוטל עלינו - יצירי עולם העשיה השפל - להעניק לבורא יתברך, הוא לחשוף את מציאותו מתוכו של ההסתר. לגלות את האור האלקי, החבוי־שבוי בתוך חושכו של חומר. זהו הכבוד שאין שרפי מעלה, נעדרי הבחירה, יכולים להעניק לבורא יתברך, בהיותם שרויים בעולם של גילוי. ודוקא האדם השפל, בהיותו בעל בחירה השקוע בעולם חומרי אפל, הוא לבדו, זה הכשר ומסוגל לחשיפה זו.
>
> ולא ברא הקב"ה את עולמו, אלא דוקא עבור אותו כבוד קלוש, המוענק לו על ידי דרי מטה. שהלא אף טרם לבריאה, היה כבודו יתברך חופף וממלא כל באיתגליא. ולא נתחדש בבריאת העולם, אלא הסתר הפנים דוקא. ונמצאת למד, שלא נתחדש העולם על שלל הסתריו, אלא כדי לאפשר את **גילוי האור מתוך החושך** דייקא. וגילוי מחודש זה מתוך עוביו של חושך, יש בו משום 'הוספה', כביכול, בכבודו של מקום. והוא הדבר שלא התאפשר עובר לבריאת העולם (אסופת מערכות, בראשית א', עמ' פז-פח).

The mission to uncover the Divine light inherent in Creation, which is deeply encased in the *chomer,* is the sole responsibility of man, the beneficiary of *bechirah.* The heavenly creatures devoid of *bechirah,* who reside in the realm of *giluy,* cannot augment the *kevod shem Shamayim.* It is exclusively man, who inhabits the hidden realm of this *"olam,"* [3] who can produce the proper *kavod* which is due to the *Borei olam.*

---

3. The *Sefas Emes* explains that the etymology of the word *"olam"* is related to the concept of hiddenness:

> וגם הפי' לה'העלם' שעל שם זה נקרא עולם, כמ"ש אא"ז מו"ר זלה"ה שכבוד ה' נעלם ונתכסה בזה העולם. וע"י הצדיק מתקיים ההעלם שעולה להפנימיות. (שפת אמת, פרשת חיי שרה, שנת תרל"א)

While the mission of man – *le-hagdil kevod shem Shamayim* – remains constant, the sin of Adam *ha-Rishon* in *Gan Eden* radically altered the job description. R. Goldvicht explains:

> עובר לחטא "עץ הדעת", היה העולם שרוי במצב של "בירור." ה"טוב" היה טוב מבורר ושוכן לעצמו, וכל אשר נברא לשמשו, היה משועבד לו בתכלית ובגלוי....
>
> לאחר החטא, נתהוה "ערבוב" של טוב ברע. הרוחניות גלתה ממקומה המסוים, ונתבדרה על פני מחשכי החומר. ומעתה, אין ה'טוב' ניכר עוד לעצמו. כי הוא גלה למחשכי גסות הקליפות, והוא עטוי מעתה לבושי גשם גסים. ובפינות נדחות של הבריאה, במחשכי החומר, פזורים "נצוצות" של קדושה, שיעדם האלוקי היה לשמש את האדם השלם, אלא שנדחו מכח החטא ונשבו בכבלי החומר, ומתוך כך טבעו ביוון מצולה, ושכחו את תפקידם.
>
> והקללות בהן נתקלל האדם - הגירוש מגן עדן ... הינם דרכים שהתוה הבורא יתברך לתיקון החטא. הם מהוים מסלולים של ירידה לחשכת החומר. דרכי נדודים על פני העולם כולו, כדי לסייר על פני החומר, לעסוק בעיסוקי גשם ירודים, על־מנת לערוך "בירור" בעולם. לפגוש בנקודות הקדושה הנפזרות וגולות הללו, להעלותם מן ה"ערבוביא", ולרתום אותם לתפקידם המקורי במערכת הקדושה (אסופת מערכות, בראשית א', עמ' עז).

Prior to the sin, there existed a discernible distinction (*birur*) between *tov* and *ra*. The sin generated an *irbuvya,* a chaotic admixture of *tov ve-ra*. The *kedushah* that had been clearly visible was dispersed and became deeply embedded in the *chomer*. The sacred mission of man is to painstakingly sift through the coarse *chomer* to uncover the *nitzotzos shel kedushah* and bring about a return to the pristine state of *birur* that existed before the *cheit*.

What are the tools at man's disposal to undertake this *avodah*? The answer can be found in a *Mishnah*:

> כֵּיצַד מְבָרְכִין עַל הַפֵּרוֹת? עַל פֵּרוֹת הָאִילָן אוֹמֵר, בּוֹרֵא פְּרִי הָעֵץ, חוּץ מִן הַיַּיִן, שֶׁעַל הַיַּיִן אוֹמֵר בּוֹרֵא פְּרִי הַגָּפֶן. וְעַל פֵּרוֹת הָאָרֶץ אוֹמֵר בּוֹרֵא פְּרִי הָאֲדָמָה, חוּץ מִן הַפַּת, שֶׁעַל הַפַּת הוּא אוֹמֵר הַמּוֹצִיא לֶחֶם מִן הָאָרֶץ (ברכות ו:א).

Despite *lechem* being the culmination of an extensive series of *melachos,*[4] the requisite *berachah* of *"hamotzi lechem min ha-aretz"* transports the finished-product, *lechem,* back to its organic source. The *berachah* is intended to impress upon man that notwithstanding all his exertion and the sweat of his brow (*"ze'as apecha"*), he must remain steadfast in the belief that all his sustenance is a Divine gift. He must avoid being swayed by his contributory *kochi ve-otzem yadi.* His role is to be the conduit by which the *chomer* is sanctified and *kevod shem Shamayim* is enhanced.

### c. *Kosnos Or*

The story of Adam and Chava in *Gan Eden* concludes with the verse:

וַיַּעַשׂ ה׳ אֱלֹקִים לְאָדָם וּלְאִשְׁתּוֹ כָּתְנוֹת עוֹר וַיַּלְבִּשֵׁם (בראשית ג:כא).

Why does this serve as the ending to this episode (as indicated by the *parsha pesucha* found after this *pasuk*)? Furthermore, the Riva, one of the *Ba'alei Tosafos,* asks why Adam and Chava required the *kosnos or* if they already had *chagoros te'enah*:

> וַתִּפָּקַחְנָה עֵינֵי שְׁנֵיהֶם וַיֵּדְעוּ כִּי עֵירֻמִּם הֵם וַיִּתְפְּרוּ עֲלֵה תְאֵנָה וַיַּעֲשׂוּ לָהֶם חֲגֹרֹת (בראשית ג:ז).
>
> וא"ת למה הוצרכו לאותם כתנות והלא כתיב ויתפרו עלה תאנה ויעשו להם חגורות? (פירוש הריב"א, בראשית ג:כא).

Why did *Hashem* Himself make the clothes and personally dress Adam and Chava?

The *beged* is the complementary parallel to *lechem.* Just as *lechem* is critical to man's existence, *beged* is essential to his survival. They are both the end products of a lengthy series of manufacturing processes. They represent the material necessities required by man to cope with and to inhabit this world. Man's challenge is to see beyond the human effort that brought about the production of these crucial artifacts, and

---

4. These are enumerated in the first eleven of the thirty-nine *melachos* of *Shabbos* (*Shabbos* 7:2): הזורע והחורש והקוצר והמעמר והדש והזורה הבורר הטוחן והמרקד והלש והאופה.

to realize that they are in the final analysis Divine gifts. And in doing so, *kevod shem Shamayim* is enhanced. According to the *Gemara* (*Shabbos* 113a), Rabbi Yochanan would refer to his clothing as "my honor."

הא דרבי יוחנן קרי למאניה [בגדיו] מכבדותי (שבת קיג ע"א).

R. Goldvicht explains the significance of *lechem* and *beged* as material artifacts:

"לחם" ו"שמלה" הם מושגים חומריים, המגדירים ומבליטים לפנינו את הרעיון הטמון בחיבור העלומות. "לחם" הוא התגלמות החומר. מוצאו וגסותו יונקים מן העפר, המסמל את גסות החומר....

וה"בגד" כמו ה"לחם" מבטא גם הוא מצב גשמי מהותי. בגד מבטא עטיפה חיצונית. הבגד בצורתו הגשמית, הוא כמין מסיכה העוטה את המהות הפנימית האמיתית (אסופת מערכות, פורים, עמ' רסג-רסד).

Adam and Chava were standing on the threshold of their expulsion from *Gan Eden* and about to confront the harsh climate of the outside world. As a doting parent lovingly dresses his child before sending him out the door, so too God dressed His children Adam and Chava in the "clothes" personally made by Him before they embarked on their journey, as R. Bechaye explains:

רצה ליחס פעולת ההלבשה אליו יתברך להורות על אהבתו וחמלתו על יצוריו שאף על פי שחטאו לא זז מחבבן והוא בעצמו השתדל בתיקונם ובגמילות חסדים (רבנו בחיי, בראשית ג:כא).

It is with this gesture of loving kindness that we close the chapter of *Gan Eden*. The *kosnos or* crafted by God were intended to convey several important messages to Adam. They were to serve as a reminder that his mission is to reveal the Divine light hidden in the *gashmiyus* of the world he now inhabits. The *midrash*, amplified by the *Sefas Emes*, plays on the similarity between the words עור and אור:

עשה ה' אלקים לאדם ולאשתו כתנות עור וילבישם. בתורתו של ר"מ מצאו כתוב כתנות אור - אלו בגדי אדם הראשון (בראשית רבה כ:יב).

ואחר החטא כ' ויעש כו' כתנות עור. ואיתא בתורתו של ר"מ כ' אור. דמקודם הי' כתנות אור ממש. ואח"כ נעשה לו מלבוש חיצון אשר

אין יכול האור להתגלות רק באמצעות כתנות העור הגשמיי. וצריכין עתה לתקן זה העור לזכות לאור הנפש שמבפנים (שפת אמת, פרשת תזריע, שנת תרס״א).

Man's mission to reclaim the *nitzotzos kedushah* can be viewed as an *avodah*. Every *avodah* requires a service uniform. The *bigdei kehunah* are themselves called *"kavod"* in *Sefer Shemos*:

וְעָשִׂיתָ בִגְדֵי קֹדֶשׁ לְאַהֲרֹן אָחִיךָ **לְכָבוֹד** וּלְתִפְאָרֶת (שמות כח:ב).

The *midrash* associates the *kosnos or* of *Adam* with the *bigdei kehunah*:

טול מתחילת ברייתו של עולם. אדם הראשון היה בכורו של עולם, וכיון שקירב קרבנו שנא׳ (תהלים סט:לב) ״ותיטב לה׳ משור פר מקרין מפריס״, לבש בגדי כהונה גדולה שנא׳ (בראשית ג:כא) ״ויעש ה׳ אלקים לאדם ולאשתו כתנות עור וילבישם״, בגדי שבח היו והיו הבכורות משתמשין (במדבר רבה ד:ח).

What is the ultimate purpose of *korbanos* and *avodas ha-Mikdash* in general? R. Goldvicht explains that the *avodas ha-Mikdash* fulfills Adam's purpose of elevating the material world:

עבודת־פנים של מקדש... נועדה להעלות את העשיה הגשמית ולזככה, על ידי הקטרתה לשמו יתברך. כי גילוי הצד הרוחני שבעולם החומר, העמיק במקדש ה׳ - מקום אשר בחר ה׳ לשום שמו שם. והביטוי החריף ביותר לשעבוד הטבע למציאות הרוחנית - בא לביטוי במקדש, בדמות עשרת הניסים שנעשו שם. ההנהגה הנפלאת הזו, שהמקדש התנהל עמה ועל פיה יום יום, מצביעה על הייעוד הפנימי של העבודה במקדש: לרתום ולשעבד את מעשי הטבע על מגבלותיו, להנהגה ולייעוד האלוקי (אסופת מערכות, בראשית א׳, עמ׳ צא).

Thus it is only fitting that Adam *ha-Rishon*, the *bechor*, brought the very first *korban* and performed this *avodah* wearing the *bigdei kehunah*, the כתונת עור (אור) personally made by God.

It is important to note that the *kosnos or* were the sole vestige that remained of *Gan Eden*. The *kosnos or* served as a vivid, tangible reminder not only of the unique life enjoyed *kodem ha-cheit*, but of the arduous work that lay ahead.

## D. *Shabbos*

The *Midrash Tehillim* describes the first day of Adam *ha-Rishon,* leading to his banishment from *Gan Eden*:

> בערב שבת נברא אדם הראשון. שעה ראשונה, עלה במחשבה. שניה, נמלך עם מלאכי השרת. שלישית, כנס עפרו. ברביעית, גבלו. חמישית, עשאו גולם. ששית, רקמו. שביעית, נפח בו נשמה. שמינית, העמידו על רגליו. תשיעית, צוהו. עשירית, חטא. אחת עשרה, נידון. שתים עשרה, נתגרש. בא ליתן לו איפופסין, נכנס השבת פינהו משם (מדרש תהלים, מזמור צב).

Why is encountering *Shabbos* Adam's first experience upon being expelled from *Gan Eden*?

*Shabbos* was the necessary transition. Since the spiritual loftiness of *Gan Eden* was all that Adam had ever known, to thrust him immediately into the harsh climate of *olam ha-zeh* would have been too shocking and traumatic. There had to be a transitional phase between the two extremes – *Gan Eden,* the known and familiar, and *olam ha-zeh,* the unknown and foreign. As the *Shem Mi-Shmuel* writes:

> דכן הוא בשבת שהוא מעין עוה"ב הוא אמצעי בין עוה"ז לעוה"ב. והנה עוה"ז הוא עולם ההעדר וכל חיותו היא רק כפרוזדור לטרקלין, ובאמצעות השבת יש חיבור לעוה"ב וממנו כל חיותו (שם משמואל, פרשת בהר, שנת תרפ"א).

What were the two tools given to Adam to help him cope with the *gashmiyus* of *olam ha-zeh* and assist him in his mission of enhancing *kevod shem Shamayim*? The lesson of *lechem* and the gift of *beged* were bestowed upon him in the fading hours of *erev Shabbos* – בְּזֵעַת אַפֶּיךָ תֹּאכַל לֶחֶם and כָּתְנוֹת עוֹר.

> זכור את יום השבת. והן מכבדין אותו במאכל ומשתה ובכסות נקיה, שנאמר (ישעיה נח:יג) "וקראת לשבת עונג" (מדרש תהלים, מזמור צב).

It was on the very first *Shabbos* that Adam was provided with the opportunity to utilize his newly acquired tools, *lechem* and *beged,* and through them be **מכבד שבת**.

The convergence of *lechem* and *beged* with *Shabbos* is even more pronounced. The 39 *melachos* which define the parameters of *Shabbos* are for the better part the processes involved in the manufacture of *lechem* and *beged*.[5]

## E. The Grand Plan as Seen by Yitzchak

Returning to the story of Yaakov and Esav, what was Yitzchak's calculation in wanting to give Esav the *berachos* of "...וְיִתֶּן־לְךָ" (*Bereishis* 27:28–29), which are grounded in *gashmiyus* matters?

Yitzchak envisioned the overall *avodah* divided into *avodas chutz* and *avodas penim*, with each of the twin brothers performing his respective responsibility.

> **עבודת פנים**... השאיפה הנשמתית הבסיסית, כוספת לעולם בעל מימד רוחני טהור...לאותו עולם בו היה האדם שרוי עובר לחטא הקדמוני... עולם שבשכמותו נתגדל גם דור מקבלי התורה. אוכלים היו לחם שמים, שותים מי באר, וכל כולם פנויים לעבודת הבורא... והוא העולם המתוכן לנו לעתיד לבוא.
>
> **עבודת חוץ**... יעדה, חתום אף הוא בחותמת ברית קודש. אבל צורתה מגובלת בעיסוק בדברים של חומר, ברבדים של גשם. והמשימה היא, להעלות את העשיה הגשמית, לרתום אותה ולשעבדה לקדושה.
>
> ...התורה מעיקרה, היתה מיועדת לשני התאומים כאחד, ליעקב ועשיו בהדי הדדי... ושותפות רוח זו שהיתה אמורה להירקם בין יעקב לעשיו צריכה היתה להיארג מתוך מיזוג שתי דרכי העבודה האמורים...
>
> נועדו איפוא שני האחים, להשלים זה לעבודתו של זה, ולרקום תיקון עולם מתוך שותפות הדדית פורה ומפרה. ואילו נטפל עשיו ליעקב, כן היה זוכה עמו בחלקו, כשם שזבולון זוכה לחלוק בשוה בתורתו של ישׂשכר (אסופת מערכות, בראשית א׳, עמ׳ שיב-שיד).

---

5. Following the first eleven *melachos* mentioned above which are the steps required for making bread, the next thirteen *melachos* in the *Mishnah* (*Shabbos* 7:2) revolve around the production of clothing: הגוזז את הצמר המלבנו והמנפצו והצובעו והטווה והמיסך והעושה שתי בתי נירין והאורג שני חוטין והפוצע שני חוטין הקושר והמתיר והתופר שתי תפירות הקורע על מנת לתפור.

According to Yitzchak's plan, Yaakov and Esav each had a significant role to play in the unfolding of the *birkas Avraham,* and the *berachos* were intended to enable Esav to fulfill the specific role that Yitzchak envisioned for him.

### F. *Aseres ha-Dibros*

To better understand the interactions between the individuals we are discussing, it helps to examine several of the *Aseres ha-Dibros* and the connections between them. The *Aseres ha-Dibros* are interconnected in many different ways, and as the *Shem mi-Shmuel* notes, they are not ten disparate statements but rather constitute a single unit:

> הגיד בטעם שנקראו עשרת הדברות ולא עשרה, כמו שאנו אומרים "בעשרה מאמרות נברא העולם", כי לשון עשרת הוא קישור כל העשרה יחד, כמו שפירש"י במלת "שבעת ימים", ואינם כן עשרה המאמרות שבהם נברא העולם שהרי היו נמתחין והולכין ומתרחקין מן השורש המאחדם, <u>אבל עשרת הדברות הם בהיפוך זה לייחד ולקשר הכל</u> (שם משמואל, פרשת חיי שרה, שנת תרע"ג).

One of the ways of classifying the *Aseres ha-Dibros* is that the first five are *bein adam la-Makom* and the last five are *bein adam la-chavero.* "*Kabed es avicha ve-es imecha*" is the "transitional" *dibur* in the sense that it is the *chasimah* of *bein adam la-Makom* and the *pesichah* for *bein adam la-chavero*. As such, it contains elements of both *bein adam la-Makom* and *bein adam la-chavero*:

> כבד את אביך ואת אמך. במצוה זו חתם חמשה דברות ראשונות המדברים בכבוד המקום ברוך הוא, כי מטעם זה נאמר בכולם "ה' אלקיך", ולא הזכיר השם בכל ה' דברות אחרונות המדברים בדברים שבין אדם לחבירו, ומצות כבוד אב ואם, אף על פי שהוא בין אדם לחבירו, מכל מקום מצוה זו נוגעת גם בכבוד המקום ברוך הוא, לפי שג' שותפין באדם, הקב"ה ואביו ואמו, ואם תכבד אב ואם בעבור שמהם נוצר החומר והגוף הכלה והבלה, קל וחומר בן בנו של קל וחומר שתכבד את אביך שבשמים אשר נתן בך הנשמה, החלק המעולה הקיים לנצח (כלי יקר, שמות כ:יב).

Through *kibud av va-eim,* one also comes to honor God. Thus, the *dibur* of *kibud av,* which is the *chasimah* of the first five, is linked to the opening *dibur* of "*Anochi Hashem Elokecha.*"

How does one fulfill the *mitzvah* of *kibud av*?

תנו רבנן: איזהו מורא ואיזהו כיבוד? מורא: לא עומד במקומו ולא יושב במקומו ולא סותר את דבריו ולא מכריעו, **כיבוד**: מאכיל ומשקה מלביש ומכסה מכניס ומוציא (קידושין לב ע"ב).

It should be noted that the first directives are "מאכיל ומשקה, מלביש ומכסה". These are the two familiar themes of *lechem* and *beged* which were prominently featured in the story of *Gan Eden* and are the tools to bring about **כבוד** שם שמים.

*Kibud av,* which is fulfilled through *lechem* and *beged,* links this *dibur* to the fourth *dibur* of *Shabbos,* the one immediately prior. *Kevod Shabbos* too is achieved "במאכל ומשתה ובכסות נקיה", i.e., through *lechem* and *beged* (see above, section D).[6]

כבד את אביך ואת אמך. רבי חייא פתח (בראשית ב:י) "ונהר יוצא מעדן" וגו'... וההוא נהרא דמבועא קדישא אקרי אב... רבי אבא אמר, עדן ממש אקרי אב, משום דהאי עדן משתכח מההוא אתר דאקרי אין, ובגיני כך אקרי אב (זוהר, חלק ב, דף צ ע"א).

The *Zohar* states that "Eden itself is literally called *av,* because we find that Eden is from a place called *ayin,* and because of this it is called *av.*" What is the connection between *Gan Eden, av,* and *ayin*?

In *Gan Eden* all of man's basic needs were meticulously tended to. In a similar vein, an *av,* as a parent, tends to his child's every need. The parent reduces himself to an *ayin* by always placing his child's welfare and requirements before his very own. *Kibud av* is the opportunity to repay that *chesed.*

*Kibud av* is the only one of the *Aseres ha-Dibros* where the reward

6. In addition, *Kibud av* and *Shabbos* are also similar in that they are both "intersections": *Kibud av* is the intersection between *bein adam la-Makom* and *bein adam la-chavero,* and *Shabbos* is the intersection between *olam ha-zeh* and *olam ha-ba.*

for performance (*arichus yamim*) is stated alongside the *mitzvah*. The reward of *arichus yamim* is a further link to the *dibur* of *Anochi* because it connects man to God, as the *Keli Yakar* explains:

> וע"כ שכרו אריכות ימים כי הדבקות בה' מקור חיים נותן חיים ארוכים אל האדם, ואם הוא מכבד אב ואם בעבור שמהם נוצר החומר אם כן גם הנשמה חלק אלוק ממעל תתן כבוד לאביה שבשמים, ועל ידי הדבקות שיש לה עמו תזכה לאריכות ימים כמ"ש (דברים ד:ד) "ואתם הדבקים בה' אלקיכם חיים כלכם היום" (כלי יקר, שמות כ:יב).

*Arichus yamim* links *kibud av* to *Anochi* and is the transition to the sixth *dibur*, *lo sirtzach*, which is the very antithesis of *arichus yamim*. Because of its paramount significance in maintaining social order and harmony, *lo sirtzach* is the opening *dibur* of *bein adam la-chavero*.

The *Aseres ha-Dibros* can be grouped not only vertically, but horizontally as well. *Anochi* is thus paired with *lo sirtzach*, as Abarbanel explains:

> והנה היה דבור "לא תרצח", שהיה הראשון מן הלוח השני, כנגד "אנכי ה' אלקיך" שהוא הדבור הראשון. כי כמו שהרציחה היא הרע היותר גדול שאפשר לעשות מאיש לאיש, ככה הכפירה בדבור "אנכי" הוא החטא היותר גדול ועצום שיש באמונות האלקיות. גם כי לא יהרוג האדם את חברו, אם לא נכנסה בו רוח מינות בהשגחת השם יתעלה ומעלתו, וכמאמר המשורר (תהלים צד:ו-ז): "אלמנה וגר יהרוגו ויתומים ירצחו, ויאמרו לא יראה י־ה" (אברבנאל, דברים ה:יא-יד).

The last but not least of the *Aseres ha-Dibros* is *lo sachmod*. As the *Shach al ha-Torah* explains, *lo sachmod* is a fitting culmination of the *Aseres ha-Dibros* and relates to each of the others:

> לא תחמוד בית רעך וגו'. הוא דיבור עשירי שהוא כולל כל הדברות כולם, כי מצינו לשון חמדה בעבודה זרה, שנאמר (דברים ז:כה) "לא תחמוד כסף [וזהב עליהם]" וגו', ומצינו גם כן לשון חמדה בשדות וכר־מים שנאמר (מיכה ב:ב) "וחמדו שדות וגזלו כרמים" וגו', ומצד החמדה יבוא לעבוד עבודה זרה ולרצוח כמו שעשה אחאב בנבות היזרעאלי, ויבוא לידי גזל וגניבה, ויעבור על מאמר אביו אם ימנענו, ויחלל השבת, ואם חמד אשת איש ונכנסה חמדתה בלבו יבוא לידי ניאוף. הרי בכלל

החמדה יבוא לעבור על כל עשרת הדברות, ולזה חתם בלא תחמוד, והחמדה היא בלב, והלב הוא הסרסור הגדול לעשות עבירה, שהתורה הזהירה עליו, שנאמר (במדבר טו:לט) "ולא תתורו אחרי לבבכם" וגו'. הזכיר הלב תחילה שבו תלוי הכל (שפתי כהן, שמות כ:יד).

*Lo sachmod* is horizontally connected to *kibud av*. The prerequisite to fulfill *kibud av* is the capacity to make oneself *ayin*, to subjugate oneself. It is the awareness that you owe your existence to third parties – parents and God. *Chemdah* is the infatuation with oneself. It is the misguided belief that I am the epicenter of the universe and am rightfully deserving of everything. It is the glorification of the "*anochi*." The antidote is to align *lo sachmod*, the last *dibur*, with the first *dibur*, "*Anochi Hashem Elokecha*." The "*Anochi*" is the exclusive domain of *Hashem Elokecha*.

### G. Esav Defrocked

The *bigdei Esav* used to disguise Yaakov are an important prop in the drama that unfolded when Yaakov pre-empted Esav to obtain the *berachos* from Yitzchak:

וַתִּקַּח רִבְקָה אֶת בִּגְדֵי עֵשָׂו בְּנָהּ הַגָּדֹל הַחֲמֻדֹת אֲשֶׁר אִתָּהּ בַּבָּיִת וַתַּלְבֵּשׁ אֶת יַעֲקֹב בְּנָהּ הַקָּטָן (בראשית כז:טו).

The *Chasam Sofer* connects the *bigdei Esav ha-chamudos* to the *dibur* of *lo sachmod*:

והנה טומאתו של עשו הי' בלאו דלא תחמוד אשת רעך וביתו עבדו ואמתו וכל אשר לרעך, וידוע כי "כבד" מכוון בלוח ראשון נגד "לא תחמוד" בלוח שני [רש"י שיר השירים ד:ה] לכן הי' קצת ניצוץ קדושה בעשו מעשה דכבד אבל כל טומאת לא תחמוד היה בו, ומזה היו בגדיו מטומאי' וקראו "החמודות" דייקא (חתם סופר, בראשית כז:לו).

To fully understand the association of *lo sachmod* with Esav, we must trace the origins of the *begadim* and how they came into the possession of Esav:

בגדי בנה החמודות. והם הבגדים שהלביש הקב"ה לאדם הראשון, כדכתיב "ויעש ה' אלקים לאדם ולאשתו כתנות עור וילבישם". ובגדי

כהונה הלבישו, לפי שהיה בכורו של עולם ועבודה בבכורות, ובאו ליד עשו מיד נמרוד (פירוש בעלי התוספות על בראשית כז:טו).

How did Esav acquire the *begadim* from Nimrod?

שהיו אלה הבגדים של אדם הראשון, ובם היו מצויירים כל החיות והעופות כאלו היו חיים, ובאו לידי נמרוד. ולכן נקרא נמרוד "גבור ציד" (בראשית י:ט), לפי שכל החיות והעופות היו באים מעצמם אצל הבגדים, וצד אותם נמרוד. וחמדם עשו הרשע, והרג לנמרוד וגזלם ממנו (צרור המור, בראשית כז:טו).

Esav is the classic illustration of how *chemdah* (*lo sachmod*) evolves into *retzichah* (*lo sirtzach*). Esav coveted the *kosnos or* for the magical powers they possessed. He aspired to be a great hunter and warrior,[7] a *gibor tzayid,* like Nimrod.

He was oblivious to the true significance of the *begadim,* the last vestige of *Gan Eden,* and to the message they impart – to be *mekadesh shem Shamayim* through the *gashmiyus* of the world.

Without any hesitation or compunctions, Esav murdered Nimrod and seized the *begadim*. And, in what can only be considered the height of chutzpah, Esav donned the *begadim* still dripping with the blood of Nimrod and proceeded to be *meshamesh* his holy father, Yitzchak.

החמודות. שהיה עובד בהן אביו בשעת אכילה (רשב"ם, בראשית כז:טו).

Esav had no difficulty reconciling *retzichah* with *kibud av* (despite their *semichus* in the *Aseres ha-Dibros*). He was a cold-blooded killer who masqueraded as the dutiful son only concerned with his father's welfare. He was a disingenuous fraudster in every respect:[8]

---

7. Esav was merely a "*yode'a tzayid*" (*Bereishis* 25:27), contrasted with Nimrod who was a "*gibor tzayid*" (*Bereishis* 10:9).

8. The *Keli Yakar* explains the relationship of Esav and Yaakov to the *Aseres ha-Dibros*:

ולי נראה לומר לכך בא דבור לא תרצח כנגד אנכי, לפי שיעקב ועשו עשו חלוקה ביניהם 'כי יעקב בחר לו י־ה' לחלקו וה' מנת חלקו, ועשו בחר לו אומנות 'על חרבך תחיה'. וע"כ כפר בעיקר כדמסיק (בבבא בתרא טז ע"ב) שכפר בעיקר מדכתיב 'למה זה לי' וכתיב

ועל כן היה לו כמו בגדי שבת לשמש ליצחק שבהם היה יכול להטעותו שהיה מרגיש קצת טוב מצד הלבוש, שזה כל ענין עשו להראות עצמו לטוב לפנים מצד הלבוש. וזהו הפשיטות טלפיים שנמשל לחזיר שיש לו סימן טהרה בהחיצוניות ולא בפנימיות (פרי צדיק, מאמר קדושת שבת, מאמר ה).

## H. Recreating the Scene

Yitzchak saw the world as it should be, not as it was. As the *Asufas Ma'arachos* explains, Yitzchak's attachment to the spiritual world was such that he could only understand Esav for what he should have been rather than what he actually was:

> יצחק עקידתא, דבוק היה ללא שיורין בעולם הרותני. עד אשר התנתק בסוף ימיו מנתיבות עולם העשייה. שהיה מופרש לגמרי מעיסוקין של חולין, עד שכהו עיניו מלהביט חוץ לד' אמות של קדושה. "ויהי כי זקן יצחק ותכהינה עיניו מראות" - "מראות ברעתו של אותו רשע" (בראשית כז:א, וילקוט שמעוני קיד). עיניו הדבוקות בקדושה, "כהו מראות" את מדוחי עולם הגשם השקרי. ועל כן השיג את המאורעות המתהווים בעולם כפי שהם בשורשם, בתהליך התהוותם והשתלשלותם בעולמות העליונים. נתפס איפוא יצחק במחזה הנבואי, ב'**בכוח**' של ההוויה, אותה השיג בעוצמה ובבהירות. ובהיותו מבותק מן ההוויה החומרית, דימה לראות במעשה הכיבוד אב של עשיו, את השתקפות החזון. את יישום המחזה. יצחק עקדתא חי איפוא בעולם רוחני שמימי נאצל, ולא ידע להבחין כיצד נתגבשה אישיותו של עשיו ב'**פועל**'. הוא המשיך לראות את פני הדברים כתבניתם העליונה המקורית (אסופת מערכות, בראשית א', עמ' שטו-שטז).

As R. Goldvicht continues, this explains Yitzchak's vision regarding the *berachos*:

---

'זה א-לי' וגו'. ולפיכך בא ציוני אנכי לבית יעקב, וכנגד זה הזהירם שלא יאחזו באומנות עשו כי אומנות זה הביאו לידי כפירה. ומטעם לא תרצח לא קבלו בני עשו התורה כי הרציחה מביאו לידי כפירה באנכי ה' אלקיך וא"כ בטלה כל התורה, כ"א אין מצוה אין מקום לשום ציווי. וע"כ לא רצה לקבל אפילו שאר הדברות כי ענין הרציחה סותר הכל, כי הרוצח חושב שהוא עושה רצון מזל מאדים בכח השר של מעלה, ובזה הוא מכחיש אלקותו ית', ואלו דברים עתיקים. (כלי יקר שמות כ:יג)

ומכאן אנו עומדים על מהלך השתלשלותן של הברכות. הובהר לנו מפי חכמים, ששתי מערכות ברכה חלוקות היו ספונות בפי יצחק: ברכת "משמני הארץ", וברכת "יסוד עולם". ולימדונו רבותינו, שמתחילה אף טרם עקיבת הברכות מיד עשיו, הועיד יצחק את הברכות השניות ליעקב. ותורף הויכוח שבינו לבין רבקה לא נתמקד אלא אם ראוי עשיו לברכת "משמני הארץ".

והן הדברים. משום, שכאמור, ישנן שתי מערכות חלוקות בעבודת ה׳: "עבודת פנים", ו"עבודת חוץ". והברכה הראשונה מכוונת כנגד מערכת "עבודת חוץ". ותוכנה העמוק של הברכה הזו הוא, שתהא בידו סגולת היכולת הרוחנית, לעשות שימוש של קדושה בנפזרי החומר, וישכיל לרתום אותם למרכבת הקדושה. וחברתה מכוונת כנגד "עבודת פנים".

ולא הועיד יצחק לעשיו, אלא את ברכת "טל השמים ומשמני הארץ ורוב דגן ותירוש". ברכה שנועדה להעניק לו את היכולת הסגולית לקדש את החומר, ולהפוך משמני ארץ, לכלים בעבודת ה׳. אבל ה"ויתן לך" השני, הדן ב"ברכת אברהם" ובשלל ההבטחות הרוחניות שהובטחו והונחלו לנצח ישראל - הללו לא מוענו מעיקרם אף על ידי יצחק, אלא לכתבתו של יעקב שאף הוא נמי מעולם לא העלה בדעתו שיהא עשיו כשר להן (אסופת מערכות, בראשית א׳, עמ׳ שיח).

According to Yitzchak's grand plan, Esav, the *bechor,* was the selected candidate for *avodas chutz*. It was therefore appropriate that he wear the *bigdei Adam ha-Rishon* associated with *avodas chutz*. It was also fitting that he excelled in *kibud av,* as it is the transitional *dibur* between *bein adam la-Makom* and *bein adam la-chavero,* which closely relates to *avodas chutz* (*chibur elyonim ve-tachtonim*).

Yitzchak, fearing that he was close to death, wished to implement his plan by conferring the *berachos* of *gashmiyus* on Esav. To formalize the conveyance, Yitzchak aspired to recreate the *Gan Eden* scene where Adam *ha-Rishon* was charged with his duties (*avodas chutz*). As noted earlier, there were two dominant themes present at that time – *lechem* (בְּזֵעַת אַפֶּיךָ תֹּאכַל לֶחֶם) and *beged* (כָּתְנוֹת עוֹר), which were essentially the tools to implement the *avodas chutz*. Yitzchak insisted that these two themes be present at this moment as well, especially the *kosnos or,* which were the direct link to *Gan Eden*. There was no need for Yitzchak to request from Esav that he don the *kosnos or*, as this was Esav's standard attire when serving his father. His only request from Esav was that he prepare "*mat'amim*."[9] While Yitzchak's food request was generic – "וַעֲשֵׂה לִי מַטְעַמִּים" (*Bereishis* 27:4) – the food that was actually presented to Yitzchak (by Yaakov) included *lechem*: וַתִּתֵּן אֶת הַמַּטְעַמִּים וְאֶת הַלֶּחֶם אֲשֶׁר עָשָׂתָה בְּיַד יַעֲקֹב בְּנָהּ (*Bereishis* 27:17).

Rivka also realized that recreating the *Gan Eden* scene was an integral part of the bestowal of the *berachos* of *gashmiyus*. She ensured that Yaakov wore the *bigdei Esav ha-chamudos*,[10] and not any other clothes, despite the fact that Yitzchak was blind and other clothes might have been equally effective in persuading him that the correct son was standing before him. Rivka's recreation of the *Gan Eden* scene was also a *tikun* for Chava's sin with the *etz ha-da'as*, as the Arizal explains:

> ועוד, מפני מה נתקלל אדם הראשון, בשביל אשתו שהאכילתו מעץ הדעת טוב ורע, ובכאן נתברך על ידי אשה שהיא רבקה, שנאמר (בראשית כז:יג) "עלי קללתך בני", כלומר, אני הייתי סיבה שנתקללת קודם בבחי' אדם הראשון, ועכשיו אתה מתתקן על ידי. וכנגד מ"ש (בראשית ג:יז) "ולאדם אמר כי שמעת לקול אשתך", עכשיו "בני שמע בקולי וכו'" (בראשית כז:ח). וקודם קלקלת על ידי מאכל, עכשיו אתה מתתקן

---

9. R. Bechaye associates the *mat'amim* with the *gashmiyus* that Yitzchak intended to give with his *berachah*:

ומה שבקש מטעמים לשמחת הנפש ולא בקש כנור לנגן כמנהג הנביאים, מפני שהיה עתיד לברכו בדברים גופניים, טל השמים ומשמני הארץ ורוב דגן ותירוש, ועל כן רצה שתהיה סיבת השמחה מאכל ממין הדבר שהוא רוצה לברכו בו. (רבנו בחיי, בראשית כז:ד)

10. Despite the implication of the text that Rivka "stole" Esav's *begadim* and dressed Yaakov in stolen goods, in fact Esav was the thief. Rivka was simply restoring the *begadim* to their rightful owner, Adam *ha-Rishon*/Yaakov (since *shufrei de-Yaakov me'ein shufrei de-Adam*). In addition, the *begadim* were set aside only for the *avodah* of the *bechor* (they were *bigdei kehunah*) and therefore, when Yaakov purchased the birthright from Esav, the sale included the clothing of the *bechor* as well. Furthermore, Esav sold his birthright in exchange for food ("*lechem u-nezid adashim*"; *Bereishis* 25:34). The purpose of the service of the firstborn (*avodas chutz*) is to elevate the material to the spiritual level. Esav's sale of the birthright showed that spiritual issues were of little interest to him, thus "Esav spurned the birthright" (*Bereishis* 25:34).

ע"י מאכל, שהם המטעמים. ומה שנאבד הלבוש של אדם הראשון ע"י החטא, ונפלו ביד נמרוד, עתה חזרו ביד יעקב. וזש"ה (בראשית כז:טו) "את בגדי עשו בנה הגדול החמודות", נגד (בראשית ג:ו) "ונחמד העץ להשכיל" ונתגשמו, ועכשיו חזרו לבעליהם, להטהר ביד יעקב. וזהו ג"כ מ"ש "ראה ריח בני כריח שדה אשר ברכו ה'". ונמצא שנתקן הכל ע"י יעקב, וזמ"ש רז"ל שופריה דיעקב מעין שופריה דאדם, לרמוז למ"ש (ספר הליקוטים, פרשת תולדות, פרק כח).[11]

The sense of smell was instrumental in convincing Yitzchak that he was blessing the correct son. Rashi explains that the scent Yitzchak smelled was actually the scent of *Gan Eden* itself:

וַיִּגַּשׁ וַיִּשַּׁק לוֹ וַיָּרַח אֶת רֵיחַ בְּגָדָיו וַיְבָרְכֵהוּ וַיֹּאמֶר רְאֵה רֵיחַ בְּנִי כְּרֵיחַ שָׂדֶה אֲשֶׁר בֵּרֲכוֹ ה' (בראשית כז:כז).

וירח וגו'. והלא אין ריח רע יותר משטף העזים, אלא מלמד שנכנסה עמו ריח גן עדן (רש"י בראשית כז:כז).

Yitzchak released the *berachah* only after receiving the confirmation of the *rei'ach Gan Eden*. It was the *matir* that Yitzchak required and was anticipating. It was the finishing touch to recreating the *Gan Eden* experience. The *begadim* were the medium that conveyed the sensation of *Gan Eden*, literally and figuratively – the *begadim* were literally from *Gan Eden*, and they were also symbolic of the *avodas chutz* which strives to recreate *Gan Eden* and to accomplish the *chibur elyonim ve-tachtonim*. The *reiach* of *Gan Eden* that accompanied Yaakov stemmed from the *begadim*, as well as from Yaakov's stepping into his rightful role as Adam *ha-Rishon*'s replacement in performing the *avodas chutz*.

Furthermore, the *Shem mi-Shmuel* explains that the only sense not affected by the sin of the *etz ha-da'as* was the sense of smell. Thus, Yitzchak was able to discern the scent of *Gan Eden* and bless Yaakov by using the one sense that was unaffected by the sin:

וירח את ריח בגדיו ויברכהו. בפשיטות שהרגיש שהם בגדי עשו החמודות וזה הוציא מלבו החשד מחמת קול יעקב, וי"ל עוד דידוע

---

11. The main point here is that each detail of the story of Yaakov and Esav's *berachos* has a parallel to a detail in the story of *Gan Eden*.

דחוש הריח לא נפגם באכילת עץ הדעת טוב ורע, שכל החושים נזכרו שמה חוץ מחוש הריח, וע״כ בחוש הריח זה שהרגיש נתעוררה ביצחק הנקודה הפנימית שבו ובזה ברכו. וי״ל דבכל החושים שנפגמו מאכילת עץ הדעת טוב ורע היתה לעשו אחיזה, ע״כ מה׳ היתה זאת להתברך ממקום שאין לעשו אחיזה, ובזה מסולק מקטרגו של עשו ושר שלו, ואולי מזה נסתעף שאח״כ הודה לו על הברכות (שם משמואל, פרשת תולדות, שנת תרפ״ג).

The *chush ha-reiach* contains a deep personal meaning for Yitzchak. The acceptance of a *korban* by God is expressed as "*reiach nichoach la-Hashem*."[12] The experience of the *akeidah,* where he was the intended *korban,* imparted to Yitzchak an intimate awareness of the sensation of *reiach nichoach*:

והנה ריח הניחוח של הקרבנות, לא ידענו מה הוא זה, ואין לנו בו שום הרגש, אך הקרבן עצמו שמונח על המזבח, הוא יכול להרגיש הרוחניות והנועם של אותו ריח הניחוח, אך אחרי דהקרבנות המה בהמות... נמצא דיצחק אבינו שהוא עצמו היה הקרבן, בודאי הרגיש התענוג הרוחני, והנועם אלוקי אשר עין לא ראתה, בעת שהיה מונח על גבי המזבח, אך כשירד מעל המזבח, פסק ממנו התענוג והנועם הזה...

והנה רבקה כשלקחה ליעקב ושלחו ליצחק ליטול הברכות, לקחתו מאוהל של תורה... וכשנכנס ליצחק, נכנס עמו ריח התורה, אשר הוא כריח לבנון כנ״ל, והרגיש יצחק תיכף העונג הרוחני והנועם אלקי הזה, ואמר "ראה ריח בני כריח שדה", הנני מרגיש עתה ריח נועם רוחני, כאותו הריח שהיה לו בעת העקידה, דיצחק קרא למקום העקידה שדה כנ״ל, "אשר ברכו ה׳", זו היא ברכת ה׳, ואחרי דכן הוא, מסתמא רצה בו הקדוש ברוך הוא, לזאת צריכין ליתן לו הברכות, ואמר ויתן לך האלקים מטל השמים ומשמני הארץ וגו׳, ודפח״ח (בית יצחק, בראשית כז:כז בשם תורת גבריאל).

---

12. The *Ba'al Ha-Turim* notes that the only two occurrences in the Torah of the verb "*va-yarach*" in that form are in the context of *korbanos* and in the context of Yaakov receiving the *berachah* from Yitzchak:

וירח - ב׳ במסורת. "וירח ה׳ את ריח הניחוח" (בראשית ח:כא). ואידך "וירח את ריח בגדיו". (בעל הטורים, בראשית ח:כא)

## 1. One Stop Along the Way

וַיֵּצֵא יַעֲקֹב מִבְּאֵר שָׁבַע וַיֵּלֶךְ חָרָנָה (בראשית כח:י).

Armed with the *berachos* of *gashmiyus* and *ruchniyus*, Yaakov embarked on his journey of *tikun olam* (*avodas chutz*). The Torah records one stop that Yaakov made traveling from Be'er Sheva to Charan. *Chazal* tell us that the place where he spent the night and had his dream of the ladder was none other than the future site of the *Beis ha-Mikdash* – the crossroads of *ruchniyus* and *gashmiyus*, the *chibur* of *elyonim ve-tachtonim*.

> שהסולם רומז ג"כ למקום המקדש, כמ"ש חז"ל במדרש, והוא המקום שהראה ההוא טעיא לרבה בר בר חנה תא אחוי לך היכא דנשקי ארעא ורקיעא אהדדי שהוא המקדש שהוא הסולם המוצב ארצה וראשו מגיע השמימה (מלבי"ם, בראשית כח:יב).

When Yaakov awoke from his dream, he made a *neder*:

> וַיִּדַּר יַעֲקֹב נֶדֶר לֵאמֹר אִם יִהְיֶה אֱלֹקִים עִמָּדִי וּשְׁמָרַנִי בַּדֶּרֶךְ הַזֶּה אֲשֶׁר אָנֹכִי הוֹלֵךְ וְנָתַן לִי לֶחֶם לֶאֱכֹל וּבֶגֶד לִלְבֹּשׁ (בראשית כח:כ).

Yaakov emphasizes the two items, *lechem* and *beged*, which are the essential tools in *avodas chutz*.

Since "שופריה דיעקב מעין שופריה דאדם", the unfolding story of Yaakov runs parallel to the saga of Adam *ha-Rishon*. Both stories share the following elements: *Gan Eden*; wearing the identical *kosnos or*; the presence of *lechem*; being recruited for a mission to rectify (sanctify) the *gashmiyus*; departing from a place. Adam's first experience on leaving *Gan Eden* is to greet the *Shabbos*, which is the "אמצעי בין עולם הזה ועולם הבא" (*Shem MiShmuel, Parashas Behar*, 5681). Similarly, Yaakov first visits the *Beis ha-Mikdash* where "נשקי ארעא ורקיעא אהדדי" (Malbim, *Bereishis* 28:17).

Yaakov's *neder* was a confirmation of his belief that *lechem* and *beged* and all material things are Divine gifts. As R. Bechaye notes (*Bereishis* 28:20), by requesting the simple things from God, Yaakov was establishing that a person's efforts are better spent pursuing more noble values than the accumulation of material possessions:

ונתן לי לחם לאכול ובגד ללבוש. זאת שאלת הצדיקים מאת ה׳. לא ישאלו המותרות, רק הדבר ההכרחי בלבד שאי אפשר לו לאדם שיחיה בלעדיו. ובידוע כי נטיית אדם אחר בקשת המותרות הוא גורם לו מהומות רבות, ועל כן כל איש ירא את ה׳ ראוי לו שיהיה שמח בחלקו ושיסתפק במעט ושלא יתאוה המותרות וייטיב לבו ביראת ה׳... וממנו יש ללמוד קל וחומר שיש לו לאדם להתפייס ולהסתפק במעט באהבת ה׳ יתברך וביראתו יותר מתוספת הממון מן הגזל והחמס (רבינו בחיי, בראשית כח:כ).

### J. חיקו של יצחק

What lay closest to the bosom of Yitzchak? Undoubtedly, it was the *akeidah*. This singular experience defined his being and dominated his life.

The dilemma confronting Elifaz is parallel to the *nisayon* that Avraham faced at the *akeidah* – whether or not to kill a human being on orders dictated from a father figure.[13] Elifaz's dilemma revolved around the question of: to what extent is a son obligated to act with blind faith to fulfill the *dibur* of *kibud av*?

The *akeidah,* in its closing moment, addressed the matter by setting a precedent. It unequivocally enshrined the belief that God abhors and eschews any form of human sacrifice. In retrospect, we discover that it was never God's intention that Yitzchak be slaughtered and offered as a *korban*. To do so would have been a *chillul Hashem,* not a *kiddush Hashem*. The purpose of the *akeidah* was to establish certain standards of religious practice and faith by stretching Avraham to his maximum limit.

Yitzchak was living testimony to the paramount importance of *lo sirtzach,* which safeguards human life and upholds its sanctity. The sanctity of life is an affirmation of *Anochi Hashem Elokecha* (the parallel to *lo sirtzach*) and of the Divine spirit that resides in every human being.

---

13. Regarding the *akeidah,* the "father" who commanded was our Father in heaven, who commanded Avraham "offer him there as a burnt offering" (*Bereishis* 22:2).

To grow up בחיקו של יצחק, as Elifaz did, was to view the value of human life through a unique prism. To have the *zechus* of this experience and still contemplate murder, under any circumstances, spawns Amalek, as R. Chaim Shmuelevitz explains:

> ונראה, שאדרבה משום שגדל בחיקו של יצחק וזכה לאורה מיצחק, ועם זאת נשאר "בן עשו", שהרי הלך להרוג את יעקב אבינו, לכן נתהוה ממנו עמלק (שיחות מוסר, עמ' מח).

Not only does Amalek become willing to murder, his values become so twisted that he misleads himself and others. He perceives evil as good and good as evil, and considers himself a moral paragon, as the *Shem mi-Shmuel* describes:

> והנה משורש נחש יצא צפע הוא עמלק, הפסולת מכל זרע עשו, שהוא תכלית השקר והשוא שבעולם, הוא המטעה את אחרים.... ונוסף על מה שהוא שקר וקליפה קשה להכניס בלב אנשים מדת השקר והצביעות, עוד הוא שוא ועיקול לשים חושך לאור ואור לחושך, כמהות המעקל שמהפך מה שלמטה למעלה ושלמעלה למטה, וחוזר וכופל ומעקל ומטעה גם את עצמו להיות כל דרכו הרעה ישרה בעיניו, ומחזיק את עצמו עוד לבעל מעלה מזולתו ומכניס גם מדה רעה זו בלב אנשים (שם משמואל, פרשת תצוה וזכור, שנת תר"פ).

## K. The Diabolical Genius of Esav

> אִישׁ אִמּוֹ וְאָבִיו תִּירָאוּ וְאֶת שַׁבְּתֹתַי תִּשְׁמֹרוּ אֲנִי ה' אֱלֹקֵיכֶם (ויקרא יט:ב).
>
> ואת שבתותי תשמרו. סמך שמירת שבת למורא אב לומר: אע"פ שהזהרתיך על מורא אב, אם יאמר לך חלל את השבת אל תשמע לו, וכן בשאר כל המצות (רש"י, ויקרא יט:ב).

Esav posited the following specious reasoning: *Shabbos* takes precedence over *kibud av* because *Shabbos* is the fourth *dibur* and *kibud av* is the fifth; *Shabbos* thus has greater importance and priority. Logic should then dictate that *kibud av*, the fifth *dibur*, should have precedence over *lo sirtzach*, the sixth *dibur*.[14]

---

14. *Kibud av* also has a higher status because it has a *bein adam la-Makom* aspect, and *lo sirtzach* is merely *bein adam la-chavero*.

Yet, in fact, Esav was not concerned with truth or morality. He was an unscrupulous opportunist who used any means at his disposal (*kibud av*) to achieve his desires (*ta'avah/chemdah*) even going as far as murder. His brilliance lies in his ability to cast doubt (ספק)[15] upon accepted norms and values regardless of the lack of integrity and veracity of his adopted position. By adroitly playing with the truth, he creates a smokescreen which clouds the core issue, which in turn impedes proper and moral conduct.

Esav wanted Yaakov dead, as the *pasuk* clearly states "וְאַהַרְגָה אֶת יַעֲקֹב אָחִי" (*Bereishis* 27:41), but was reluctant to do the job himself for fear of ruining his well-groomed public image as the dutiful son. In killing Nimrod over a garment, Esav displayed his total disregard for human life and disrespect for societal norms. Esav invoked his inherent parental authority[16] and conscripted Elifaz to do his dirty work. Everyone is expendable, including his own son. It was an ingenious ploy because if ever confronted, Esav could claim: one, that he never issued the directive, and, two, the defense of דברי הרב ודברי התלמיד דברי מי שומעין.[17] The claim of *divrei ha-rav* is particularly insidious because the offender utilizes the very thing he is attempting to violate as his defense. In the end, Elifaz was merely a puppet, manipulated by his cowardly father who lurked in the background, to carry out his evil designs.

Elifaz and his offspring, Amalek, having once been insiders, are the most lethal of enemies. They are intimately familiar with lay of the land and know how to capitalize on their opponents' weaknesses

---

15. In *gematria*, עמלק=240=ספק.

16. Esav uses the commandment of *kibud av* to achieve his objective of murder, the opposite of the *arichus yamim* inherent in the commandment of *kibud av*.

17. The first time we see the claim of "*divrei ha-rav*" is in relation to the *nachash ha-kadmoni*, and the *Tzror ha-Mor* associates Esav with the *nachash ha-kadmoni* itself.

רש"י בראשית ג:יד, ד"ה "כי עשית זאת": "מכאן שאין מהפכים בזכותו של מסית, שאילו שאלו למה עשית זאת, היה לו להשיב דברי הרב ודברי התלמיד דברי מי שומעין". צרור המור, דברים לב:יא: "כי עשו הוא אדום הוא נחש הקדמוני".

and insecurities. They can never be accepted back into the camp they once inhabited.

> והנה כבר הגדנו למה נחרץ משפט חרוץ כ"כ על עמלק עד שנשבע הקב"ה בכסאו שאין מקבלין גרים מעמלק, והגדנו היות היו בו בעמלק ניצוצות קדושים מיצחק אבינו ע"ה ע"י אביו אליפז, אבל עמלק בבחירתו הרעה הי' מהפך את הקדושה לחיצוניות (שם משמואל, פרשת בלק, שנת תרע"ו).
>
> ולפי האמור יובן ההפרש שביניהם, דשבע האומות שקלקולם הוא ביודעם שזה רע, אם קבלו עליהם להתגייר ולעשות היפוך טבעם, מקבלין אותם, שהאדם בעל בחירה ובידם לשנות את טבעם, אבל עמלק שמדתו היא גם עיקום השכל לומר לטוב רע ולרע טוב מה תועיל התגיירותו לשנות מעשיו לטוב, הלוא הוא האומר לרע טוב וסוף סוף ישאר בקלקולו לעולם. ולפי האמור יתפרש לשון מחיה כפולה הנאמר בעמלק באשר קלקולו כפול: קלקול המדות וקלקול השכל (שם משמואל, פרשת תצוה, שנת תרפ"ד).

Esav bequeathed the legacy of "מצות אביו להורגו" to his progeny. As we leaf through the pages of the history book of the world and bemoan the deaths of millions of Jews, how often have we heard the refrain "just following orders" (מצות אביו להורגו) uttered from the lips of the murderers. And when the order-issuers are eventually apprehended and confronted, they vociferously claim in their defense either ignorance or דברי הרב ודברי התלמיד דברי מי שומעין. And while the legal wrangling over culpability drags on, the murder of Jews continues unabated.

## L. *Chashuv Ke-Mes*

R. Chaim Shmuelevitz explains the underlying logic of the four categories of people who are considered "*ke-mes*" by the *Gemara*:

> אכן [חוש] ה"ראייה", אע"פ שאינה חשובה לאדם כשמיעה, מ"מ היא הגורמת לאדם להרגיש את הזולת, וכמו שמצינו במשה שכתוב בו: "ויגדל משה ויצא אל אחיו וירא בסבלתם" (שמות ב:יא), ופירש"י: "נתן עיניו ולבו להיות מיצר עליהם", כי רק ע"י ראיית העין חש האדם בצרות הזולת ומיצר עמו, ולא די בראיה בעלמא, אלא כמו

שכתוב רש״י: ״נתן עיניו ולבו״, דהיינו שצריך ״ליתן עיניו״, וכשנותן עיניו - מגיעין הדברים אל לבו... והוא הטעם שסומא חשוב כמת, כי בלא חוש הראיה אין האדם מסוגל להרגיש את זולתו, ולהשתתף עמו במצבו, והרי הוא כמי ששרוי לבדו בעולם, וכמת חשוב.

ונראה שכן הוא בכל הארבעה החשובים כמת שכולם יסוד אחד להם, ה״בדד ישב״ של המצורע זו היא מיתתו, כי מאחר שאינו יכול להיות עם אחרים אינו יכול להרגיש במצבו של הזולת וליתן לו, והרי הוא כמת.

ומטעם זה חשוב כמת גם מי שאינו לו בנים, אף שלכאורה מה חסר לו, והרי כל תענוגות העולם עומדים לרשותו, אלא שטבעו של אדם להיטיב בעיקר עם בניו, ואין אדם בעולם שיכול לקבל טובות כשם שיכולים בניו של אדם לקבל מאביהם, ובאין לו אפשרות זו להיטיב עם הזולת, הרי זה ג״כ חשוב כמת...

וכן העני שחשוב כמת, אין זה משום שחסר לו עצמו, אלא משום שאין ביכלותו לתת לזולתו מאומה, כי מה שחסר לו עצמו, דבר קטן הוא לעומת מה שאינו יכול לתת לזולתו. נמצא שכל הארבעה החשובים כמת, כולם ענין אחד הם (שיחות מוסר, דפ׳ רסט-רע).

The intent of the hyperbole *"chashuv ke-mes"* in describing these four conditions is to graphically underscore what it means to be alive. To be alive means to be cognizant of and to be involved in the existence of others. It demands interacting, sharing, and empathizing with your fellow man. These are the hallmarks of *gemilus chesed,* which is the cornerstone placed by Avraham on which he built the Jewish nation. Indeed, according to R. Moshe Alshich, Avraham established the foundation of the entire world with his *chesed*:

אמנם הנה ידוע מאמר התנא (אבות א:ב), ״על שלשה דברים העולם עומד: על התורה ועל העבודה ועל גמילות חסדים״. והנה על זה אמרו רבותינו ז״ל (במדבר רבה יב:יד) כי עד מתן תורה היה עומד העולם על עמוד אחד והוא גמילות חסדים, ומשנתנה תורה היו שנים, ומשהוקם המשכן היו שלשה. והנה ידוע כי העמוד הראשון היה על ידי חסד אברהם שהיה גומל חסדים טובים לכל העולם (האלשיך, תורת משה, בראשית יב:י-יג).

The encounter between Yaakov and Elifaz was a collision between diametrically opposite value systems. At the core of their confrontation lies the probing question – what does it mean to be alive? In Yaakov's worldview, to be alive means to touch the lives of others, of your fellow man, in a meaningful way. The net worth of a person is not measured by his collection of trinkets but rather how he uses his material wealth. Yaakov had no problem parting with his possessions because he believed that they were Divine gifts, and that just as God had provided for him in the past, He would continue to do so in the future.

Elifaz (and Esav) stood at the other end of the spectrum. In their scheme, to be alive means to pamper the "I." Wealth is the mandatory requirement that allows one to pursue their *ta'avos*. An impoverished person lacks the means to partake and to indulge in his passions. He has no *raison d'etre* – he is as good as dead. Therefore, they accepted Yaakov's suggestion because in their eyes, Yaakov, sans possessions, is pathetically worthless. The *Shem mi-Shmuel* illustrates the inverse relationship between *chesed* and *ta'avah*:

> ומדת החסד הוא לגמול חסד עם זולתו, ולחבר את העליונים והתח־תונים, ומדת התאוה הוא היפוך מזה שכ"א כוונתו רק למלאות תאות נפשו, ועם זה עושה פירוד בין העליונים והתחתונים (שם משמואל, פרשת תצוה וזכור, שנת תרע"ז).

The subtlety of Yaakov's comment that *ani chashuv ke-mes* cannot be overstated. It is of paramount importance because it lays the groundwork for the approach we must adopt to combat Amalek. Yaakov's act of forfeiture cannot be interpreted as a sign of submission and defeat. On the contrary, it was an act of defiance and triumph. Yaakov employed a *hipuch*, an inversion, to overcome his adversary, Amalek. Yaakov was intimating that though it might have appeared for this brief moment that he was the impoverished one, in truth it was Elifaz who was the *ani*. The inherited value system of excess ("*yesh li rav*" – "I have a great deal"; *Bereishis* 33:9) and of self-indulgence that guided Elifaz's life is morally bankrupt and is doomed, *chashuv ke-mes*, as the *Gemara* in *Berachos* emphasizes.

> אלו רשעים שבחייהן קרויין מתים (ברכות יח ע"ב).

## M. The Imagery of *Yad*

The imagery of *yad* plays a key role in the Amalek narrative.

וַיֹּאמֶר הַקֹּל קוֹל יַעֲקֹב וְהַיָּדַיִם יְדֵי עֵשָׂו (בראשית כז:כב).

Yitzchak's grand plan envisioned Yaakov exclusively engaged in *avodas penim* with Esav undertaking the complementary role of *avodas chutz.*

The *kol,* the human voice, originates from the inner sanctum of the body. In the *Mishkan* and *Beis ha-Mikdash,* the *kol* emanated from between the *keruvim* which were located on the *Aron* that was placed in the *Kodesh Kodashim,* the inner sanctum. The *kol* of Yaakov was meant to be heard only in the *batei midrashos* and *batei kenesiyos,* the private sanctuaries of holiness.[18]

The *yad* is the most critical component in human activity and productivity. In contrast to the *kol* which is *bifnim,* the *yad* is *ba-chutz.* The original purview of Esav was to perform the *avodas chutz* – to elevate and to sanctify the *ma'aseh yadayim.* When Esav became disqualified, Yaakov assumed the role of *avodas chutz* as well.[19]

וַיָּבֹא עֲמָלֵק וַיִּלָּחֶם עִם יִשְׂרָאֵל בִּרְפִידִם (שמות יז:ח).

The Torah gives us notice that Amalek is prone to attack when we come to רפידים, which the *Mechilta* identifies with רפיון ידים, when our hands show signs of weakening. When we falter in our responsibility

---

18. The *midrash* elaborates on the inverse relationship between the *kol* of Yaakov in *batei knesiyos* and *batei midrashos* and the hands of Esav:

על ידי שקולו של יעקב בבתי כנסיות ובבתי מדרשות, אין הידיים ידי עשיו. וכל זמן שאין קולו של יעקב מצפצף בבתי כנסיות ובבתי מדרשות, הידיים ידי עשיו (פתיחתא דאיכה רבתי ב).

19. The Malbim emphasizes Yaakov's role in both *ruchniyus* and *gashmiyus* in explaining why Rivka had Yaakov wear goatskins when he stood before Yitzchak:

ואת ערת. וכדי שידמה לעשו גם במשוש גופו ושערותיו, הלבישה אותו את עורות גדיי העזים, באופן שחיצוניותו יהיה דומה לעשו, ויקח את הברכות הראויות לו, ובכ"ז יהיה פנימותו יעקב, ועלה בידה, שיצחק אמר כן באמת "הקול קול יעקב והידים ידי עשו", שהוא יעקב מצד קולו ועשו מצד בגדיו, בענין שיקח הברכה הרוחניית והגשמיית. (מלבי"ם, בראשית כז:טז)

to perform *avodas chutz* (*ma'aseh yadayim*) properly, we can anticipate a "knock on the door" from Esav. Esav's role has been relegated to that of an enforcer.

וְהָיָה כַּאֲשֶׁר יָרִים מֹשֶׁה יָדוֹ וְגָבַר יִשְׂרָאֵל וְכַאֲשֶׁר יָנִיחַ יָדוֹ וְגָבַר עֲמָלֵק (שמות יז:יא).

It was only when the hands of Moshe were raised that *Bnei Yisrael* were able to triumph over Amalek, but when the hands of Moshe were down it was Amalek who was victorious.

כי גוף האדם, עם היותו גשם עכור כולל הכל: עליונים ותחתונים (פרדס רמונים, שער לא, פרק ח).

The upper section of the body contains the organs that perform the higher functions – thought, speech, and emotion. The lower portion of the body contains the organs that control the baser human needs such as reproduction and waste removal. All body parts have limited mobility and limited extension beyond their natural resting position. The exception is the hands. Not only are they endowed with a wide range of movement, they possess the unique ability to traverse from *tachtonim* to *elyonim*. In their natural state, the hands lie at the bottom with the *tachtonim*, but with effort and determination, the hands can soar to the top of *elyonim* and beyond.

והוא גוף האדם דאקרי משכן לשרות בו השכינה, ואקרי מקדש (ספר חומת אנך, מלכים א ו:יב).

The *avodah* in the *Beis ha-Mikdash* was to take the *ma'aseh yadayim*, the *lechem* and *beged* of this world, and to elevate them,[20] to be *mechaber elyonim ve-tachtonim*.

Our *guf*, a *mikdash me'at*, is a constant reminder that we are engaged in an eternal "hand to hand" struggle with Amalek over where to place and to maintain our *ma'aseh yadayim*.

וַיֹּאמֶר כִּי יָד עַל כֵּס יָ־הּ מִלְחָמָה לַה' בַּעֲמָלֵק מִדֹּר דֹּר (שמות יז:טז).

---

20. *Lechem* is elevated through the *lechem ha-panim*, and *beged* through the *bigdei kehunah*.

The *yad* on the seat of the throne of י־ה is the eternal battle that is waged against Amalek. The *Gemara* explains the meaning of this name of God:

> כדדרש ר׳ יהודה בר ר׳ אילעאי אלו שני עולמות שברא הקב״ה אחד בה״י ואחד ביו״ד. ואיני יודע אם העולם הבא ביו״ד והעולם הזה בה״י, אם העולם הזה ביו״ד והעולם הבא בה״י. כשהוא אומר ״אלה תולדות השמים והארץ בהבראם״ אל תקרי בהבראם אלא בה״י בראם, הוי אומר העולם הזה בה״י והעולם הבא ביו״ד (מנחות כט ע״ב).

The sacred mission of Amalek is to abort the *chibur* of the י and the ה, to thwart the *chibur* of *elyonim ve-tachtonim*.

The tenth ("י") of the *Aseres ha-Dibros* is *lo sachmod*, which is the *chasimah* of the *bein adam la-chavero*. The fifth ("ה") of the *Aseres ha-Dibros* is *kibud av*, the *chasimah* of *bein adam la-Makom*. When the "י" and the "ה" converge, when the *lo sachmod* and *kabed* are performed properly and in sync, when the *bein adam la-Makom* is integrated with *bein adam la-chavero* – then the *chibur* of *elyonim ve-tachtonim* will be complete and Amalek will be eternally vanquished.[21]

## N. Conclusion – מאין יבא עזרי

Yaakov persisted and was able to fend off Elifaz on that occasion. But the allure of Jewish blood is too powerful and always draws Amalek back. And more often than not, material goods do not satisfy their bloodlust. The *Midrash Rabbah* begins *Parashas Vayetzei* with the following introduction to the *parashah*:

> רבי שמואל בר נחמן פתח (תהלים קכא) ״שיר למעלות אשא עיני אל ההרים״, אשא עיני אל ההורים, למלפני [מתנות כהונה - למלמדי] ולמעבדני [מתנות כהונה - לעושי כלומר להוריי, ודרש ההרים לשון הוראה לשון הריון], ״מאין יבוא עזרי״ - אליעזר בשעה שהלך להביא את רבקה מה כתיב ביה, ״ויקח העבד עשרה גמלים״ וגו׳, ואני לא נזם

---

21. The numerical difference between יד (14 in *gematria*) and the י־ה name of God (15 in *gematria*) is one. The "one" represents the power of the individual, who must lift up his hands (ידים) (i.e., the work of his hands) to God above (י־ה).

אחד ולא צמיד אחד... רבי יהושע בן לוי אמר שילח עמו אלא שעמד עשו ונטלה ממנו, חזר ואמר מה אנא מובד סברי מן בריי [מתנות כהונה - וכי אאביד ומייאש סברי ותקותי מבוראי]? חס ושלום, לית אנא מובד סברי מן בריי, אלא "עזרי מעם ה׳, אל יתן למוט רגלך אל ינום שומרך, הנה לא ינום ולא יישן וגו׳ ה׳ ישמרך מכל רע", מעשו ומלבן, "ישמור את נפשך" ממלאך המות, "ה׳ ישמר צאתך ובואך", ויצא יעקב (בראשית רבה, פרשת ויצא סח:ב).

According to the *midrash,* upon being robbed of his possessions, Yaakov responded with the proclamation of אשא עיני אל ההרים מאין יבא עזרי, עזרי מעם ה׳.

Amalek draws its strength from the hubris of the "I."

הכח והחיות דסטרא אחרא (עמלק), ששורש החיות מהחטאים היא גסות הרוח (תפארת שמואל, א׳ דפסח).

On the other hand, as the *midrash* quoted above states, Yaakov responded to Elifaz's assault by raising his eyes to the הורים (parents):

אשא עיני אל ההורים, למלפני [מתנות כהונה - למלמדיי] ולמעבדני [מתנות כהונה - לעושי כלומר להוריי, ודרש ההרים לשון הוראה לשון הריון].

The ultimate *yeshuah* can only originate from a place called "*ayin.*"

רבי אבא אמר, עדן ממש אקרי אב, משום דהאי עדן משתכח מההוא אתר דאקרי אין (זוהר, חלק ב, דף צ/א).

The only effective weapon that can topple the hubris of Amalek is *anavah,* which draws its strength from the *ayin,* the *hefech* of the "I."

במה לבטל כח אליפז ועשו שגדולים בגסות הרוח כהרים הללו, והעצה לה מאין יבוא עזרי, במדת אין שהיא הכנעה ושפלות יש לו כח להעביר הטומאה מן הארץ ולתקן עולם במלכות שמים (תפארת שמואל, לא׳ דפסח).

And when the *ayin* becomes our modus operandi, we acknowledge *Hashem, oseh shamayim va-aretz,* and forge an everlasting *chibur* between the *elyonim* and *tachtonim.*